序章

村は死によって包囲されている。渓流に沿って拓《ひら》けた村を、銛《もり》の穂先の三角形に封じ込めているのは樅《もみ》の林だ。

樅の樹形は杉に似て端正、しかしながらいくぶん、ずんぐりとしている。杉が鋭利な刃物の先なら、樅は火影《ほかげ》だ。灯心の先にふっくらと点《とも》った炎の輪郭。直通の幹、こころもち斜め上方に向かってまっすぐに伸ばされた枝と樹冠が作る円錐形、葉は単純な針葉で、それが規則正しく並ぶのではなく螺生《らせい》するところだけが、わずかに複雑だ。——総じて淡々とした樹《き》だと思う。

しかしながらこの樅の純林は、村を「死」として包囲している。それは村の境界線であり、こちらとあちらを隔てる稜線《りょうせん》、林の中はすでに此岸《しがん》ではなく彼岸だ。

彼岸から村を見下ろす者たちは、四十メートルにも達して巨軀《きょく》を表すくせに、その寿命は百五十年から二百年と短い。これは滅びる樹だ。植生が遷移《せんい》する途中に現れ、斃《たお》れることによって次の覇者に位を勧める。

その滅びゆく樹は死者のために育てられ、村を取り巻く山肌に留まっている。村は営々とこの樅材を利用して卒塔婆《そとば》を作り、のちには棺《ひつぎ》を作った。村は生まれた当初から、死者のために祭具を作って成り立ってきた。

そして樅の林の中は、まさしく死者の国であり、樅はその墓標なのだった。

村では今も死者を土葬にする。村人はそれぞれが山の一郭に墓所を持ち、そこに亡骸《なきがら》を埋葬する。墓石はない。そこが死者の住居であることを示す角卒塔婆が立つきりだ。死者の回向《えこう》の三十三回忌、それを過ぎると卒塔婆を倒して樅を植える。植えて忘れる。死者はすでに山の一部に還《かえ》り、もはや人と接点を持たない。

死者のための滅びゆく樹、その純林は、まぎれもなく死者の国だ。三方を樅に囲まれて、村は死の中に孤絶している。

実際のところ、村は拓かれた当初から、付近の山村の中で孤立している。そもそもが樅に目をつけた木地師の集団が移り住んで切り拓いた村、血縁的にも地縁的にも村は周囲と脈絡を持たない。

そのせいだろう、すべては村の内部で完結しており、村は生きるに部外者の助けを借りない。外の力は、ちょうど村の南を貫いたバイパスのように、村を通り抜けていくだけだ。その道が村よりも大きな町へ、町よりもさらに大きな都市へと繋《つな》がっていても、それを降りて樅に包囲された山村に立ち寄る者もない以上、やはり村は隔絶されている。

しかしながら、不思議にこの山村は近年になっても過疎《かそ》とは比較的、無縁なままだった。人口は増えもしないかわりに、さして減ることもない。たしかに村のはずれ、最も辺鄙《へんぴ》なあたりから少しずつ人家が減ってきてはいるのだが、そのぶん村の南に家が増える。老人が多いのは山村の常だが、老人たちが樅の林の中に歩み去っていくと、どこからともなく若者が戻ってくる。

この細く、しかしながら決して途絶えることのない営みを見ると、村はまるで祠《ほこら》のようにも思える。どれほど荒れ果てても、何かの折、ふと思い出して立ち寄る種類の信仰のように、村の命脈は途切れることがない。

だとしたら、閑散とした山村のこの静けさは、祠堂《しどう》に通じるものかもしれない。此岸から彼岸へと架け渡された橋、その対岸、三方を死によって包囲されながら厳然として此岸で、世俗からは孤絶している。

そこで人は死に仕え、死者のために祈る。

――実際、村は生まれた時から、そのために存在した。

＊＊＊

溝辺《みぞべ》町北西の山間部に火災のものだと思われる不審な明かりが見える、と消防署に第一報が入ったのは、十一月八日、午前三時を少し過ぎた頃だった。

気温、摂氏九・六度、実効湿度六十二・三パーセント、風速毎秒十二・八メートル、折からの異常乾燥注意報は、いつ火災警報に切り替わってもおかしくなかった。

無線を耳にし、とっさに好野《よしの》は雑誌を投げ出して出張所の前に飛び出した。

出張所の北には黒々とした山並みが横たわっている。昼間ならば、晩秋の冴《さ》えた空を背景に緑の山が連なるのが見えただろう。常緑樹に覆《おお》われ、なだらかに折り重なる稜線、そこに点々と混じる鮮やかな紅葉、その光景がはっきりと想起できるほど、好野にとっては見慣れた山だった。

それは今、無数の光点を撒《ま》いた星空を切り取り、漆黒の影として横たわっている。満天の星がいくつか散り落ちたように、あちこちに小さな明かりが見えていたが、それが常にそこにあるものかどうかまでは判然としなかった。

「徳さん、見えるか」

背後から緊張した同輩の声がして、好野は振り返った。

「いや」

身を軋《きし》ませるほどの寒風が真正面から押し寄せてきていた。それは山から市街に向かって吹き下ろしている。制服の首まわりから入り込んでくる乾いた風は刺さるようで、好野は山に目をやったまま思わず襟を掻《か》き合わせた。

溝辺町北部に広がる山間部は、町面積のほぼ三分の二を占める。人口のほとんどは残る三分の一である溝辺町市街部に集中しているが、山の中にもいくつかの集落が点在していた。問題は「火災のものと思われる明かり」が、その集落の中にあるのか、そうでないのか、ということだった。

正直なところ、集落の中なら問題はない。各集落は山に分断される形で孤立しており、ほとんどは狭い谷間に拓け、人家は得てして古く、密集する。それでも各集落にはそれぞれ消防団が組織されていたし、折からの異常な乾燥で警戒態勢を布《し》いている。水利も確保されている。人手もある。消火は可能だ。真に恐ろしいのは、そうでない場合——山に火が入った場合だった。

好野は風に身を竦《すく》めながら黒い山並みを注視する。抽《ぬき》んでて高い山はない。起伏に乏しい平坦《へいたん》な山が連なっているだけだ。ハイキング気分で登れるような山ばかりだが、尾根が複雑に入り組んでいて交通の便は意外に悪い。山間部に植樹されているのは、ほとんどが杉や檜《ひのき》、樅などの常緑樹だが、その下生えはすでに枯れ、触れれば音を立てて折れるほど乾いていた。ひとたび山に火が入れば、大規模な火災になる可能性が高い。この夏、岡山、広島で続いた山林火災のことが思い出された。

(頼むから、単なる住宅火災であってくれ)

心の中で祈る好野の声が聞こえたように、同輩が声を落とした。

「山火事でなきゃ、いいんだがな」

好野は頷《うなず》いた。火は乾ききった下生えを舐《な》めて恐るべき速度で広がっていくだろう。広大な斜面が炎に包まれ、それは秒速十三メートル近い強風に煽《あお》られて、いくつもの尾根を駆け上がり駆け下りして、北部の山々とそこに孤立する集落を呑《の》み込んでいく。しかも風は、狙《ねら》い澄ましたように溝辺町市街部に向かって吹き下ろしてきていた。

好野は縋《すが》るような気分で山を見上げたまま、襟をさらに掻き合わせ、身震いした。

山間部の南を貫いて自動車道が開通した。平野部のはずれにインターチェンジが置かれたせいで、かつては水田ばかりだったこのあたりも急速に開発されつつあった。田畑をつぶして造成された住宅地は、平地を埋めつくして北へとあふれ、今や山の斜面をも切り開きつつある。山と市街は入りまじって完全な地続きになっていた。

頼む、と祈るあてはないまま声には出さずに呟《つぶや》いたとき、突然、けたたましい出場ベルの音が鳴り響いた。好野は弾《はじ》かれたように出張所を振り返る。同時に若い隊員が出張所を飛び出してきた。

「上から明かりが見えました！　外場《そとば》方面！」

消防車は町内を縦断する尾見《おみ》川に沿って北上し、溝辺町北部に広がる山間部へと入っていった。少なくとも今はまだ、山にはなんの異常も発見できなかった。黒々とした稜線が続いているのが、かろうじて見て取れるだけだった。

藍色《あいいろ》を帯びた夜空の下、のったりとした起伏が黒く連なっている。夜明け前の国道は閑散として、市街部を離れてしまうと、思い出したように突風とすれ違うほかは、行き会う車の影もなかった。

平穏に見える夜、平板に見える山、今はそれがもどかしかった。道は川や尾根の屈曲に沿って紆余《うよ》曲折を繰り返す。なまじ険しい山がないだけに、思い切ってトンネルを掘り、山を切り開こうという意欲を殺《そ》いだ。その結果、北の集落に向かうのに、いったん南に向かわねばならない、そういうことも頻繁だった。しかしながら、火勢はそんなものに頓着しない。風向きの促すまま、単刀直入に突き進んでいく。

それを考えると、カーブのたびに胃の腑《ふ》が痛んだ。山なりに唯々《いい》諾々と進み、やがて前方、遠くに自動車道の明かりが見えた。煌々《こうこう》とした照明が一文字に連なって光の帯のように前方の谷を横切っている。

その自動車道の向こうにあって谷を堰《せ》き止めているように見える尾根、その北側が外場——旧・外場村のはずだった。渓流沿いの谷間に四百戸ほどの人家が集まっている。人口はおよそ千三百人あまり、山間部に点在する集落の中でも最大の集落だった。

「何も見えませんね」

若い隊員の声に、好野は頷く。

「せめて夜が明ければ、煙くらいは見えるのかもしれんが」

答えながら、好野は奇妙な符合に驚いていた。無線が入る前、好野はちょうど一冊の雑誌を読んでいるところだった。それは先月死亡した隊員の前田《まえだ》が残していったものだ。前田は外場に住んでいた。近所に作家がいるのだと自慢そうに言って、雑誌を持ち込んできたのを覚えている。もう一年半も前になるはずだ。外場について書いた随筆が載っている、と御丁寧に付箋《ふせん》まで貼《は》ったページを前田は嬉《うれ》しげに開いてみせた。その雑誌がひょっこり棚の奥から出てきたのだった。

前田は病死したのだったか。好野より一廻りは年下だったはずだ。家族が遺品を整理に来て、私物は全部引き取っていった。休憩室の棚の奥に雑誌だけが残されていた。

思い出すともなく思い出しながら、好野は無線に耳を傾ける。本部でも詳細は分かっていないらしい。現場の様子が分からないだけでなく、具体的に火災現場がどこなのか、特定すらできていない。

好野は助手席の隊員に声をかけた。

「外場の消防団とは、まだ連絡がつかないのか」

それが、と無線機に向かっていた隊員は振り返る。

「詰め所に誰もいないようなんです」

「馬鹿《ばか》な」

異常乾燥注意報が出ている。それもいつ火災警報に切り替わってもおかしくない状態だ。各消防団には厳重に警戒するように勧告が出ているし、ならば詰め所には必ず誰かがいるはずだった。

「団長は」

「出張所から家に電話しているんですが、やっぱり誰も出ないそうです」

「外場の団長はつい最近、替わったばかりだろう。新団長の家に連絡しているのか」

「当然、そうだと思いますが」

好野は軽く舌打ちをする。消防署と消防団は厳密に言えば別組織で、互いに並列する関係にある。指導するのは消防署だが、一枚岩の組織ではないから手足のように神経がゆきとどく、というわけにはいかなかった。

「まさか詰め所も団長の家も、もう焼けてるんじゃないだろうな」

危惧《きぐ》とも冗談ともつかない口調で若い隊員が言って、好野は顔を蹙《しか》めた。それほどの事態なら、そこに至る前に外場から報告があったはずだ。しかしながら、不穏な想像が脳裏を過《よ》ぎるのは止められなかった。連絡をする余裕もないほど現場は混乱を極めているのだとしたら。

車がさらにカーブを曲がった。またひとつ尾根を迂回《うかい》し、北西に向かって視野が開けた。前方に国道を跨《また》ぐ自動車道の橋脚が見える。真昼のように照明された自動車道の先は、漆黒の山肌だ。その向こうに異常なものが見えた。行く手を塞《ふさ》ぐ暗闇《くらやみ》のあちこちに、光の粉をまぶしたように赤い明かりが点っている。

好野だけでなく、同乗した隊員の誰もが声を上げた。最悪の事態が起こったのだと分かった。単なる住宅火災ではない。まぎれもなく山火事だ。それも、手前に自動車道の照明があってさえ、あれほどの光点が見えるのだから、すでに尋常の規模ではない。

「嘘《うそ》だろ……」

誰かが呟いた。助手席の隊員が咳《せ》き込むように無線で現状を報告する。応援が必要になる。あの規模、この強風、とても出張所だけでは対応できない。

一体、鎮火までにどれだけの時間がかかるのか（それは、何日かかるのか、と言ったほうが正しいのに違いない）、それまでにどれだけの山林が焼失し、どれだけの犠牲が出るのか。

好野が思わず膝《ひざ》の上に置いた拳《こぶし》に力を込めたとき、前方に車のヘッドライトが見えた。好野は運転手に徐行を命じる。窓から身を乗り出し、近づいてくる車に向かって大きく手を振った。

なんの変哲もないワゴン車だった。相手方の車と消防車とが、センターラインの付近で接近して停まる。好野はドアを開け、半身を乗り出した。ワゴン車の運転手が窓を開けた。

「あんた、外場のほうから来たのかい」

好野の声は吹き下ろす風に攫《さら》われそうだった。強風に吹きちぎられたのか煙のようなものは見えなかったが、風の中には明らかに火事場の臭気が混じっていた。

好野の問いに運転手は淡々と頷いた。歳《とし》の頃は二十代半ばから三十代半ばのあたりだろうか。明かりが乏しいこともあって表情までは仔細《しさい》に見て取れないものの、格別、取り乱した様子ではなかった。ただ、その顔も着衣も、泥の中を転げまわったように汚れている。好野はほんの一瞬、その汚れを血糊《ちのり》だと思った。もちろん泥が光線の加減で血のように見えただけだろう。――そうに決まっている。

「外場はどうなってる？　何か知らないか」

運転手の声は感情を見失ったように（あるいは虚脱したように）静かだったが、風の中をよく通った。

「山火事です。北の山に火が入って、村に向かって下っています」

好野は呻《うめ》いた。

「規模は」

「酷《ひど》いです。火の粉が雪のように降っています」

――正真正銘、最悪の事態だ。

外場分団は何をしていたんだ、と誰かが毒づくのが聞こえた。助手席の隊員は、本部に報告を入れている。好野は軽く手を挙げ、ワゴン車の運転手に礼を言った。運転手は車を出す。同様に走り始めた消防車のドアを閉めながら、見るともなくワゴン車を見送って、好野はぎょっと息を呑んだ。

車の後部座席、そこに棺が積まれていた。一瞬のことだが、それは異様なまでに鮮明に好野の目に飛び込んできた。たしかに白木の棺桶《かんおけ》だった。後部シートをすべて倒し、何かの布に半ばくるまれるようにして納められた大きな木箱の、一方に小さな窓があり、観音開きの扉に房がついているのまでが、はっきりと目に焼きついていた。

好野は口を開けて車を見送る。一瞬、追いかけて呼び止めたい気がしたが、すぐに肩の力を抜いた。――そう、棺だ、それで問題はない。

外場はもともと卒塔婆や棺を作って成り立ってきた村だ。運転手の風体からして、現場は本当に混乱を極めているのだろう。取るものも取りあえず、手許《てもと》にあった商売用の棺に貴重品を詰め込んで逃げ出してきた、そういうことなのかもしれなかったし、あるいは納品する予定の棺が積んだままになっていたのかもしれない。

どこか違和感を感じたが、深く拘《こだわ》っている場合ではなかった。棺を積んだワゴン車に出合ったことよりも、外場には木工所や製材所が多い、そのことのほうが好野にとっては重大だった。

消防車はさらに国道を北上する。自動車道の高架を潜《くぐ》り抜け、渓流に沿ってカーブをひとつ曲がると、国道の前方、先細りに高くなりながら拓けた外場の集落を見通すことができた。

正面に見える北の山にはすでに一面、火が入っている。植樹された樹木の下を赤い火が完全に制圧しているのが見て取れた。山の稜線がくっきりと黒いのは、北山の向こう側が明るんでいるからだ。おそらくは火元は外場のさらに北で、山の向こう側は火に覆われているのだろう。

消防車の中には火事場の臭気どころか、煙そのものが入ってきた。慄然《りつぜん》と見守る目の前で、山の一郭に火の手が上がった。樅が火勢に負けたのだ。北の斜面に近い建物のいくつかはすでに炎に包まれ、その周辺では逃げ惑う車のヘッドライトが鬼火のように揺れている。

火の粉が降っていた。いや、降っているなどという生やさしい状態ではない。強い風に煽られて吹雪のような有様だった。

想像以上の惨状に、同乗した隊員がそれぞれ呻くように声を上げるのが聞こえた。ポンプ車一台が駆けつけたところで、一体何ができるというのか。

――もちろん、彼らにできることなど何もなかったのだった。

この惨状は何かの始まりではなく、ひとつの終焉《しゅうえん》だった。夏以来、ひそかに進行してきた事態の、これが終結点だった。

いや、人によれば、その始まりをもっと以前——一年、あるいはそれよりも前に求めたかもしれない。いずれにしても、それが避けがたく進行し始めたのは夏のことだった。七月二十四日、未明。

すでにその日、外場と呼ばれるその集落が、近隣一千ヘクタールにもおよぶ山林を巻き込んで消滅することは、半ば決定していたのだった。

第一部　鴉《からす》たち

一章

I

荒涼たる大地は硬く凍って幾重にも紆曲《うね》る。

空は暗澹《あんたん》と垂れ込め、雲と大地とで世界は見事に二分されていた。駆けるのは刃物のような風ばかり、光は空のどこにもなく、ましてや地にあるはずもない。にもかかわらず、彼の背後からは清らかな光輝が押し寄せ、風を避けて深く面伏《おもぶ》せ、前のめりに歩く彼の視線の先に、長く赤黒い影を投げかけていた。

彼にはその影の色が赤茶けた大地によるものか、それとも自らに課せられた呪《のろ》いによるものなのか分からなかった。分かるのはそれが永遠に彼の踝《くるぶし》に結びつけられ、彼が斃《たお》れ、朽ち果てて塵《ちり》になってしまうまで、決して離れることがないだろうということだ。いや、塵になってもまだ、微細な赤黒い影を作るのかもしれなかった。

この不毛の地に動くのは、彼と悪霊《あくりょう》だけだった。彼の額には印があったが亡霊たちは契約を知らなかったので、彼に向かって冷気を吹きつけ、あるいは毒を吐きかけ、あるいは半透明の手に礫《つぶて》を拾って投げた。

――呪われてあれ。

悪霊たちは彼につかず離れず、半ば透けながらつきまとった。どんなに鈍くとも真昼の光は彼らの姿を朧《おぼろ》にする。影すら持たない彼らの、声はしかし風の中に明瞭《めいりよう》だった。

――呪われてあれ。

――追放者。

揶揄《やゆ》を含んだ声とともに足の下に転がり込んできた石を踏んで、彼は何度目か、巌《いわお》のように硬く凍った地に倒れた。

凍え軋《きし》む両手を突いて起きあがる前に、腕の間から背後の光輝が見えた。それは小高い丘に射《さ》しかかり、丘の緑をあまねく照らしていた。二度と戻ること叶《かな》わぬ彼の故郷、そこに満ちた遠い光だ。

丘の頂上に点《とも》った光は、その丘に慈愛を降り注ぎ、緑を暖かな色に輝かせていたが、この地にはただ影のみを与えた。

ここ流離《りゆうり》の地において、この光によって育つ植物はなかった。空気でさえ凍結するような寒気を貫きながら、寸毫《すんごう》のぬくもりも寄越さない。その光はただ大地のざらざらとした手触りを目に見える形に浮き彫りにし、そして影を――濃い、罪の色の影をありとあらゆるものに分かちがたく添えた。

――追放者。

また、石礫が飛んできた。彼は目を閉じて一息に立ち上がったが、瞳《ひとみ》の奥に焼きついた光は瞼《まぶた》の下に忘れ難く、それを怖れて目を開けば、今度は雲に光輝の残滓《ざんし》となって映って見えた。

陽が薄れ、亡霊たちがまとった衣の端々が明らかになっても、背後の光輝だけは薄れることがなかった。彼はもう何日も荒野を歩き続けていたが、光輝が弱まることはなく、しかも故郷の丘が大地の起伏の下に没することもなかった。彼はひたすらに歩いた。丘と光輝の見えないところへ、一刻も早く辿《たど》り着きたかった。

やがて前方に、白く淡く人影が見えた。それは先で、明らかに彼を待ち受けていた。青白く鬼火が揺れてその影の足許《あしもと》に集《つど》っている。

彼はその人影の特徴を読みとって喘《あえ》いだ。また夜がやって来たのだ。

それがこの荒野にやって来る刻限。

それは彼につきまとい、亡霊どもが喧《かまびす》しい明け方まで彼の傍らを離れないだろう。それから逃げることはできず、また、それを追いやることもできないと彼はとうに知っていた。やむを得ず歩いた。立ち止まっても歩む方角を変えても、彼は必ずそれの側《そば》に辿り着くことになる。

彼自身も意識しないまま一歩ずつ狭まる歩みが、やがて影の輪郭を明らかにした。彼は足を止め、顔を覆《おお》った。

それは彼がすでに屠《ほふ》った彼の同胞だ。彼のあとに生まれ、彼には得られなかったものを難なく手にした弟。

弟の血は大地に撒《ま》かれ、一昼夜のうちにそこにある緑を根絶した。その骸《なきがら》は哀惜とともに丘の一隅に葬《ほうむ》られたはずだった。光輝は悲しみに翳《かげ》った光を墓に投げかけ、近辺の樹木の花は夕刻にしか咲かず、枝に留まる鳥は同じ調子の音でしか啼《な》かない。

それがまた、今夜も墓から甦《よみがえ》ってきたのだ。

——屍鬼だ。

そこまでを書きつけて静信《せいしん》は軽く息をつく。同時に緊張が緩み、凍《い》てついた荒野から夏の夜の中に放り出されていた。

気温が一気に上昇したようだった。静信は鉛筆を手放す。古風な塗りの六角形は、荒野の夜を封じ込めた原稿用紙の升目の上を転がり、スタンドの明かりに滑《ぬめ》った光沢を放った。原稿用紙を広げた無機的な事務机、それを照らす黄味を帯びたスタンドの明かり、机の脇《わき》の窓からは、夏の夜気とともに虫の音が流れ込んでいる。

七月二十四日、日曜日。日付は変わったばかりで、室井《むろい》静信は三十三を目前に控えていた。彼は僧侶《そうりょ》で同時に作家だった。寺の寺務所で自分の机に向かい、目の前には取りかかってから五時間ほどが経過した原稿が広げられている。

静信はもう一度息を吐き、自分が埋めたばかりの原稿用紙を揃《そろ》えて手に取った。升目を埋めた文字を冒頭から目で追う。

寺務所の窓からは、旺盛《おうせい》な虫の音が流れ込んできていた。かなりの音量のはずだったが、それでも不思議に部屋の中には静寂が淀《よど》む。古びた部屋の片隅、かろうじて机の周辺を照らした明かりと、そこで俯《うつむ》き自閉するように原稿と向き合った自分。背後に並んで沈黙しているスチール製の机と事務機器、寝静まった庫裡《くり》。それらを懐《ふところ》に抱き込んだ伽藍《がらん》は人の気配の残滓すら絶えた虚空《こくう》に満たされている。伽藍の周囲は樅《もみ》の林だ。寺は樅に覆われた山の斜面にあって、隣接する人家はない。山寺から見下ろす村は広大な山の中に孤立し、樅の中に封じ込められている。そうやって幾重にも取り巻いた孤絶が、静寂となって寺務所のそこここに淀んでいた。

（弟は、彼を憐《あわ》れむ……）

静信は原稿用紙を机の上に戻し、もう一度軽く息を吐いた。事務机の抽斗《ひきだし》からカッターナイフを取り出し、放り出した鉛筆を拾い上げて刃を当てた。埋めたばかりの原稿用紙の上で鉛筆を削る。

弟は屍鬼となり果てたが、怨霊《おんりょう》になったわけではなく、ましてや魔物になったわけでもなかった。弟はただ墓から起き上がった、それだけだ。ゆえに弟は、生前の性向のまま彼に慈悲を垂れるのだ。だが、加害者を憐れむ被害者ほど罪人を苦しめるものはない。

彼は弟の慈悲に苦悶《くもん》し

――そしてどうするのだろう?

静信はわずかに考え込み、漠然と見える物語を辿って、やがて曖昧模糊《あいまいもこ》とした混沌《こんとん》の中に行く末を見失ってしまった。

なんとか手探りを繰り返しながら、鉛筆を長めに削って先を丁寧に尖《とが》らせる。芯《しん》は硬質の2H、硬い鉛筆で彫り込むようにして文字を書く癖があった。なので鉛筆を使っていても消しゴムは使えない。使ったところで文字は消えないから、文字を消すときには原稿用紙のほうを消してしまうことにしている。

(殺された弟は、夜ごとに墓から甦る)

その慈愛深い弟は、彼が凶器を手にしたとき、兄が殺人者になることを悟った。弟は殺される自分よりも、殺す兄を憐れんだ。

それで屍鬼となって兄を追う。罪人となって荒野をさまよう兄の行く末を追わないではいられないのだ。

それは慈愛であって呪いではない。

それが兄を苦しめることは、屍鬼となった弟には分からない。兄はそれを読み解く。

そして――どこに帰着するのだろう。

考えながら鉛筆の先を丁寧に仕上げ、今夜使った他の鉛筆も削っていく。先が鈍いのは嫌いだけれども、そうそう鉛筆を削ってばかりもいられないので、切手盆に必ず一ダースの鉛筆を用意しておき、先が丸くなるたびに換えていく。

すでに梅雨が明けたが、部屋の中に浸《し》み入るようにして流れ込んでくる夜気は熱気とは無縁だった。むしろ半袖《はんそで》のシャツに肌寒くさえ感じられる。そもそも渓流に沿って拓《ひら》けた山村は熱帯夜には縁がない。大学に行っていた頃に住んでいた街とはたいそうな差だった。クーラーのない寮の部屋では、机に向かっているだけでも汗が滴《したた》り落ちた。今と同じように原稿用紙に屈《かが》み込んで深夜を過ごし、落ちた汗に滲《にじ》むインクに辟易《へきえき》して万年筆を使うのをやめた。以来十年、硬い薄い鉛筆を使っている。

まだ原稿用紙を使っているんですか、と驚いたように言ったのは、どこの編集者だったろう。静信はそれに、機械は性に合わないので、と答えた。ワープロを買ってはみたものの、結局父親に譲ってしまった。きちんと打ち出される文字は嫌いではなかったが、いくらでもたやすくやり直せるのが、なんとなく気に入らなかった。

原稿用紙の升目を埋めていくのは、引き返すことのできない道を進むのに似ている。袋小路に迷い込むと、枝道まで戻る。そうしてひとつずつ、迷路を踏破するようにして書いていくのが自分に合ったやり方らしかった。時間はかかるが、そもそも静信は僧侶だし、小説を書くのは副業にすぎない。出版社に脱稿を急《せ》かされるほどの売れっ子だったことは一度もないし、これからもないだろう。十年これでやってきたのだから、これからもこれで構わないのに違いない。

最後の鉛筆を削りあげて、削り屑《くず》を原稿用紙の中央に集め、包むようにして紙を折る。中のものが零《こぼ》れないよう、紙の端をきっちりと折り込み、屑籠《くずかご》の中に捨てた。どんなものもそんなふうにして始末をする癖があったから、母親などは捨てているのかしまっているのか分からない、と言って笑う。

新しい原稿用紙を広げ、静信は立ち上がった。軽く鳥肌が立っている。窓を閉めようと歩み寄ると、静信の影に驚いたのか、唐突に虫たちが口を噤《つぐ》んだ。そのせいで儚《はかな》いばかりに頼りなく、当たり鉦《がね》の音が聞こえてきた。浮き足立つようでもあり、どこかもの悲しいようでもあるその音は、虫送りの鉦の音だ。

鉦の音に耳を澄まし、ごく微《かす》かに静信は笑った。村の夜は早い。常には寝静まる頃合いに、大勢の人が出て喧噪《けんそう》が続く祭りの夜。昔、夜の中には秘密が隠されているような気がしていた。面をつけて練り歩く男たちを追っていけば、そこに辿り着けるような気がしたものだ。

あいにく静信は三十を越え、夜の中に隠されているものの正体を知ってしまった。けれども今も多くの子供が、眠い目をこすりながら行列のあとをついて探し物をしているのだろう。それが、きっと何かがあるはずだと信じて鉦の音に胸を揺さぶられていた昨年の、あるいはその前の年の自分なのだとは気づかないままに。

窓辺から何気なく見渡した村は、闇《やみ》に沈んでいた。点在する人家の明かりや街灯、それらは闇を払拭《ふっしょく》できてはいなかった。むしろ心細いほどまばらに点った明かりのせいで、村はいっそう暗かった。包み込むように屹立《きつりつ》した暗黒は、樅に覆われた山の稜線《りょうせん》だった。その上方に広がる天蓋《てんがい》には鮮やかに満天の星、夏の夜空は山村の夜景よりもはるかに明るい。

村は死によって包囲されている。

樅は死だ。村人はそこに今も死者を土葬にする。心残りや恨みを残した死人は墓から甦って徘徊《はいかい》し、村に災いをもたらす。村ではそれを「鬼」と呼んだ。鬼の触れたものは死に感染する。人や家畜は死に、作物は枯れる。泣く子のところには鬼が来るぞ、とは、今も昔も変わらない親の言い分だ。

起き上がり、死を振りまきながら徘徊する屍者。それは樅の中で目覚め、暗黒の斜面を下り、乏しい明かりに群がって安逸の夢に縋《すが》る人々を訪《おとな》う。

(この暗黒……)

この暗黒を見よ。

稜線の上の星

星の光輝に比べ、この暗さはどうだ。丘の上から賢者は荒野を指さした。

これは無明の闇、この昏《くら》きは穢《けが》れであり、呪いである。

そう言って示して、賢者は彼の背中を押す。たたらを踏んだ彼は荒野によろめき出、その背後で黄金の狭い門は閉じた。

静信は首を振って窓に手をかけた。

物語の帰着点が見えないと、自分が何のために物語を書き始めたのか、その始まりでさえ疑問に思える。断片ばかりが降り積もり、それでいっそう、物語の核となる小骨を覆い隠してしまうのだ。

静信は自分に苦笑して窓を閉めようとし、そしてそこに明かりを見た。

折り重なるようにして村を押し包んだ暗黒、その彼方《かなた》、わずかに拓け、明るんだあたりに点った光。この位置に見えるのは国道から分岐する川沿いの道であることを、静信は長年の経験で知っている。明かりは移動していた。おそらくは車だろう。

軽く眉《まゆ》を寄せて腕時計に目をやった。いつの間にか午前三時になろうとしていた。村の明かりもまばらで当然、鉦の音が寂しくて当然、祭りはすでに佳境を過ぎて、終焉《しゅうえん》へと向かっている。終焉に村人は参加することができない。村から害虫や疫病《えきびょう》を追い出すための儀式だから、人々は送るだけ、その終焉に立ち会ってはならないのだ。立ち会って良いのは、面をつけて「人でない者」になった者だけ。

（こんな時間に……）

明かりは国道のほうからまっすぐに村の内懐に入ってきていた。遠目にもそれが三台ぶんの車両のヘッドライトだと分かった。

ことさらのように注視してしまったのは、こんな時間に村に出入りする車を見かけることが、滅多にないせいかもしれなかった。

三台ぶんの車の明かりは暗闇の中、弧を描き、漂うようにして地を這《は》っていた。それは招く手、墓穴から甦った死者が鬼火を遣わして彼を呼ぶ。

ふと浮かんだフレーズを、静信は頭を振って払い落とした。

何気なく窓を閉めるわずかの間に、明かりが停まったのを見たような気がした。

2

山村の夜は漆黒に塗りつぶされ、アスファルトの路面にも闇が凝《こご》っている。道路際《ぎわ》には街灯が立っていたが、明かりは暗く、かろうじて夜露の降りた街灯それ自身の周囲を照らしているにすぎなかった。頼りない光はアスファルトの表面を這い、路側帯を示す白い線を朧《おぼろ》に浮かび上がらせている。

闇の中に吸い込まれていくように見えるその白いラインの、先にも暗い光があった。道の先、橋の袂《たもと》には小さな祠《ほこら》が建っている。そこに納められた石の地蔵の周囲に無数の蠟燭《ろうそく》が立って、あるかないかの風に炎を揺らめかせているのだった。その翳《かげ》った明かりが、半眼に目を開いた石地蔵の無表情と、その脇に立つ異常なものを照らしている。

それは子供の背丈ほどもある卒塔婆《そとば》だった。

卒塔婆の表面には、白い紙を切って作った人形がびっしりと貼《は》りつけられている。蠟燭の光が紙人形に陰影をつけ、明かりが揺らめいては、まるで人形が蠢《うごめ》いているかのように影を踊らせた。――遠く鉦の音がする。

卒塔婆は待っている。灯明に照らされ、虫の音、蛙《かえる》の声に洗われながら、その合間に細く混じる鉦の音を待ちわびて、そこにひっそりと立っていた。

夜の中を、鉦の音が近づいてきた。速くリズミカルな音の合間に、息継ぎのように張りつめた太鼓の音が入る。何かを叩《たた》き合わせる乾いた音と大勢の足音。

風が吹いて灯明が揺れる。陰影が踊って地蔵が表情を変える。やがて祠の間近に松明《たいまつ》の明かりが現れた。

畦《あぜ》からアスファルトの路面へと、黒い影が躍り上がってきた。いくつもの炎が闇に円を描き、打ち合わされ、そのたびに音を立てて赤く火の粉が散る。散った明かりが異形の者たちを照らし出した。

鬼面に丈の短い白装束、墨染めの衣。古風にも手拭《てぬぐ》いで頰被《ほおかむ》りした鬼たちは、多くが大きな板卒塔婆を背負っている。鬼が跳ねると子供の背丈ほどもある卒塔婆にびっしりと貼りつけられた紙人形も揺れた。

怖《お》じ気づいたように虫の音が絶えた。鉦の音、太鼓の音、松明を打ち合わせる音に渓流の水音が重なる。虫の音よりも涼やかに、河鹿《かじか》の鳴く声がする。

鬼たちは松明を振り、あるいは苞《つと》を振る。卒塔婆の重みに前屈みになりながら大股《おおまた》に足を運び、あるいは小さく跳ね、行きつ戻りつを繰り返しながら鉦太鼓を鳴らして夜道を闊歩《かっぽ》する。行列の先頭を行く鬼が担《かつ》いだのは、子供の背丈ほどもある藁《わら》人形、それが短い棹《さお》の先に刺さって、高々と磔《はりつけ》にされていた。

先頭を行く赤鬼が、藁人形を毛槍《けやり》のように振りながら祠の前で足を止めた。あとに続いて祠の周囲にやって来た鬼たちは二十程度、それが松明を打ち鳴らし、跳ねるようにして祠の前を通り過ぎる。てんでに地蔵の前の供物《くもつ》を攫《さら》って、祠の脇にある石段から谷川のほうへと下りていった。藁人形を掲げた赤鬼も祠の脇から板卒塔婆を抱え上げ、そのあとに続く。水量が減って広く現れた渓流の河原では、火を焚《た》いて待ち構えた三人ほどの人影があった。

キリをつけるように鉦と太鼓が打ち鳴らされて沈黙し、そしてくぐもった歓声が安堵《あんど》の息のように流れた。

「御苦労さんでした」

待ち構えた老人が、ひときわはっきりと声を上げた。男の一人が鬼面を外し、大きく息をつく。

「やれやれ」

それを潮に、二十ほどのすべてが面を外し、背中の荷を下ろした。藁人形が、あるいは卒塔婆が細い焚き火を覆うように積み上げられて小山を作った。そこに用を果たした松明が投げ込まれる。炎は絡《から》み合い、人形を包み込み、やがてひとつの火の手となって、渓流沿いの河原と炎を取り囲んだ人々の顔を明々と照らした。

面を外して男たちは笑う。声高に談笑しながら、衣に留めつけ首に下げた包みを炎の中に投じた。鉦も太鼓も放り出して、河原のあちこちに腰を下ろし、足を投げ出す。

彼らの姿を見て、結城《ゆうき》もまた、ようやく鬼面を外した。どうやら苦行が終わったらしい安堵に大きく息を吐いて、手近の石に腰を下ろす。頰被りした手拭いを解いて汗を拭い、首を振って夜風で顔を洗った。

「いやあ、お疲れさん」

弾んだ声とともに、顔の脇に缶ビールが差し出され、結城はそれを受け取りながら振り返った。黒の衣に頰被りという、奇妙な出《い》で立ちの男が破顔していて、その扮装《ふんそう》の特異さに、いまさらながら笑いがこみ上げた。

結城の笑いを察したのか、武藤《むとう》は「ああ」と呟《つぶや》いて照れたように手拭いを取る。自分も缶ビールを片手に汗を拭いながら、結城の脇に腰を下ろした。武藤の顔は赤い。常には謹厳実直を絵に描いたような男が、珍しく上機嫌で、すっかりできあがっているのが分かる。村を練り歩く間に振舞酒を相当に飲んだのだろう。渡された缶は火照《ほて》った手に冷たく濡《ぬ》れていた。渓流に沈めておいたものらしかった。

「どう、疲れたろう」

武藤が言うのに、結城は頷《うなず》いた。

「足が棒のよう、とはこのことだね。虫送りがこんなに大変なことだとは思わなかった」

「ユゲ衆は重労働だからねえ。わたしも最初にユゲ衆になったときには、途中で何度も家に逃げ帰ろうかと思ったよ」言って、武藤は笑う。「でもまあ、これも男衆の定めだから。祭りに参加しないうちは、お客さんだからね」

結城は頷いた。

結城はこの村――外場に、一年ほど前に越してきた。別に縁故があったわけではない。単に田舎に引っ込みたいと考えていたところに、たまたま外場の家を斡旋《あっせん》してくれた知り合いがいたというだけのことだった。だが、そういう移住者は外場では少ない。少なくとも結城の知る限りでは、この武藤が唯一《ゆいいつ》だった。武藤は村にたったひとつある病院で医療事務をやっている。いちばん上の子供が小学校に入る際、近隣から外場に家を求めて移り住んできたらしい。他にも近隣から越してくる者がいないではないようだが、それらの人々はほとんどが外場に血縁を持っている。その意味で武藤と結城は異分子だった。

「そうか、結城さんは今年が初めてですか」

柔らかな声がした。すぐ間近の石に坐《すわ》った男が結城のほうを見ていた。

「そりゃあ、お疲れになったでしょう」

たしか、広沢《ひろさわ》という中学教師だったか、と結城は思い出しながら、軽く笑んでみせた。

「けれども、なんだかこれで、やっとわたしも村の一員になったような気がします」

結城が言うと、広沢もまたビールを片手に、側へとやって来た。

「もう一年ほどになりますかね、結城さんが越していらして。たしか、創作工房をやっておられるとか」

「そう呼んでもらうほど、たいしたものじゃないんです。梓《あずさ》――いや、女房と木を削って家具を作ったり、糸を染めて布を織ったり――まあ、そういうことをやってます」

広沢は微笑《ほほえ》んだが、武藤は渋面を作って缶を結城に突きつけた。

「それだよ。あんたが夫婦別姓などというややこしいことをするから、神事に入るのに一年もかかる。村の連中には、そういう進歩的なことは分からないんだ」

結城は苦笑した。家がたまたま近いこともあり、武藤には越してきた当時から世話になっているが、酒が入ると必ずその話になった。

　同居人の梓とは入籍していない。梓が改姓を拒んだからだ。梓の心情は理解できたし、結城自身、結婚という制度に疑問を感じていたので、あえて入籍はしなかった。妻とは呼ばない。同居人と呼ぶ。息子が一人いるが、息子は梓の戸籍に入っており、結城が認知している、という形になっている。外場の人々にはこれがまったく理解できなかったらしい。越してきたばかりの頃は、様々な憶測が乱れ飛んだようだった。

「まあ、村の者も慣れたようだし、よろしいじゃないですか」広沢は温厚に笑う。「たしか、息子さんがおいででしたね。ずいぶん大きくてらして——今年、高校に入られたんじゃなかったですか」

「ええ。大学の間にできた子なんで。中学で息子がお世話になりましたか」

「いいえ、わたしは御縁がありませんでした。しかし、もう十六か。だったら御両親を理解できる年頃ですね」

　そうですね、と結城は笑った。小さい頃は誤解もあって、いじめもあったようだし、ちゃんと結婚してほしいと訴えたりもしたが、中学に入った頃からそういうことも言わなくなった。ようやく父母の意図するところを理解できるようになったようだ、と結城は受け止めている。

「そういうライフスタイルをお持ちだと、田舎の暮らしは釈然としないことが多いんじゃないですか。たとえば、神事には女性が参加できないこととか」

広沢の問いに、結城は軽く首を振った。

「そうでもないです。梓もわたしも別に、古いものなら何でも刃向かってやろうなんて、思ってるわけじゃないですし。むしろ二人とも都会生まれの都会育ちで、祭りなんかには縁がなくてきましたから、神事だ、しきたりだと言われると、かえって感動してしまいますね」

「感動ですか」

「ええ、そう――粛然とする、と言うんですか。こういうものがちゃんと受け継がれて残っていたんだ、と思って感激するんですよ。それを求めて越してきたようなものですから。まあ、梓は不満たらたらでしたがね。せっかくの祭りなのに、ユゲ衆でないと最後まで見届けられないのは、ずるいと言って」

結城が答えると、広沢は静かに声を上げて笑った。

「なるほど」

「どうして女はユゲ衆になれないんだとぶつぶつ言っていましたが、しかし、これぱっかりは男でないと無理でしょう。何よりこりゃあ、体力がいる」

そうですね、と広沢は微笑んだ。

「暑い盛りにこの衣装ですからね。おまけに面をつけて村の端から端まで踊り歩くわけですから」

「まったくです。——このお坊さんみたいな衣装には意味があるんですか」

「ユゲ衆というのは、遊行上人《ゆぎょうしょうにん》から来ているんでしょう。それで墨染めの衣なんでしょうね」

「遊行上人？」

「あの大きな藁人形」と、広沢は大きく火の手を上げている焚き火に目をやった。「あれをベットと言うんですよ。別当が詰まったものらしいです。——わたしもあまり詳しくない、若御院の受け売りですが」

若御院、と結城は焚き火に照らされた河原から、山のほうを振り返った。三つの尾根に三角形に囲まれたこの外場の、奥の斜面にある旦那寺《だんなでら》、そこの跡取り息子は副業で小説も書く。結城はまだ著書を手に取ったことがなかったが、村人の評判は苦笑まじりだった。大きな声では言えないけれども、なんだか小難しくて、と誰もが言う。それでも口調が温かいのは、村に作家がいることが誇らしく思えるせいでもあり、旦那寺の若さんへの敬愛のせいでもあるのだろう。

「もともと農村には、害虫や疫病は悪霊《あくりょう》がもたらすものだという信仰があるんです。保元・平治の乱の頃に、斎藤実盛《さねもり》という武将がいまして」

「平安時代の、保元・平治ですか」

「ええ。この斎藤実盛を、長井斎藤別当とも言うんですね。もともとは源氏方の武将だったのが、のちに平家方に移ったんだそうです。この実盛が木曾義仲討伐のために北陸に下って、加賀篠原《しのはら》で討たれたんですが、それが稲の株につまずいて倒れたせいだというんですよ。その恨みから害虫になって稲を食い荒らすという伝承が割合に日本には広くあって、虫送りの時に実盛の霊を供養するという風習があるらしいです」

「へえ。斎藤別当——それでベットですか」

「その実盛の霊が加賀篠原に現れて、時宗《じしゆう》の遊行上人が十念を授けて弔ったという記事が古い文書にあるそうですね。謡曲に『実盛』という曲があるんですが、これもそれを題材にしたものらしいです。当時そういう伝説が流布《るふ》してたんでしょう。それで別当に従っていく男衆を遊行衆——ユゲ衆と言うんじゃないか、と若御院はそう言うんですけど」

「けれども、なぜ、鬼の面なんです？」

ああ、それは、と広沢は笑んだ。

「外場では『起き上がり』のことを鬼と呼ぶんです」

「起き上がり？」

「ええ。ここは土葬でしょう。そのせいか、死人が墓から起き上がり、村へ下りてきて祟《たた》りをなすという言い伝えがあるんです。それを鬼と言うんですよ。別当を弔う遊行衆が鬼では理屈に合いませんが、もともとは僧形の遊行衆とは別に、鬼の面を被《かぶ》った男衆がいたようですね。ベットを担いだ遊行衆が別当の霊を弔いながら村を練り歩くと、村の穢《けが》れや鬼がそのあとをついてくる。それをここまで連れて来て祀《まつ》り捨てる。それが虫送りなんです」

「祀り捨て――」結城は焚き火に目をやった。「それで焼いてしまうんですね」

ユゲ衆はベットを担ぐ。ベット自体は大きく、藁で作ったものとは言え、かなり重い。それは村の耕地や山林の端々で振りまわされた。そうやってあたりを撫《な》で、穢れを移すのだと聞いた。他の者は卒塔婆を担いでウッポする。ウッポとはユゲ衆の足捌《あしさば》きのことで、そうやって踊るようにして村の隅から隅まで練り歩くことによって踏み清めていくのだという。子供の背丈ほどもある板卒塔婆を背負って祠から祠へとウッポしていくのは、実際のところかなりの重労働だった。

「卒塔婆を使うのは、ここが外場だからですか」

外場という村名は、卒塔婆から来ているのだと聞いた。結城がそう問うと、広沢は静かに頷く。

「樅を育てて、卒塔婆を作って生きてきた村ですから」

その大きな卒塔婆は、ここ一週間ほど村のあちこちにある祠の内外に立てられる。人々は神社からもらってきた紙人形に名前を書いて神棚に祀り、罪穢れを移してから卒塔婆に貼って酒や食物を供え、塚を供養する。遊行衆はその供物や卒塔婆を拾い集めて村を一周した。紙人形がびっしりと貼りつけられた卒塔婆は、正直言ってあまり気持ちの良いものではなかった。少なくとも結城は初めてそれを見たとき、見てはならないものを見たように思った。

「慣れない方には、気味が悪いでしょう」

内心を読んだように広沢が言って、結城は苦笑した。

「最初は驚きましたが。おまけに衣を着た鬼が松明を点《とも》して練り歩く——まるで祭りと言うより、何かの呪《のろ》いのようですね」

「呪いとまじないは、結局のところ同じものですから。虫送りも正式には御霊会《ごりようえ》と言うんです。悪霊が祟らないよう、祀って遠ざける。人と神の仲というのは、意外に冷たいものです」

「土着の祭礼というのは、そういうものかもしれないですね」

広沢は頷いた。いつの間にか武藤は、缶ビールを握ったまま、うとうととしている。

「祀って捨てたものだから、帰りには面を被ってはいけないんです。鬼は村の外に追い出したんですから。昔は川で沐浴《もくよく》して衣を換えて戻ったそうですけどね。さすがに酒も入っていて危ないので、絶えましたが」

「なるほど。——そういう変化はあるんですね」

残念そうに聞こえたのかもしれない、広沢は詫《わ》びるような顔をした。

「もともと虫送りというと土用だったんですが、今ではそのあたりの土曜日の夜、と決まっています。そうでないと勤め人が参加できませんから。そういう種類の変化はね、これはもう起こらないわけにはいかないので」

「いや。現状に合わせながら、受け継がれているんだな、と言いたかったんですよ。古いものを古いまま保存してるだけじゃ、生きた祭りとは言えないでしょう」

結城が慌《あわ》てて補うと、広沢は笑む。

「それはどうだかは分かりませんが。——まあ、これでも近隣の集落に比べたらよく残っているほうでしょう。外場は少し特異です。ここはこのあたりの集落の中でも、異物ですから」

「そうなんですか？」

「外、場、と言うくらいで、もともと余所《よそ》から入ってきた木地屋の拓《ひら》いた村ですからね。実を言えば合併されてもう村なんかじゃないんですが、外場の人間も村と言うし、外の人間も村と言う。一緒くたにはなれないことをお互いに分かっているんでしょう。滅多に人も入ってこないし、出て行かない。そういうところです、ここは」

「では、わたしは異物の中の異物ですね」

結城が言うと、広沢は笑う。

「なに、ユゲ衆を経験したら、もう村の者ですよ。これから大変ですよ、村には色々とね、割り当てられた役割というものがあって、男衆と若衆は力仕事を一手に引き受けないといけないから」

「ユゲ衆は変わらないんですか」

「今年参加なさったから、たぶん来年も誘いがあるでしょう。絶対にやらないといけないというものでもありませんが、わりに誰がやるか決まってしまいますね。鉦《かね》太鼓にもウッポにも、形《かた》ってものがありますから」

「なるほど」

結城は苦笑する。四十も近い年齢になって踊りの稽古《けいこ》というのは、我ながら照れくさいものがあった。

「上中門前《かみなかもんぜん》、下外水口《しもそとみずぐち》と言いまして」

「何ですか、それは」

「外場村というのは、合計六集落でできているんです。上外場、中外場、門前、下外場、外場、水口。そこに本当はもうひとつ、山の中に少し離れて山入《やまいり》という集落があって」

「もうほとんど人がいないと聞きましたが」

「ええ。残ったのは二軒だけです。まあ、その山入を含む上集落と、下集落があって、神事には割り当てがあるんですよ。氏子が作る組織を宮座《みやざ》と言うんですが、村を挙げての行事でも、宮座の采配《さいはい》でなければ上下のどちらかが分担することになります。旧、新とも言いますけれども。最近じゃ国道のほうに家が増えて下のほうが大きくなりましたが、昔はあそこは田圃《たんぼ》ばかりでね。——旧正月にやる祈年祭と、虫送りの直前にやる神《じん》幸祭《こうさい》は下の担当です。あれも結構な重労働なんですが、我々は正月の歳神祭《さいじんさい》と虫送りを担当するんで、見るだけです」

「へえ」

「こんな小さな村でも、意外に広いですからね。神事に限らず、村を挙げての行事はだいたい上下で分担があるんです。もっと小さい行事は各集落ごとにやる。祝儀《しゅうぎ》とか不祝儀なんかはさらに小さい班ごとですね。そうやって細分化していくから、役割はだいたい決まってくるんですよ、どうしても。あの行事のときに鉦を持つのはあのひと、この行事のときに御輿《みこし》のお先棒を持つのはあのひと、というふうに」

「なるほど。じゃあ、来年の虫送りに備えて、少し体力をつけることを考えておかないといけないな」

　結城が笑うと、広沢も静かな声で笑った。

「広沢さんは、お住まいはどちらです」

「結城さんと同じです。中外場」

「そうだったんですか。——これを機会に、ひとつよろしく」

　こちらこそ、と広沢が笑んだところに、武藤が顔を上げた。うたた寝から目覚めたらしい。

「……車だ」

結城も広沢も、言った武藤の顔を一瞬見て、そうして河原の土手を見上げた。村の入口のほう、つまりは南にヘッドライトの明かりが見えた。

「こんな時間に」

広沢が呟《つぶや》いたのも道理、腕時計を見ると、もう午前三時が近い。ヘッドライトは三台ぶん、それが南から近づいてきて停まった。

「ははあ、道を間違えたな」

武藤が呂律《ろれつ》の怪しい声で言う。そうなのかもしれなかった。車はしばらくそこで困惑したように留まり、やがて小刻みに動き出して道を引き返し始めた。

武藤が怪訝《けげん》そうに目を眇《すが》め、広沢もまた眉《まゆ》を顰《ひそ》めた。おそらくは結城自身も同じような表情をしていたことだろう。——それはトラックに見えた。アルミのコンテナは、かなり大きい。その背後に続いた車は、トラックの陰になっていてよく見えない。

焚き火を囲んだユゲ衆は、誰しも驚いたようにバックしていくそれを見送った。

「引越かい……？　この時間に」

武藤の声は呆《あき》れた調子が半分、訝《いぶか》しむ調子が半分だった。結城はとりあえず頷《うなず》き、なんとなく背後を振り返った。左右に迫った山の稜線《りょうせん》は真砂《まさご》を撒《ま》いたような星空を背景に、ただ黒い。それは村を左右から挟み込み、渓流の上流で閉じ合わされる。合流した稜線をずっしりと押さえ込むように、最奥《さいおう》にはひときわ大きな山塊が聳《そび》えていた。その北山のすぐ左、村の北西、西の山と北山が合するあたり。結城はこの村の誰とも同様に、そこに一軒の家があって、住人を待っていることを知っていた。

トラックは引き返していったのだから、あの家とは無関係だろう。——けれど。

同じことを思ったのか、気づいてみれば、武藤や広沢はもちろん、焚き火の周囲に佇《たたず》むユゲ衆の多くが同じようにして北西の山を見上げていた。

3

空気は徐々に藍《あい》の色を薄め、黒いばかりの山肌からは樅の緑が浮かび上がってくる。朝靄《あさもや》にくるまれた沈黙の底では山鳩《やまばと》が鳴き始めた。

静信が箒《ほうき》を抱えて庫裡《くり》を出ると、境内は蒼《あお》いような白いような光で満たされていた。朝靄にけぶって空は見えない。薄墨を流したように石畳が延び、その先に聳える山門の黒々とした色も滲《にじ》んでいる。

山鳩のくぐもった、そのくせ妙に歯切れの良い声に耳を澄ましながら、静謐《せいひつ》そのものの境内を横切り、静信は山門へと向かった。箒を立てかけた山門の支柱も濡《ぬ》れている。

ずっしりと湿り気を含んだ閂《かんぬき》を抜き、山門を内側から左右に開いたところで、ちょうど山門脇《わき》の潜《くぐ》り戸が開いた。

潜り戸から身を屈《かが》めて入ってきて、おや、とさも愉快なことに出会ったように目を細めたのは、光男《みつお》だった。

「おはようございます」

光男がすっかり禿《は》げ上がった頭を下げるのと同時に静信も挨拶《あいさつ》をした。声が重なる。それがまたおかしかったのか、光男は声を上げて笑った。

田所《たどころ》光男は寺で雑務をしている。僧侶《そうりょ》ではないから読経《どきょう》はしないが、様々な雑用を一手に引き受けていた。毎日、寺の麓《ふもと》にある家から朝いちばんにやって来て、こまごまとした雑用をこなして一日を過ごす。庫裡を手伝いにやって来る母親の克江《かつえ》とども、すでに寺の一員のようなもので、静信の記憶にある限り、光男の姿を見ない日がなかった。

「今日も暑くなりそうですね」

光男はそう言いながら、門の片扉を鉤《かぎ》にかけた。そうして首を傾《かし》げ、静信の顔を覗《のぞ》き込む。

「若御院、目が赤いですよ。さては、また夜更《よふ》かしでしょう」

光男に指摘され、静信は恥じ入って頷いた。昨年、脳卒中で倒れた父親に代わって静信が今では寺を取り仕切っているのだが、副業のせいでどうしても夜更かしが多かった。

寺の朝は五時には始まるから、寝そびれたまま徹夜ということも多い。

「大丈夫なんですか。今日は法事が多いでしょう」

土曜から日曜未明にかけての虫送り、それに先立つ神幸祭で、村には夏の神事が集中していた。この間は誰もが法事を避けるし、そうこうしているうちに盆が来る。虫送りと盂蘭盆《うらぼん》に挟まれた半月ほどの間には、法事の予定がどうしても立て込む。この日もかなりの予定が入っていた。寺には役僧が二人いるし、立て込むときには近隣の寺からも役僧が来るから交替できるとは言え、仮にも副住職が大っぴらに昼寝しているわけにもいかない。

「なんだったら、勤行《ごんぎょう》は鶴見《つるみ》さんに頼んで、少し寝てきたらどうです」

鶴見とは村内から通ってくる役僧だった。静信は慌てて首を振る。

「いえ、平気ですから」

「これから忙しい時節だし、身体《からだ》は大事にしてもらわないと。休んでくださいよ。わたしが鶴見さんにそう言っておきますから」

「本当に大丈夫です」

そうですか、と呟きながら、光男が竹箒を手に取ったとき、正面の石段を登ってくる人影が朝靄にかすんで見えた。石段下の雑貨屋の千代《ちよ》だ。老女は箒を杖《つえ》代わりに、一段一段を踏み清めるようにして石段を登りきり、静信と光男に向かって無言で丁寧に頭を下げた。

「おはようございます」

「いつもお早いですね」

静信と光男が声をかけると、千代は無言で再び会釈《えしやく》をした。もういくつになったのだろうか、寡黙《かもく》で表情に乏しい老女だった。静信が子供の時分から毎朝のように千代を見るが、会話をしたことは数えるほどしかなかった。いつだったか、これはお礼奉公だから、と含羞《はにか》んだように言ったのが今も印象に深かった。戦争に行った夫を無事に帰してくれたら、掃除をすると仏様に約束したのだと言う。その夫はとうに他界したが、千代のほうは今も元気で、毎朝、山門前から石段下までを掃除して、朝の勤行に参加してから帰っていく。

村では信仰が生きている。近辺の老人の中には、毎朝欠かさず勤行に来て、そのついでに寺の雑用を片付けてくれる者が多かった。村の住人の大多数を檀家《だんか》に持つ寺は、静かな佇まいのその実、比較的、大きな部類に入る。役僧三人に光男とその母親の克江、静信と母親の美和子《みわこ》、それでも人手は足りてない。何かと言っては集まってくれる檀家の人々の手がなければ、寺は到底、立ちゆかなかった。

無言で箒を使い始めた千代に軽く会釈して、静信もまた箒を取った。

寺は村の北端、樅に覆《おお》われた北山の山腹にあって南面している。山門からは朝靄の中に沈んだ村が一望できた。

外場は、複雑に入り組んだ尾根によって三角形に囲い込まれている。渓流に沿って拓けた村を、銛《もり》の穂先の三角形に封じ込めているのは樅の林だ。静信は外場の地形をそう喩《たと》えたことがあった。銛の穂先は地図に描かれた矢印のように北を示す。その頂点に位置するのが北山であり、寺はその斜面から村を見下ろしていた。北山から延びた尾根は村の西側を堰《せ》き止め、鉤の手に曲がって南を蓋《ふた》する。矢印の軸にあたるのは東の尾根、その麓に沿っては谷川が流れている。寺を頂点とする三角形、対峙《たいじ》する南の尾根の向こうには国道が通り、そのさらに南を自動車道が貫く。これが村の南限だった。

静信のいる山門からは、それらの様子が一望できる。寺を起点に左右の尾根は末広がりに稜線を開き、その間を田畑や家が埋めていた。人家は時に点在し、時に密集して集落を作り、それらは次第に低くなりながら、村の南に横たわる尾根をめがけて拓けていく。見渡せば、掌《てのひら》の上に乗せられるような、たったこれだけの土地。

静信が目を細めていると、悲鳴のような音を立ててスクーターが登ってくるのが聞こえた。麓から続く私道を登って、鐘楼脇から境内に入ってきたのは役僧の鶴見だ。鶴見は衣姿、ヘルメットのまま静信に頭を下げ、境内を横切る。それに会釈を返して静信は目を石畳に落とした。竹箒を握り、掃除に専念する。

朝の勤行が終わる頃には、予定が立て込んでいる時にだけ近隣の寺から来てくれる角《すみ》が到着し、光男の母親である克江が庫裡を手伝うためにやって来た。昼前には、時季はずれの夏休みを取っていた役僧の池辺《いけべ》が寺に戻ってきた。

慌《あわ》ただしい一日が過ぎ、静信は庫裡の一郭にある道場に向かう。ちょうど道場の入口で、厨房《ちゅうぼう》から湯呑《ゆの》みと茶菓子を揃《そろ》えた盆を運んできた母親と行き会った。美和子の背後からは、光男が大きな薬缶《やかん》を提げてやって来る。襖《ふすま》を開け放した道場の中では、十五人ばかりの檀家衆が休んでいた。

「今日はどうもありがとうございました」

静信が道場に入り、軽く頭を下げると、美和子も膝《ひざ》をついて礼を言う。

「本当にお疲れさまでした。みなさん、どうぞ一服なさってください」

美和子は言って、座卓を囲んだ人々に頭を下げた。歓談を途切らせて、どうも、と破顔した人々は、未《いま》だにタオルを首に引っかけ、あるいはエプロンがけのままだった。

法事の多くは自宅で営まれるものだが、檀家の中には遠方に転出した者もおり、あるいは事情によっては寺を使う。そうなると、ろくな仕出屋もない村では、お斎《とき》の用意も寺でしなければならない。広大な境内や建物も維持せねばならず、人手は慢性的に足りなかった。行事のあるときには世話方が取りまとめて、前もって手伝いを采配《さいはい》してくれるが、一般の法事ではそうもいかない。平素には無言の心配りで寺は支えられている。

「若御院もお疲れになったでしょう。虫送りのあとは大変ですねえ」笑ったのは、安森《やすもり》節子《せつこ》だった。「奥さんもお疲れさまです」

いいえ、と美和子は首を振った。

「こうしてみなさんが手伝ってくださるので、本当に助かります」

「お邪魔になってるんでなきゃ、いいけどねえ」

節子は明るい声を上げて笑った。節子は檀家総代の一人である安森徳次郎《とくじろう》の後添いだった。まだ信仰に傾倒するほどの歳《とし》ではないが、檀家の女衆をまとめて、こまめに寺の面倒を見てくれる。今日も一日、女手を集め、庫裡を采配してお斎の準備から配膳《はいぜん》、片付けに至るまでをやってくれた。

「これからお盆までは、ずっとこの調子ですもんねえ。明日も法事が立て込んでるんじゃないですか」

そうなんです、と答える美和子に節子は微笑《ほほえ》む。

「それじゃあ、明日も集まらせてもらおうかしらねえ」

節子の言葉に九人ほどの女衆が頷いた。

老人たちは老人たちで、麦茶を湯呑みに注いでまわる光男に声をかけている。

「光男さん、明日は何かすることがあるかねえ」

「墓場の参道がだいぶ草に埋もれてたけど、刈っておこうか」

光男も嬉《うれ》しげに笑みを浮かべた。

「そうですねえ。お盆も近いし、そろそろ墓場の草を刈っとかないと、と思ってるんですよ。参道の周囲だけでも綺麗《きれい》にしとかないとねえ」

村では死者を土葬にし、特に墓は建てないが、檀家の中には死者を埋葬する墓所を持たない者もいるし、その他にも事情があって納骨して墓を建てる者もいる。それらの人々のため寺の西斜面に墓地があったが、これの整備は公共の部分だけを考えても、光男一人の手には余った。

「そんじゃあ、明日は草刈りでもするかな」

「まあ、ぼちぼちやれば、盆には間に合うだろ」

軽い笑いが起こる。美和子はそれらの人々に頭を下げた。

美和子自身は近隣の寺から見合いで嫁いできた。そもそも寺族だから、庫裡を預かる苦労を知らなかったわけではない。それでも檀家数二百程度で、かろうじて専業で食べていた実家とは訳が違う。田舎の寺だが大きいと聞いて覚悟はしていたものの、実際に中に入ってみると、その内実は想像を超えていた。歳の離れた夫自身が晩婚で、美和子は子供を一人しか持てなかった。わずかに三人きりの家族だ。寺の人手の要《かなめ》になるのは寺族だが、その寺族自体がそもそも少ない。檀家数は多くても田舎のこと、お布施《ふせ》の相場はたかが知れているから、人を雇って集めるにしても限界があった。笑って手を貸してくれる檀家衆の好意がなければ、寺は本当に立ちゆかない。理屈抜きにありがたかった。

そう言えば、と誰にともなく声を上げたのは、竹村吾平《たけむらごへい》という老人だった。

「昨日――いや、今日か。トラックが来たという話を聞いたかい」

トラック、と何人かが復唱する。

「引越屋のトラックさ。さっき、松尾の親父《おやじ》さんが、ちらっと草を毟《むし》りに来て言ってたんだがね」

「あら、兼正《かねまさ》の家？」

節子が驚いたように言った。寺のある北山と西山の合するあたりに、兼正と屋号で呼び慣わされる竹村《たけむら》家の屋敷があった。それが取り壊され、あとには奇妙な家が建った。梅雨の頃に建ったきり、未だに住人は越してきていない。

「いや、それが。ユゲ衆がトラックを見たんだと。虫送りのベットを焚《た》いてるところにトラックが入ってきて、引き返していったんだとさ」

「ああ、あそこの長男はユゲ衆だから。――でもベットを焚くって、真夜中の話じゃないんですか」

「そうなんだよ」

静信はわずかに眉《まゆ》を顰《ひそ》めた。夜明け前、村に入ってくる車の明かりを窓から見た。あれは時刻から言って、その頃合いではなかったろうか。

「普通は夜中に引越なんてしないわよねえ」

「道を間違えたんじゃないですか」

光男が口を挟んだが、節子は釈然としないふうだった。

「間違えるものかしら」

静信も軽く首を傾げた。渓流に沿った村道は国道に突き当たり三叉路《さんさろ》を作っているが、国道と村道ではたしかに道の間違えようもない。

吾平老人も頷いた。

「まあ、引き返したってんだから、間違えたとしか思えんが。しかし、それが後ろに二台、車を従えててな、なんか妙な按配《あんばい》だったたって話さ」

「引き返したんでなきゃ、兼正の家だと思うところなんだけど」

節子が言って、光男も頷いた。

「越してきませんな、そう言えば。もう建ってずいぶん経《た》つのに。——何て言う人でしたっけ」

「それが誰も知らないのよ。表札も出てないし。ほら、家の普請《ふしん》をしたのも、外の大きな会社で、ぜんぜん外場とは関係がなかったじゃない。それで、誰も詳しいことが分からないのよ。どうも東京とか、そのあたりの人らしいって話なんだけど」

節子の家は工務店と通称され、建築・土木業を営んでいる。村での普請はたいがい安森工業が請け負うが、そう言えば、あの家は安森工業とは関係なかったのだと静信は思い出した。

節子は静信のほうを見て、複雑な表情で笑った。

「あんまり妙な人でないといいんですけどね。まあ——何て言いましたっけ、あの余所《よそ》から来た、何とか工房の一家、あそこだって慣れてみれば、そんなに妙な人でもなかったようだし」

「結城、と言ったんじゃなかったですか」

「そういう名字だったかしら」言って、節子は大仰に顔を顰《しか》めて笑ってみせる。「姓がふたつあるんで、ややこしくて」

静信が苦笑まじりに微笑むと、吾平老人が口を挟んだ。

「工房の旦那《だんな》なら、今年、ユゲ衆に入ったらしいな」

へえ、と節子は呟《つぶや》く。

「あの一家も、最初は妙な噂《うわさ》もあったものねえ。夫婦は名字が違うし、えらく大きな息子がいるしで」

集まった人々が軽く笑った。静信も思わず笑む。乱れ飛んだ憶測なら、小耳に挟んだから知らないでもない。結局のところ村は狭い。だから、少しでも常とは違うことがあれば、あっという間に広まってしまう。ろくな娯楽もないから、誰もが噂話に熱心で、そのせいか尾鰭《おひれ》だって盛大につく。——この場がその良い例だ。

自覚があるのか、節子もどこか照れたふうに笑っていた。

「まあ、せっかく越してくるんだから、良い人だといいですねえ」

同意するように笑った人々を見渡し、静信は道場の窓に目を向けた。夏の陽射《ひざ》しは傾いていこうとしている。南西を望む窓からは、寺の西斜面に広がる墓地と、その麓《ふもと》に広がる製材所の材木置き場を見下ろすことができた。材木置き場の脇《わき》に建つコンクリート製の建物が村に唯一《ゆいいつ》の病院である尾崎《おざき》医院、その向こうの斜面に兼正の屋敷はある。ここからは斜面を覆った樅の林が邪魔して建物を見て取ることはできない。かろうじて梢《こずえ》の上に黒いスレート葺《ぶ》きの屋根と破風《はふ》の一部が覗《のぞ》いていた。

兼正と通称される竹村家は、かつては代々村長を務め、その地所にある旧家然とした屋敷から村を見下ろしていた。外場が近隣の溝辺町に併合されたのを機に溝辺町市街部へと移り住み、町政へと乗り出していったが、別段外場と縁が切れたわけではない。親子二代にわたって町長を経験し、議会にもそれなりの勢力を持っていたが、それも外場という結束の固い地盤があればこそで、兼正は未だに外場の利害の代弁者であり、村の重鎮であり続けている。その兼正の先代が急死したのが昨年の七月、八月に入って兼正の屋敷は取り壊された。先代が死亡する前に地所を手放していたらしい。あとには奇妙な家が建った。

住人がどんな人物なのか、知る者は誰もいない。兼正は未だに寺の檀家総代で、静信とも付き合いが深いが、跡取りは相続するまで地所が売られていたことすら知らなかった、と言っていた。先代がまったくの独断で、ひそかに売却したらしい。なぜそんなことをしたのか、その理由は誰にも分からなかった。屋敷を手放すことは、外場との地縁の切断を意味する。地盤の要を外場に置いている兼正にとって、それは愚行以外の何物でもなかったし、実際、跡取りも頭を抱えていた。

なぜ住人はこんな田舎に越してくる気になったのか、どういう人物がどんな事情で地所を購入したのか、兼正の先代は何を思って地所を売却したのか。その家の周囲には、家そのものを含めて、釈然としないものが立ち込めている。

深夜に現れた引越のトラック。それはある意味で、あの家にふさわしい。だが、引き返したのなら、兼正の住人ではないはずだ。静信は暮れなずむ山を見やった。

たぶん——おそらく。

4

熱気を逃がす夜は短く、陽は早々に昇って強い光で山の稜線《りようせん》を炙《あぶ》り始める。国広律子《くにひろりつこ》は急な坂を足早に登る。北山に突き当たる村の北のほうは坂ばかりだ。背後から来た子供たちが数人、傾斜を苦にした様子もなく抜きつ抜かれつを繰り返しながら律子を追い越していった。

「おねえさん、おはよう」

声をかけてくれた子供に、律子もおはよう、と声を返す。子供たちはそのまま縺《もつ》れ合うようにして坂を越え、製材所のほうへと折れてさらに坂を登っていった。これからラジオ体操に行くのだろう。

軽く微笑んで曲がり角を通り過ぎ、律子は白い建物の前に出た。尾崎医院と看板の上がったそこが律子の職場だった。

間近に迫った山からの風が翳《かげ》りを残した林の中から、樅の匂《にお》いと一緒に蜩《ひぐらし》の声を運んできていた。この声のせいで夏の早朝はどこか物憂《ものう》い。東の山に目を移せば、昇ったばかりの陽射しが強くて、今日も一日暑くなるだろうと想像がついた。

素っ気ないアスファルトの駐車場を横切り、律子は病院の裏手に廻る。通用口から建物の中に入り、まっすぐ更衣室に向かった。

「おはようございます」

声をかけながらドアを開いたが、更衣室は無人だった。看護婦はまだ誰も来ていないのだろう、窓もブラインドも閉じたまま、部屋の中に淀《よど》んだ空気も、週末の倦怠《けんたい》をそのまま残している。

尾崎医院は「医院」と看板を上げていても、基本的に入院患者は受けつけていない。検査や経過観察のために一晩、二晩、特別に入院の措置を取ることはあっても、ある程度以上の入院が必要な患者は、すべて溝辺町の病院に廻すことになっていた。おかげで夜勤もなければ日曜の勤務もなかったし、看護婦同士で調整して、週に二日、きっちり休める。村に唯一の病院だから日曜といえども急患はあるが、代替わりした院長は理解があって、三週間に一度、自宅待機があるだけで、特に出勤しなければならないわけでもなかったし、待機しているだけでも少々とは言え手当がついた。——総じて恵まれた職場だと思う。

好きで選んだ仕事だし、やりがいも感じている。職場が辛《つら》いわけでもない。なのに、休み明けの朝に特有の、また一週間、という物憂さ。

律子はバッグをロッカーの中に放り込み、紙袋の中から洗濯したばかりの白衣を引っぱり出した。白いユニフォームに着替え、髪をまとめて白いナース・キャップを着ける。

たったそれだけの装備で背筋が伸びてくる気がするから不思議だ。

個人としての自分から、看護婦としての自分へ。そこには奇妙な段差がある。休み明けが物憂いのは、休日のぶん増したその段差を越えるのが単に億劫《おっくう》なだけなのかもしれない。

鏡で姿をチェックして、よし、と自分に声をかける。ブラインドを上げて窓を開けると、涼しい風と蜩の声が吹き込んできた。そして、潑剌《はつらつ》とした子供の声。

病院の裏手には、狭い田圃《たんぼ》を挟んで丸安《まるやす》製材の材木置き場が広がっている。この近辺ではラジオ体操は丸安製材でやると決まっていた。そこに集まった子供たちの歓声が材木置き場のすぐ間近まで迫った山に響いて、蟬《せみ》の声よりも力強く部屋の中に流れ込んできた。

間近の山は毅然《きぜん》とした緑だった。右手の山の高いところに寺の本堂が見える。強い朝陽がまともに当たって、大屋根が鈍銀《にぶぎん》に輝いている。境内から製材所まで続く斜面の一郭は、歯が抜けたように樹木がまばらだ。あれは寺の墓地。特に墓石を建てない外場の墓地は、そうと知って見なければ分からない。

そこから山は馬蹄形《ばていけい》に窪《くぼ》んで、材木置き場と幾許《いくばく》かの棚田を大きく抱え込む。植樹された樅の梢が朝陽を浴びて綺麗な小波《こなみ》を描いていた。左手の斜面も樅の緑。その上に黒い屋根の尖《とが》った先端が覗いている。

律子は、なんとなくその家——その屋根——を見上げた。

つい先頃まで兼正の屋敷がそこにはあった。古い石垣と幾棟ぶんもの瓦屋根《かわら》、庭木は鬱蒼《うっそう》として屋敷はいかにも物々しかった。しかも肝心の住人はずっと以前に——律子が物心つく以前に——転居して、屋敷は無人のことが多く、かろうじて手入れはされていたものの、それも万全とは言えなかったので、子供たちの間では「兼正のお化け屋敷」で通っていた。

律子自身も小学生の頃、肝試しと称して庭に忍び込んだことがある。無人のつもりで入り込んだら、管理人と思《おぼ》しき年寄りがいて、見つかって叱《しか》られた覚えがあった。

そのお化け屋敷が取り壊されたのは昨年のことだ。あとには変わった家が建った。「変わった」と言っても、建物自体には変わったところなどどこにもない。そう、ここが外場ではなく、別荘地か何かなら、あるいは外国の小さな村なら、本当になんの違和感もないはずだ。小さいけれど、映画にでも出てきそうな——洋館。

その建物は、村の風景の中にあって、明らかに異質だった。さらに異様に思えるのは、その佇《たたず》まいだった。その家はまるで、百年もそこにあったような顔をしている。古い石壁、風雨にさらされた色の煙突や窓。古い建物を移築したらしい。

どうしてそんなことを、と村の者は戸惑っている。新旧入り交じる民家の並ぶ、どこにでもありそうな小さな村、それを見下ろす洋館は、村の光景に馴染《なじ》まないにもかかわらず、村の民家のどれよりも歴史と年代を感じさせた。古色蒼然《そうぜん》としているだけに、割り切れない違和感があった。

（本当に、変わった家……）

心の中で呟いたとき、更衣室のドアが開いた。

「あら、律ちゃん」

看護婦の永田《ながた》清美《きよみ》だった。

「おはようございます」

「早いわね」清美は笑って、ロッカーを開ける。「どうしたの。物思い？」

律子は首を振った。

「いい天気だな、と思って。暑くなりそう」

まったくだわ、と清美は溜息《ためいき》まじりに笑って、さばさばと服を脱いでいく。律子は慌《あわ》ててブラインドを下ろそうと手を伸ばした。

「いいわよ。上げといたほうが風が通るから。律ちゃんみたいな娘さんならともかく、どうせこんな小母《おば》さんの下着姿なんて、覗く人もいやしないんだから」

「熟女、って言うんでしょう？　女四十は」

清美は白衣を着ながら声を上げて笑う。

「古いわねえ。──その四十も越えちゃったわよ。若い女がいるとか言って、喜んで覗きに来るのは、お寺の仏さんくらいだわね」

律子は斜面の墓地に目をやって笑った。

「なァに、歳《とし》の話？」

更衣室に入ってくるなり、声を上げたのは橋口《はしぐち》やすよだった。

「おはようございます」

「おはよう。——あらま。窓もブラインドも開けっぱなしで」

だから、と清美は笑う。

「もう覗かれても惜しくない歳になった、って話」

「何言ってんの。あんた、あたしより十も若いんじゃないの」

「十キロ少なかったら隠すんだけど」

「お恥ずかしいもんだから隠すのが、慎みってもんよ。律ちゃんくらい若けりゃ、見せびらかすけどさ」

「慎み、ねえ」

「女はそれがなくなっちゃァ、おしまいだわよ。——あたしやあんただって、まだトドの群に入りゃ、捨てたもんじゃないんだから」

敏夫《としお》は啣《くわ》え煙草《たばこ》のまま洗面所を出て、ダイニングの食卓に着いた。南に向かって大きく窓を取ったダイニングには明るい朝の光が満ちている。食卓の上には二人ぶんの朝食が並べられ、敏夫の席には新聞が置いてある。それを見ながら、そうか恭子《きょうこ》は溝辺に戻ったのか、と思った。

尾崎敏夫は三十二で、外場に唯一《ゆいいつ》の病院である尾崎医院の院長だった。とは言え、医師は敏夫一人しかいない。三年前、父親が膵臓癌《すいぞうがん》で倒れ、大学病院を辞めて村に戻ってきた。妻の恭子は三十、子供はいない。恭子は山村での生活を嫌って溝辺町の市街部にアンティーク・ショップを持ち、店の近くのマンションで暮らしている。外場に戻ってくるのは、月に二、三度のことだ。

敏夫にはそれを、その程度しか戻ってこない、と言うべきなのか、それともその程度には戻ってくる、と言うべきなのか、よく分からなかった。ここでの生活を嫌って出て行ったことを思えば冷めた夫婦なのかもしれなかったが、にもかかわらず、自発的に戻ってくるのだからそれなりに良好な関係なのかもしれない。

「おはよう」

窓の外を眺めていると、母親の孝江《たかえ》が味噌汁《みそしる》を運んできた。それに生返事をする。新聞の天気予報を見ると、今日も快晴、雨の降る確率は〇パーセント。日中の最高気温は例年より高く、三十六度を越えるだろう。今年は春からずっとこの調子だ。雨が少なく、異常に暑い。東海地方では酷暑による被害や、大規模な渇水《かっすい》が起こっている。

孝江はテーブルの向かいに坐《すわ》りながら、Tシャツとジーンズ姿の敏夫を責めるような目で見た。艶《つや》やかな樫《かし》の天板のテーブル、凝った細工の椅子《いす》は六脚、飾り棚を背にした上座の席は空いている。かつては父親が坐っていた席で、孝江に言わせると、それは家長の席であり、敏夫にはそこに坐るだけの威厳がまだ欠如しているらしい。敏夫は別に、坐る場所には頓着しない。いちばん下座でも構わないのだが、母親はそれを理解していない。家長の席を敏夫に与えないのは、懲罰のつもりらしかった。

やれやれ、と息を吐いて、敏夫は窓の外に目をやる。広い裏庭に面したリビングの窓からは、西の山が一望できる。夏らしく鮮やかな緑の山肌、その一郭には黒いスレートの屋根が見えた。

高く破風を突き上げる構造。小さな子供が絵に描いたような尖った屋根の三角形が物珍しい。およそ外場には似つかわしくない家だったが、周囲が樅の林なだけに、そこだけを取り出してみると、それなりに様になっている。冬になって雪でも降れば景色としては面白いのかもしれなかった。

(妙な家だ……)

心の中で呟いたとき、敏夫の視線に気づいたのか、孝江が低い声を漏らした。

「ゆっくりしてていいの?」

これにも生返事を返すと、孝江は窓の外に一瞬だけ目をやる。

「越してこないわね。住む気があるのかしら」

「別荘ということはないだろう。あれだけの家をわざわざ運んでおいて」

「仰々しいこと」

孝江の言葉には明らかに棘《とげ》があって、敏夫は微《かす》かに苦笑した。もともと孝江は兼正と折り合いが良くない。兼正に見下ろされるのが気に入らなかったのだ。兼正が転出してやっと尾崎を見下ろすのは寺だけになったというのに、見ず知らずの他人がやって来て孝江を見下ろす。敏夫にとっては、どうしてそれが不満なのか理解できない種類のことだったが、それを理解できない限り、家長の席には坐らせてもらえないのだろう。

「色々と事情があるんだろう。——ごちそうさん」


武藤が病院の敷地に入ると、すでに表玄関は開いていて、ガラスのドア越し、待合室に幾人かの患者が入っているのが確認できた。玄関前をパートの関口《せきぐち》ミキが掃いている。それに声をかけ、武藤は慌てて通用口のほうへと向かった。

通用口を入ると三和土《たたき》の脇《わき》の水場では、同じくパートの高野《たかの》藤代《ふじよ》がモップを洗っていた。藤代とも挨拶《あいさつ》を交わし、更衣室に入ってロッカーから白衣を引っぱり出す。足を引きずりながら間仕切りのドアを抜け、受付に急ぐと、十和田《とわだ》がカウンターの拭《ふ》き掃除をしていた。

「おはようさん」

「おはようございます」十和田は若々しく笑って手を動かす。「もう終わりますから、武藤さんは先に一服しててください。ぼくがやってしまいますから」

「済まないね」

いいえ、と笑う十和田を軽く拝み、ついでに待合室の患者に会釈《えしゃく》をする。ほとんどが長く物療に通っている患者で、顔見知りが多かった。

十和田の言葉に甘えて休憩室に向かおうとしたとき、待合室の向こう、自宅のほうから院長が入ってきた。Tシャツにジーンズ姿のままだ。

「よう、おはよう」敏夫は誰にともなく言って、白衣の袖《そで》に手を通しながら待合室を見渡す。「おいおい。もうこんなにいるのか。年寄りは朝が早くてかなわんな」

敏夫の言葉に、老女の一人が軽口を返す。

「若先生が遅いんでしょう。遅刻ですよ」

「そんなことがあるもんか。あんたたちに合わせるから、どんどん開業時間が前倒しになるんだ。ちゃんと朝飯を食ってきてるんだろうな」

「しっかりとね」

「そいつは結構。老い先短いんだから、悔いが残らないようにせいぜい旨《うま》いものを食っとかないと」

待合室にまばらに笑いが起こる。武藤は十和田と顔を見合わせ苦笑を交わした。院長である尾崎敏夫は、一事が万事、この調子だ。

「またそういう不用意な憎まれ口を……」

休憩室に向かう敏夫を追いかけながら、武藤は小さく溜息をつく。

「ほんの事実さ。——どうした。足を引きずってるな」

「単なる筋肉痛ですよ。虫送りだったんで」

「そうか、武藤さんはユゲ衆か」

「そうですけどね」武藤は敏夫を軽くねめつける。「口に気をつけないから、尾崎医院の若先生は不良医師だとか言われるんですよ」

「不良医師には違いないだろう。おれが真面目《まじめ》な医者だったらこんな田舎に帰ってくるもんか。あっちに残って、今頃は白い巨塔だ」

やれやれ、と武藤は苦笑した。先代は非常に気位の高い人物で、病院に来る老人の中には先代の威厳を慕って、倅《せがれ》は不謹慎だ、と言う者もいるが、武藤自身は先代より息子のほうに好感が持てた。憎まれ口をきいては好んで周囲の誤解をかう、不謹慎な軽口を叩《たた》く。Tシャツにジーンズの上から白衣を引っかけていたりして、医者としての威厳もなにもあったものではないが、時間外の診察も厭《いと》わないし、求められれば時間を問わず自分で鞄《かばん》を提げて気軽に往診にも行く。昨年には大枚の借金をして病院の一部を増築改装し、ＣＴを入れた。そのために取りつぶされたのが、代々の院長が愛用してきた、広々としていかにも立派だった院長室、それに付属する応接室とふたつの部屋に面していた贅沢《ぜいたく》な庭だというあたり、敏夫の気性を見事に物語っている。

敏夫は休憩室のドアを開ける。中には、十和田を除くスタッフの全員がすでに揃《そろ》っていた。

看護婦が四人。最年長の橋口やすよを筆頭に、永田清美、国広律子と村内者が続き、これに村外から通勤してくる汐見《しおみ》雪《ゆき》が加わる。もう一人、同じく村外から通ってくる井《い》崎《さき》聡子《さとこ》がいるのだが、今は姿が見えなかった。この時間に来ていないということは、今日は休みなのだろう。レントゲン技師の下山《しもやま》、事務の武藤と十和田、これに清掃や雑務を担当するパートのミキと藤代の二人がスタッフのすべてで、これだけの人間で外場内外の患者を一手に引き受けている。

「おはようございます」

敏夫と武藤の姿を見て、清美が真っ先に立ち上がった。敏夫はそれにコーヒー、と告げ、広いテーブルを囲んだ椅子のひとつに腰を下ろす。隣の椅子に向かおうとした武藤の足に、部屋を出ようとした清美が目を留めた。

「武藤さん、どうしたんです。その足」

「筋肉痛だと、たった今、先生にも言ったところです」

「ああ。武藤さん、ユゲ衆だから。それは、運動不足だわねえ」

「多少の運動じゃ、追いつきませんよ」

敏夫がくつくつと笑う。

「もともと、山を天狗《てんぐ》のように飛びまわっていた連中が始めた祭りだからな」

「まったくだ」

顔を顰《しか》めてそろそろと椅子に坐る。昨日一日、湿布だらけにしていたのにまだ痛む。しばらくは立ち坐りのたびに呻《うめ》く破目になりそうだった。

窓際《まどぎわ》に近いテーブルの一郭で、看護婦たちはせっせとガーゼを折っている。下山は付《ふ》箋《せん》だらけのマニュアルを開いていた。開業の前には休憩室に集まってミーティングが持たれることになっているが、要は診察開始までのいっとき、全員で集まって一服しながら、連絡事項があれば伝えておこうという、それだけのことだった。

開け放した窓からは朝の陽射しと、ひんやりとした風が吹き込んできている。今はまだクーラーなしでもしのぎやすいが、今年の夏は暑い。陽が昇るにつれ、例によって鰻《うなぎ》登《のぼ》りに気温も上がっていくのだろう。

「うんざりするくらい、上天気だな」

敏夫は窓の外に目をやり、煙草に火を点《つ》けた。敏夫はかなりのヘビー・スモーカーの部類に入る。医者の不養生の典型だ。

「ホントにねェ」やすよも手を休めて窓の外を見た。すでに丸い鼻の頭に、うっすらと汗をかいている。「毎日毎日、こんなに暑いんじゃたまりませんよ。太ると暑さが堪《こた》えちゃって」

「夏は暑いものに決まってる。とは言え、今年は暑いな。暑気中《あた》りで年寄りがバタバタ片付くぞ」

　武藤は敏夫をねめつけた。

「頼みますから、そういう不謹慎なことを人前で言わないでくださいよ」

「——おれの得意先が減って、静信だけが大儲《もう》けだ」

　処置なし、と武藤は息を吐いた。山寺の跡取りである室井静信と敏夫は同級生だった。

「……そう言えば、田島予研の人が、こないだ先生がお坊さんと話をしているのを見たって不思議そうにしてましたっけ」

　やすよが言うと、敏夫は低く笑う。

「陰謀の匂《にお》いがするだろう。おれと静信でつるんで、何か企《たくら》んでいるのかもしれないぞ」

「やめてくださいよ。先生が言うと、冗談に聞こえないんだから」

　樅に覆《おお》われた山の斜面を隔ててとは言え、家もいちおう、地図の上では丸安製材の材木置き場を隔てて隣にあたり、医師と僧侶《そうりょ》は小さい頃から仲が良い。村の者には周知の事実だが、知らない者には奇異に思えるものらしかった。

「そうそう、虫送りなんですけどね」武藤は足をさすりながら口にした。「妙なことがあったんですよ」

「妙なこと?」

「ええ。ベットを焚《た》いていたら、引越のトラックが入ってきたんですよ」

「おいおい。そりゃ、真夜中の話じゃないのか」

「そう、真夜中に。トラックと乗用車らしい車が二台」

ふうん、と敏夫は煙を吐いて窓のほうを見た。

「どうもよほどの変人らしいな。兼正の住人は」

「と、思うでしょう? 引越のトラックと来たら、普通は兼正がとうとう越してきたと思うじゃないですか。なにしろ六月に家が建って以来、肝心の住人は越してこないままなんですから。ところが、そのトラック、途中まで入ってきておいて、引き返しちゃったんですよ」

「へえ?」

口を挟んだのは、やすよだった。

「おっちょこちょいの運転手が、道を間違えただけなんじゃないの」

まさか、と言ったのは雪だ。雪は近隣の集落から車で通ってきている。

「間違えるような道じゃないですよ。道幅が違いますもん。——このあたり、外場に入る道より他に枝道らしい枝道もないし」

「だからさ、道を間違えたから方向転換に」

「だったら交叉点《こうさてん》の角にドライブインがあるじゃないですか。わざわざ村道に入ってきてバックして方向を変えなくても、あの駐車場なら、ゆっくりトラックを切りまわせるし」

「そう?」

「そもそも普通、夜中に引越なんてしませんよね」

「遠方からの引越でさ、夜中に着く按配《あんばい》になったんじゃない」やすよは言って武藤を見る。「それ、どこのナンバーだったの」

「さあ。ナンバーが見えるような距離じゃなかったですからね」

「そういう場合、昼間に着くように出発しません?　変ですよ、それ」

雪が妙に力説するのに、やすよは呆《あき》れた目を向ける。

「単に渋滞か何かのせいで、遅れただけかもしれないでしょ」

「それじゃ、つまんないじゃないですかぁ」

駄々をこねるような雪の言いぐさに、武藤たちは笑った。

「やれやれ。すぐこれだよ、この子は」

「刺激がほしいんです、まだ若いから」言って雪は律子のほうに身体《からだ》を傾け、顔を上目遣いに覗《のぞ》き込む。「日曜日に溝辺町の本局の、三軒先のイタリアン・レストランでお昼を食べるような相手もいないし」

え、と律子は目を見開いて、それからぱっと赤くなった。

「雪ちゃん」

やすよが声を上げて笑う。

「えらく具体的な話だわねェ」

「乙女の夢なんですもの。彼は緑のポロシャツで、あたしはミント・グリーンのワンピースでコーディネイトするの」

「もう、雪ちゃんてば」

軽く雪を小突く律子に、敏夫は笑う。

「雪ちゃんは別に誰とも言ってないぞ」

「そうそう」

やだ、とむくれたように雪をねめつける律子の顔が赤かった。そう言えば律子も二十八だか、それくらいにはなるはずだ、と武藤は思い出す。いつ結婚してもおかしくはない歳《とし》だし、今でも外場の常識では遅いくらいだろう。だが、正看の律子が辞めるのは痛い。それでなくても看護婦不足の折に、こんな田舎の医院では簡単に代わりが見つかるとも思えなかった。

「結婚するなら、看護婦も続けさせてくれる相手にしろよ。でないと祝儀《しゅうぎ》は出さないからな」

敏夫の揶揄《やゆ》に、律子は赤くなったままそっぽを向く。

「そんなんじゃありません」

尾崎医院は看板によれば内科が専門だが、求められれば何でも診る。いちおう医院なので入院施設はあるものの、ベッド数は個室も含めて十九床、それも敏夫が戻ってきて以来、基本的に空いたままになっている。設備はあっても、入院患者を受け止められるほどの人手がない。

「律ちゃんの妹には期待してたんだがな。保母になるとは誤算だった」

敏夫が憎まれ口を叩くのに、律子は澄まして笑ってみせた。

「それは、わたしが苦労してるのを見てるからじゃないですか」

「となると、武藤さんとこのお嬢さんに期待するしかないか」

御冗談を、と武藤は返す。いまどきの子供が、父親と同じ職場に通いたがるはずがないし、十八になる娘は近隣の高校の商業科に通っている。

「つれない話だな。あとは——」敏夫が言ったところで、隣室の厨房《ちゅうぼう》からトレイを持った清美が戻ってきた。「ああ、永田さんのお嬢ちゃんがいる」

武藤と律子が笑ったので、清美は困惑したように武藤らを見渡した。

「何です。さてはわたしの悪口ですね」

いや、と敏夫は笑う。

「今、満場一致で、永田さんのところのお嬢ちゃんに看護婦になってもらうことに決まったんだ」

清美は呆れたように息を吐く。

「うちの子はまだ六年生ですよ。——はい、お熱いのをどうぞ」

清美がカップを敏夫と武藤の前に置いたときだった。

「先生、済みません」十和田がドアを開けて、顔を出した。「江畑のお爺《じい》ちゃんが、自転車で転んだって」

「おいでなすった」

敏夫は立ち上がる。雪と律子が、てきぱきとガーゼ類を始末にかかった。

「来てるのか」

「家の人が運んできてます。頭を切ったらしくて、顔中、血だらけで」

敏夫とやすよが小走りに出て行ったあとには、運ばれてきたばかりのコーヒーが残された。受付開始時間までには、まだ十分ほどある。

5

昼食を終えて、二人の子供は外に飛び出していく。前田《まえだ》元子《もとこ》はそれを見送って、二人が流しまで運んでいった茶碗《ちゃわん》を洗った。夏休みが始まったばかりの頃、茶碗を運んで洗い、拭《ふ》いて片付けるという誓いを立てた子供たちは、学校のない休暇に慣れて奔放な時間の使い方を思い出すにつれ、ひとつずつ仕事を省略するようになった。きっと盆が過ぎる頃には茶碗もテーブルの上に置いたまま、遊びに出るようになるのだろう。

――子供ってそういうものだわ。

元子は笑みを含んで片付けをする。

元子自身、休みのたびに小学校で家の手伝いをしましょう、と教師に約束させられたものだが、結局なしくずしになって新学期を迎えるのが常だった。

学校は休みでも、大人の社会は休みにはならない。夫はJAに勤めに出ているし、義父母は山に入っている。テーブルの上に、戻ってきた義父母が一服できるよう、茶器と菓子箱を揃えておく。布巾《ふきん》を被《かぶ》せてから、家を出た。

元子の家は村の南端にある。村の南は田圃《たんぼ》ばかりだ。北から細長く末広がりに拓《ひら》ける村は、南の山に突き当たって閉じる。その南の尾根の突端が、遮るものもなく水田を隔てて間近に見えていた。一面に広がる水田の明るく柔らかな緑。あちこちでは水が不足して深刻な被害を与えているようだが、とりあえず村には影響がないようだった。伸びた稲のせいで、水田の間を縦横に走る畦道《あぜみち》は今、溝のようだった。山を覆う樅の緑はさらに濃く、力強く陽射しを照り返す緑の濃淡が、いかにも夏の色だ。

南の尾根の突端に接するようにして変電所が建っている。そこから延びた電線は、南の山へと向かい、尾根伝いに建った鉄塔をリレーしながら、南の尾根から西の尾根へと折れ曲がって延びていく。雲ひとつない夏空を背景に屹立《きつりつ》した鉄塔の銀が眩《まぶ》しい。

元子は目を細め、家の前の道を横切る。アスファルトの細い道の周囲には人家が途切れ途切れに点在するばかり、ろくに日陰を作るものもなく、路面は熱した金属のように灼《や》けて陽炎《かげろう》が立ち昇っていた。その熱気から逃れて畦道に下り、稲の葉先に足許《あしもと》をくすぐられながら田圃の間を歩いて国道に出た。

村の南から北上してきた国道は、南と東、ふたつの尾根の間で大きく迂曲《うきょく》する。そのカーブに沿って歩くと、すぐに前方に短い橋が現れる。橋の欄干には「外場橋」と刻印されているが、そんな名前を記憶している者も少ないだろう。村の外部の人間には意味のない名前だし、村の人間には「国道の橋」で話は通じる。――この「国道の橋」の周辺は、事故の多いところだった。

ふたつの尾根に挟まれた平地はそれなりの広さがあって、カーブは見通しがよく利《き》く。

それがかえって運転手の油断を招くのだろう、スピードの出しすぎによる事故があとを絶たなかった。特に南――溝辺町方面から北上してきた車は、見晴らしが良いせいでカーブのアールを誤認するらしい。見かけよりずっとアールがきついのだ。それを誤解したままスピードを上げた車が、曲がりきれずに突っ込む。それが必ず国道の橋のあたりだった。突っ込んだ車が欄干にぶつかり、その痕《あと》が補修されることが毎年のように繰返されている。

それればかりでなく、同様にして人身事故も多い場所だ。

橋の手前で国道は村に入る村道と交わる。夜間には点滅信号になるとは言え、まがりなりにも信号が立っており、歩行者信号も横断歩道も設置されていたが、子供や老人が道を渡ろうとして車に撥《は》ねられる。

村の者が運転する車は良いのだ。村の者はその信号か、あるいは近辺の農道を曲がるのだし、カーブの性質も分かっているからスピードを落とす。そうでなくてもそこには信号があり、村の者がその近辺を往来に使うことを分かっている。余所《よそ》の者は外場の信号を見落としやすく、しかも村の者は得てして――元子がたった今、そうしたように――畦道から国道に上がってそこから道を渡ろうとする。運転手は思いもよらない場所から人間が現れて驚き、慌《あわ》ててブレーキを踏むが、そもそもスピードの出しすぎによる事故の多い場所だから間に合わないことが多いし、事故になれば重大事故になる可能性が高い。

橋を見るたびに、そういうことが気にかかって仕様がないのは、元子自身、やんちゃ盛りの子供を持っているせいだ。元子はもちろん村の母親たちは、子供たちに向かって国道の向こうへ行ってはいけない、と強く言い聞かせるのだが、思い出したように事故は起こった。加害者はほぼ間違いなく村を通過する余所の者だから、元子のイメージの中でそれは、「余所者が子供を轢《ひ》き殺していく」という救いようのない図式として定着している。

ある日突然、見ず知らずの余所者が元子の子供を殺傷し、奪い去ってしまう。——元子はどうしてもその不安を忘れることができなかったし、特にこうして橋を見ると、そのたびにそれは念頭に浮かび上がってきて、元子をいたたまれない気分にさせた。幼馴《おさなな》染《じ》みの加奈美《かなみ》はそんな元子を、神経症じみている、と言って心配する。

(どうしても忘れられないんだもの……)

元子は不安な気分で橋に目をやり、スピードを上げて国道を通り過ぎていく車を見送った。ひとつ息を吐いて国道を歩き、信号の手前にあるドライブインに向かう。「ちぐさ」の広い駐車場には、車の影がなかった。

容赦のない陽射しに、駐車場のアスファルトはとろりとした光沢をしていた。今にも溶けてしまいそうで、心なし靴底が粘るような気がする。頭や項《うなじ》がちりちりするのはもちろん、アスファルトからの照り返しでスカートの下の素足までが焦《こ》がされる。

「こんにちは」

声をかけてドアを開けると、カウンターの中から矢野《やの》加奈美が手を挙げた。クーラーの冷気に、元子は息をつく。近所の主婦と子供が三人カウンターに坐《すわ》っていて、元子を振り返り、笑顔を見せた。

「二分の遅刻」

加奈美は微笑《ほほえ》んだ。ごめんなさい、と元子は言いながら、カウンターの中に入って持参したエプロンを広げる。加奈美は元子の頭を軽く小突いた。

「国道にぼーっと立ってたわよ。二分間の遅刻ぶん」

ああ、と元子は窓の外を見た。店は敷地の角にL字型に建っており、カウンターからは窓越しに溝辺町へ向かう国道が見渡せた。

「あんまり深く考えないのよ。元子んちは、志保梨《しおり》ちゃんも茂樹《しげき》くんも聞き分けがいいもの。国道の向こうには行かないわよ。大丈夫だから」

うん、と元子は頷《うなず》く。自分で言い聞かせても不安な気分がするばかりだが、加奈美にそう言ってもらうと、いったんのこととは言え、不思議に安心できた。

元子の幼馴染みは都会に縁付いていたが、五年前に離婚して村に戻ってきた。国道を往《ゆ》き来するトラックを目当てに田圃をつぶし、ドライブインを開いたのだが、始めて二年で自動車道が開通した。店を開いた当初は長距離トラックを当て込んで早朝に開け、モーニングを出したりもしていたが、これは二年も前にやめた。以来、村の住人を相手に、ほそぼそと営業を続けている。夜に飲みに来る男たちのおかげで、かろうじて商売が成り立っていた。

元子はカウンターの隅のホワイトボードに目をやった。今日の定食のメニューが出ている。加奈美は開業前の午前中に、ランチのぶんだけを用意する。夜の定食の下拵《ごしら》えをするのは、元子の仕事だ。これで小遣い程度の賃金をもらっている。元子にしてみれば収入を得ることより、幼馴染みと会うことのほうが主だから、賃金はなくてもいいのだが、加奈美は頑としてパートとして扱おうとした。

「ところで、――聞いた？」

いきなり言われて、元子は加奈美を振り返った。

「聞いたって、何を？」

「虫送りの日にね、引越のトラックが入ってきたんだって。ゆうべ、誰かがそんなことを言ってたわよ」

ゆうべ、ということは、夜に食事に来た者たちか、さもなければその後、酒を飲みに来た者たちだろう。

「兼正のお屋敷？　越してきたの？」

「さあ。小耳に挟んだだけだから」

加奈美が言うと、カウンターで雑誌を読んでいた清水寛子《しみずひろこ》が顔を上げた。

「わたしも聞いたわ、それ。ベットを焚《た》いてるところに、トラックが入ってきたんですって。でも、引き返したっていう話よ。道を間違えたんじゃない」

なんだ、と元子は呟《つぶや》く。

「引き返したんなら、兼正じゃないわよね。——越してこないわね、あそこ」

そうね、と寛子は雑誌を閉じる。

「別荘のつもりなのかしらね。そもそも、ここに住むわけじゃないのかも」

「あんな立派なお家《うち》を別荘にするの？　それもわざわざ移築して？」

「そういう人もいるかもしれないでしょ」

まさか、と言ったのは田中佐知子《たなかさちこ》だった。

「別荘にそこまでするわけないでしょ。第一、別荘ならもっとそれらしい場所に建てるわよ。夏に涼しいとか、冬に暖かいとか、リゾート地だとか」

ひょっとして、と寛子は身を乗り出した。

「ペンションか何かだったりして」

「あり得ないわね」

「でも、そういう話もあったじゃない。ほら、去年の今ぐらい——もっと前だったかしら。リゾート施設がどうとか言って、調査の人が来てたとかいう」

ああ、と元子も端で会話を聞きながら頷いた。そういうこともあった。夏に入る前だったのではないだろうか。バイパスが通り、溝辺町との間にインターチェンジができた、そのせいだろうと思う。自動車道に乗れば、近郊の大都市まで三時間だ。

佐知子の隣でおとなしくソーダを飲んでいた田中かおりが母親を見た。もう中学の三年生だったか。そのわりにすれたところのないぽうっとした少女だ。

「リゾートなんてできるの？」

「できるわけないでしょ」佐知子は顔を蹙《しか》める。「こんな田舎に。どうせ話だけに決まってるわよ。なに、あんた、できてほしかったの？」

「ううん。……単に本当なのかなって思っただけ」

「かおりちゃんだって年頃の女の子だもの、もうちょっと村が拓けたらいいと思うわよねえ」

寛子が口を挟むと、かおりは小さく首を横に振った。

「……あんまり。できてみないと分からないけど、なんか、知らない人がいっぱい来て、うるさそうだし」

「そうお？　そうなれば、わざわざ買い物に行くのにバスに乗って出かける必要もないのよ？　バスの本数だって増えるだろうから、こんなに待たされることもないし」寛子は溜息《ためいき》をつく。「でも、どう考えても無茶な話よねえ。第一、年寄りがうんと言わないだろうし」

元子はこれにも、一人頷いた。そもそもは外場の下にインターチェンジを持ってこようという話もあったらしい。無茶を絵に描いたような提案だと思われるのだが、兼正の先代は外場のためだと言ってかなり強い運動を行なっていた。それにノーと言ったのは、他ならぬ外場だ。元子の舅《しゅうと》などは烈火のように怒っていた。そんなものは必要ない、あればかえって害悪が流れ込んでくるだけだ、と年寄りを集めて何度も兼正に話し合いに行った。それが効を奏したのかどうかはともかくも、結局インターチェンジは、もっと妥当な溝辺町市街部のはずれにでき、以来、溝辺町は急速に開発されている。

「便利になったらなったで、変な連中も入ってくるのよ。そういう余所者に頭を下げて、落としてもらうお金で食べるのなんて願い下げだわ」

佐知子の言葉に、そうねえ、と寛子は頬杖《ほおづえ》をつく。

「するとペンションはないかしら。でも、別荘にするには、もったいない建物だし、やっぱり住む気なのかしらね。洋館って言うのかしら。あんな建物を間近で見たの、初めてだわ」

同意を求めるように、寛子は元子を見た。元子は困惑ぎみに頷く。

「本当に。先祖代々住んでいた家なんでしょうね。越してくるのは老夫婦かしら。住み慣れた家を離れたくないんだと思うわ」

寛子は茶化すように笑った。

「だったら、引越すことなんてないじゃない」

「だから、お年を召したから、空気のいい田舎に住みたいんじゃないかしら。わざわざ移築するなんて、とても家に愛着があったんだと思うわ」

「単に、家を見せびらかしたかっただけかもよ？」言って、寛子は茶目っけを含ませて笑う。「自分たちは田舎者とはちょっと違うんだってことを強調したかったのかも」

佐知子が脇《わき》から軽く笑った。

「見せびらかすほどの家じゃないでしょ。単に古い洋風の家ってだけで、年代からいったら、うちといい勝負だわ。同じお金をかけるなら、建て直せばいいのに」

「まあ、あたしたち庶民とは、違う次元で生きてるってことは確実だわ」寛子は息を吐く。「なにしろこっちは、台所ひとつ改築できないでいるんだから。不便で嫌になっちゃう」

「寛子の家はまだマシよ。結婚したときに造作したんじゃない。うちの台所なんてお祖母《ばあ》ちゃんの代からそのまんまなんだから」

佐知子と寛子の会話を聞きながら、元子は定食用の野菜を洗う。胸のどこかが重い気がするのは、余所者が村に入ってくる、というイメージがどうしても浮かんでくるからだ。

(余所者が……来る)

元子の中で「余所者」というイメージは、「自分の子供を奪っていく者」というイメージと縺《もつ》れ合って解《ほど》けない。

あら、と佐知子が声を上げた。元子は顔を上げ、国道の向こうにその「余所者」を見る。とたんに喉許《のどもと》が締めつけられた気がした。

元子の心中を知らず、佐知子の声は無遠慮なほど大きい。

「何とか工房の息子じゃない、あれ」

「おい、夏野《なつの》」

武藤徹《とおる》は、軽くクラクションを鳴らした。車の窓を開け、国道の端を歩いている制服姿に声をかける。振り返った夏野は徹に気づいて足を止め、大仰に顔を蹙めた。

「制服着て、どこに行ってたんだ？」

「高校生には登校日ってもんがあるの。——名前で呼ぶなって言ってんだろ」

徹は声を上げて笑って、乗っていけ、と助手席を示した。夏野はシャツの袖《そで》で顔を拭《ぬぐ》って、助手席に乗り込んでくる。

「あちー」

「なんでこの暑い最中《さなか》に、わざわざ歩くんだよ」

「バスがなかなか来なかったんだよ」

げんなりしたふうの答えに、車を出しながら徹は笑う。小学校、中学校はいつ閉鎖されてもおかしくないような代物《しろもの》が村にあるが、高校になるとバスに乗って近隣の学校まで通わなくてはならない。そのバスも昼間は本数が少ないから、間が悪いと一時間以上も待たされる。待っている間に、手持ち無沙汰《ぶさた》で次のバス停まで歩こうと思う。いくつか先のバス停でちゃんとバスを拾えることもあるが、得てしてバス停とバス停の間で追い抜かれて、結局村まで三時間ほどの距離を歩く破目になる。——二年前までは徹にもよくあったことだ。

「やっぱチャリにすれば良かった。——そういう徹ちゃんこそ、なんでこんなところを走ってるわけ。会社は」

「今日は研修。研修先から直帰だ。儲《もう》けた」

「それで給料が出るんだからいいよな」

「悔しかったらさっさと卒業するんだな。免許があると歩くこともなくなるし」

「急いだって一年じゃ出してくれないよ。第一、卒業したらこんなとこ、二度と帰ってくるかよ」言って夏野は再びシャツの袖で顔を拭う。「電車もねえんだもん。よくみんな住んでるよな」

徹は苦笑した。夏野は数少ない転入者だった。変わり者の両親が、わざわざ都会から移り住んで、一年前、近所に越してきた。近隣から越してくる者もたまにはいるが、都会からやって来る者は少ない。ましてや近隣から越してくる場合にも、必ず外場の者と血縁があるものだ。実のところ徹自身も転入者で、子供の頃に外場に越してきたくちだ。武藤家もまた村に血縁を持たなかったが、父親は村の病院に勤めていたから、まったく外場と無縁だったわけではない。それでもずいぶん珍しいと言われたらしい。なんの縁もなしに村に入ってくるような物好きは、夏野の一家が唯一《ゆいいつ》と言っても良かった。

「そんなこと言ってると、父ちゃん母ちゃんが嘆くぞ。せっかくわざわざ越してきた自然に包まれた山村、純朴で心の通った近所付き合い、ってやつなんだから」

徹が言うと、夏野は嫌な顔をする。

夏野の両親は、都会から自然とやらを求めて越してきた。無人になった家を買い取り、畑を作り、樅材で家具などを作って都会に出荷している。徹の家も転入組だが、徹自身は外場で育ったのでこの村が居場所だという感覚が強い。不便ではあるが、さして不満は感じていなかった。かといって、特別満足しているわけでもない。こんなものだ、というところだ。なのでわざわざ越してくる人間の気持ちは理解しがたかった。

自然と言っても、山と川があるだけで、その山だって樅を植樹した人工林で覆《おお》われている。どこが自然なのかよく分からなかったし、ましてや単なる田舎町のありがちな気風を純朴だなどと言われても困ってしまう。そう思うので、夏野が不満を言うのも無理はない気がする。都会で生まれて育った夏野には、村の生活は不便で我慢がならないらしい。「親の勝手でいい迷惑だ」と零《こぼ》すが、それも当然だろうと思う。

「早く卒業にならないかな」

夏野が小声で呟くのを聞き流して、徹は信号を外場へと曲がる。川沿いの村道を入ってすぐ、小学校に向かう道の角にある文具店の店先に老人たちがたむろしているのが目に入った。

「あいつら、いつも溜《た》まってるなあ」

夏野の声に、徹は笑った。タケムラ文具店は子供を相手の商売だ。子供たちの登下校時でなければ、近所の者が時たま切手や葉書を買いにくる程度で、閑古鳥が鳴いている。店先の床几《しょうぎ》はだから、暇な老人たちの恰好《かっこう》の溜まり場になっていた。

「日がな一日、つまんない噂《うわさ》話ばっかしてんのな。——あ、こっち見た」

徹がミラーに目をやると、老人たちのうちの一人が、わざわざ腰を上げて車を覗《のぞ》き込むように見送っているのが見えた。夏野が息を吐く。

「御丁寧に見送るし。誰が乗ってるか、チェックしてんだよな、あれ」

「まさか」

「絶対、そうだって。あいつら、おれが前を通ると、じーっと見てるんだ。あれって余所者を監視するって感じだよな」

徹は苦笑した。

「単に物珍しいんだろ。することもないし、娯楽もないし」

「暇ならゲートボールでもしてりゃいいじゃないか」

たしかにそのほうが建設的ではあるような気がしたので、徹は笑うにとどめた。実際、移住者は珍しいので、村の連中は常に興味を持つ。その視線に悪意はないのだが、見られる当の本人にすれば、鬱陶《うっとう》しくてたまらないだろう。

思いながら、川沿いの道を走る。いくらも走らないうちに制服姿の少年が二人、ぶらぶらと歩いているのが目に入って、徹は軽くクラクションを鳴らした。

「おおい、保《たもつ》」

徹の弟だ。隣で肩を並べているのは、保と同級の村迫正雄《むらさこまさお》だった。

あれ、と保は破顔する。

「儲けた。おい、正雄、乗ってこうぜ」

保が振り返って声をかけたが、正雄は停まった車の助手席に目をやってから首を横に振った。

「いいよ」

「なんで？　車のほうが涼しいだろ」

「いいんだ。おれ、歩くから。乗りたきゃ保だけ乗って帰れよ」

突き放すような物言いに、保は正雄と徹を見比べ、苦笑して行け、と手を振った。正雄と歩くことにしたらしい。徹も特には勧めず、手を振って車を出した。

「奇特な奴《やつ》ら」

呆《あき》れたような夏野の声にも答えない。正雄は村迫米穀店の三男だ。何が気に入らないのか、夏野を毛嫌いしている様子があった。根底にあるのは、都会からやって来た異物に対する違和感なのかもしれない。

狭い村、狭い社会だが、住んでみればいろんなことがある。夏野の父親が言うような別天地だとは思えない。どこにでもある、単なる村だ。——そう思いながら、渓流沿いに村道を走り、橋の袂《たもと》を西へ曲がった。人家の密集した一帯を抜けると、緑の田圃《たんぼ》越し、西の山肌に一風変わった建物が見えた。まったく村にはそぐわない、奇妙な家。

「そう言や、いつになったら越してくるんだろうな、あの家」

徹が言うと、夏野は興味なさそうに視線を西の山に向けた。

「さあ」

新しい転居者が入ってくれば、夏野の一家に対する興味も薄れるのに違いない。しょせんはその程度のものだ。野次馬は移り気なものだと相場が決まっている。

「夏野んちみたいな、エコロジストってやつかな」

「うちの親がそんな立派なもんかよ。——名前で呼ぶなってば」

徹は苦笑する。父親がつけた平安貴族の名前は本人の気に入らないらしい。女みたいで嫌だと言って、呆れるぐらい根気良く抵抗する。

「だって、お前んちってややこしいんだからしょうがないだろ」

夫婦別姓だと言う。それで夏野の両親はあえて入籍していない。夏野は母親である小《こ》出《いで》梓の戸籍に入っているが、学校などのかねあいから常には父親の結城姓を名乗っている。

「……迷惑な話」呟いて、夏野はその屋敷のほうを見上げた。「こんなとこに越してくるなんて、絶対、どうしようもない変人一家だと思うな。——さもなきゃ、お尋ね者だ」


「やっぱり、工房の息子だったよ」

重大な発見をしたように、満面に笑みを浮かべて店に戻ってきた佐藤笈太郎《さとうおいたろう》を、竹村《たけむら》タツは団扇《うちわ》を使いながら苦笑ぎみに見た。

「だから言ったでしょ」どこか得意そうなのは、大塚弥栄子《おおつかやえこ》だ。「あれは事務長の息子の車だもの」

事務長とは、病院の医療事務の主任、武藤のことだ。武藤は土地の者ではないから屋号を持たない。老人の多くはだから、「事務長」だのと呼ぶ。それは昨年、転入してきた結城家（小出家と言うべきか）も同様で、こちらのほうはいつの間にか「工房」という屋号が定着しつつあった。

「後ろの恰好がこうなってて」と弥栄子は手でそれを示したつもりらしかった。「白のクーぺって言うの？　ドアがふたつしかないやつで、ナンバーが三桁《けた》なんだよね。ちゃんと覚えてるんだから」

あら、と不服そうに声を上げたのは、広沢武子《ひろさわたけこ》だ。

「そんなことくらい、わたしだって覚えてるわよ」

「あんた、あれは誰だろうって言ったじゃない」

「助手席に乗ってるのは誰だろうって意味よ。まあ、女の子じゃないようだとは思ったけどさ」

「工房の息子だよ」笈太郎は床几の端に腰を下ろして、にんまりと笑う。「頭の形で一目で分かった。やっぱりそうだったろ」

「制服だったわね」

「公立は登校日なのよ。清水の娘も制服着て学校に行くのを見たもの」

他愛もない世間話を、床几の隅で押し黙ったまま伊藤郁美《いとういくみ》が面白くもなさそうに聞いている。痩《や》せた顔には「他愛もなさすぎる」と、大書してあるようだった。

タツは軽く失笑しながら、団扇を諦《あきら》めて扇風機のスイッチを入れた。弱い風が吹いてきたが、温《ぬる》いばかりでいっかな涼しくなった気はしなかった。

もちろん、扇風機の風は床几までは届かない。村道の路面からはまともに熱気が流れてきて、クーラーのない店先は茹《う》だるような暑さだ。それを不平に思っているふうもなく、のほほんと世間話をしていられるのは、年寄りだからこそ、と言えるかもしれない。

タケムラは国道から村道へと入ってすぐ、小学校に入る道の角にある。タケムラの下《しも》には学校のグラウンドとドライブインがあるだけで、特に脇道もないし、だから村へと入ってくる車のほとんどは、必ずタケムラの前を通ることになる。村に出入りする車の流れを把握するのには絶好の場所だ(国道から農道へと入る車ばかりはそうはいかないが、これはあまり多くない)。――別段、笈太郎たちも単に暇を持て余して雑談のために集まっているだけで、車を監視するために集まっているわけではないのだが。

実際、とタツは目の前の村道に目をやる。店の間口は村道に面している。もともとは農家だったのを、茶の間の掃き出し窓を取り払い、そこに商品を並べる台を置いて番台のような造作にした。玄関の戸も取り払って土間を開放し、床几を置いて商売を始めた。戦後すぐのことだ。

タツは村外に嫁いでいたが、夫は戦地で死亡した。それで戦後、身ひとつで村に戻ってきてこの商売を始めたのだった。ノートや絵の具、三角定規やコンパス。体操帽やゼッケン、学校に行く子供が登校の途中に寄って足りないものを買っていく。下校時にはちょっとした駄菓子やアイスクリーム、ジュースを買っていった。なにしろ小学校にはクラスが六クラスしかない。一学年一クラス、それも学年によっては生徒数は十数名ということもあったから、たいした商売にはならないのだが、年寄りが一人、生きていくのには事足りる。

戦後ずっと、この番台のような場所に坐《すわ》って、子供と村道を見てきた。特に昼間は近所の者が時折やって来る程度で、道を眺めている以外、特にすることもなかったし、覚えるつもりなどなくても、どの車がどの家のものなのか覚えてしまう。車だけではない。国道のバス停に向かう者も、その多くがタケムラの前を通る。そうやって通る者たちのほとんどはかつて小学校に通っていたのだし、顔も名前も覚えている。だからタツは結果として村の者の出入りを把握することになるのだった。

——いや、そうではない。

夜になれば、表の雨戸を閉め、タツは家に引き籠《こ》もる。そのあとから朝にかけて、どんな車や人が出入りしているかは把握できない。深夜に入ってきて引き返したというトラックがその例だ。

「……トラックねえ」

タツはなんとなく呟《つぶや》いた。特に大声を出したつもりもなかったのだが、笈太郎は耳ざとくそれを聞きつける。

「なんだい、あのトラックがどうかしたのかい」

いや、とタツは答える。

「どうもしやしないけどさ。何だったんだろうと思ってね」

「なあに、それ」

訊《き》いたのは弥栄子だ。

「なんだ、弥栄さんにはまだ言ってなかったかい。——トラックが来たんだよ。虫送りの日に」

「兼正の家？」

「そうじゃなくてさ。おれは家からベットを焚《た》いてるのを見てたんだけどね」笈太郎はどこか意気揚々としていた。「ほら、おれんちは三之橋を渡ってすぐのところだから。ベットを焚くのって、川のすぐ向こう岸じゃないか。それで見てたんだけどね、そしたら車が入ってきたんだよ。コンテナのトラックと乗用車が二台」

「へえ」

「それが橋の近くまで来て、引き返していったんだ。トラックのコンテナには、松のマークがあったな。ほら、高砂《たかさご》松ってやつだ。高砂運送って書いてあったよ。カメラで確認したから間違いない」

　タツはひそかに失笑する。笈太郎は歳《とし》に似合わず、良いカメラを持っている。都会に行った息子のお古をもらったもので、倍率の高い望遠レンズがついている。笈太郎は何かと言うとカメラを持ち出してくるのだが、そのくせフィルムを買い求めたり、写真を現像に出したなどという話は聞いたことがなかった。もちろん、撮った写真を見せられたこともない。

　押し黙っていた郁美が、ぽつりと口を開いた。

「どうせ、ろくなもんじゃないわよ」

　笈太郎は身を乗り出す。

「ろくなもんじゃないって」

「厄払いの儀式に追い立てられたんだから、厄を背負ってたんでしょ。そんなもんが入ってきたらおおごとよ」

　老人たちは何も言わず、黙って首を振った。郁美は集まった老人たちより一廻りは年下になる。年寄りというほどの歳ではないが、少しばかり奇矯なところがあって同じ年頃の女たちの中に入れずにいる。

「……でも、妙な話ねえ」

　ひとりごちるような弥栄子の声に、タツは内心で頷《うなず》いた。真夜中にトラックが村に入ってくる。しかもそれが引き返す。——タツの記憶にある限り、そういうことはこれまでになかった。

村には変化が起こらない。住人はそれぞれ多彩なようでも、一言で言いつづめてしまえば田舎の住人で片がつく。珍事も突発事も予想の範囲内、「そういうこともあるだろう」と納得できる範囲内、そういうものだ。にもかかわらず、真夜中に引き返したトラックはその範囲内を越える。——いや、トラックだけではない。

タツは路面の陽炎《かげろう》に目をやった。

兼正のあの家。村外からの転居者は範囲内だが、あの建物は範囲内を越える。転居してくるのはいい、しかしながら、あんな奇妙な建物をわざわざ余所《よそ》から移すことは尋常のことだとは思えない。何のためにそんなことをしたのだろう。よほど家に愛着があったのだろうか、それとも田舎者の鼻を明かしたかったのだろうか。——それとも。何かのために必要だったのだろうか。あの古風な、石造りの建物が。

広沢は車を家の前の駐車スペースに入れ、運転席から降りた。町で買い集めてきた古書の袋を抱え下ろすと同時に、カーテンが開いて小さな娘が顔を出し、手を振った。黄昏《たそがれ》の中、明かりの点《つ》いた家からは焼き魚の匂《にお》いが漂ってきている。娘に頷いて家に入る前、広沢は西の山のほうを見上げた。まだ夜にはほど遠い色の空を背に、山の稜線《りょうせん》とそこに佇《たたず》む建物が見えた。虫送りで引き返すトラックを見て以来、何という理由もないが気にかかる。そこに建物があって、なのにまだ住人がいないことの不自然に、改めて思い至ったせいなのかもしれなかった。

古風な家だ。家が建つのはいくつも見たが、移築などを見ることは初めてだったし、日本の木造建築とはぜんぜん別の工法で建てられていく建物は興味深かった。昨年の八月に古い屋敷を取り壊し、そこから始まった工事も一月《ひとつき》ほど前に塀の造作をしたのを最後に終わっている。地所の中に建てられていたプレハブの飯場は取り壊された。資材が運び出され、門は閉ざされた。そのままひっそりと村人の注目を受けたまま沈黙している、その家。

住人が何というのかでさえ、広沢は聞いていない。東京近郊から越してくるらしい、という噂だけを小耳に挟んでいた。村で何か造作があると、必ず安森工業がそれを請け負う。そこからなにがしかの情報が漏れてくるものだが、今回、安森工業は仕事をもらえなかったらしい。フェンスには大手建築会社の名前が書かれ、他県のナンバープレートをつけたトラックが出入りしていた。実際、田舎の建築業者にできる造作でもないだろう。

家は一見して二階建て、複雑な形に凹凸を繰り返している。急勾配《こうばい》の屋根には窓があるから、屋根裏部屋があるのだろう。かなり大きな地下室があるであろうことも、基礎工事を見ていたから知っている。石造りの重厚な外壁には石の凹凸で、まるで木骨《もっこつ》でも通っているような飾りが施されている。飾りはあっても簡素な印象、建てられたのはいつ頃だろうか。見事に古色がついているが、そう見えるほど古いものではあるまい。本当に古い洋館建築なら、そうそう簡単に移築などできないだろう。

窓は少なく、ポーチ部分の他にベランダなどはないようだった。工事を見ていた記憶からすると、ベイウインドウ風の張り出し窓がいくつか、一階部にあったと思う。窓は簡素な四角、特にアーチ飾りなどはない。鎧戸《よろいど》がついていて、それはぴったり閉ざされている。いや、スリットのない単なる一枚板だから、雨戸と呼ぶべきなのだろうか。採光も通気性も悪そうだが、壁の厚い天井の高い建物は夏に涼しいかもしれない。

それは重々しく、しかも端正だったが、広沢にはどこか城塞《じょうさい》のように堅苦しく感じられた。村をわずかに見下ろす斜面の上、そこで家が見守っている、あるいは――監視している。その家が城塞なら、それは外場の城塞ではなく、外部から監視のために築かれた橋頭堡《きょうとうほ》だ。では、どこから？

――樅の山から、外場に向かって突出している。

(村は死によって包囲されている)

「おとうさーん」玄関のドアが開いて、娘が顔を出した。「ごはんだよ」

「おかえりなさい、は？」

妻の履物を足首で引きずって出てきた幼い娘の頭を、広沢は撫《な》でる。

「さっき、まどから言ったもん。おとうさんこそ、ただいまって言ってない」

「ただいま」

広沢は娘の背中を軽く押して、玄関ポーチに歩み寄る。玄関に入る前、もう一度暗い山肌に破風《はふ》を突き上げている家を振り返った。

(……縦は死だ)

旦那《だんな》寺の作家なら、そこから村に突出してきた建物を、何に喩《たと》えてみせるだろうか。

二章

I

暗闇《くらやみ》の中、弧を描き、漂うようにして明かりは地を這《は》う。それは招く手、墓穴から甦《よみがえ》った死者が鬼火を遣わして彼を呼ぶ。

死者は彼を追いかけてはこない。彼の往《ゆ》く先々でただ待ち受けている。凍った大地の上に佇《たたず》み、虚《うつ》ろな目を開いて、彼がその側《そば》に辿《たど》り着くのを見守っている。生気の失われた白蠟《はくろう》の顔、屍衣《しい》もまた白かった。それが鬼火の明かりで陰鬱《いんうつ》に蒼《あお》い。

彼は時間を引き延ばすように踵《かかと》を引きずり、あえて遅々とその前に進んだ。

彼がようやく傍らに至っても、弟は何を言うでもなかった。ただの一声も発さず、恨み言もなく呪詛《じゆそ》の言葉もなく、そして当然のことながら吐息さえ零《こぼ》さなかった。もちろん、手を振り上げて彼を打つでもなかったし、石礫《いしつぶて》を投じるわけでもなかった。

弟はただ、彼を待ち受けている。その容貌《ようぼう》は生前のまま、それでも死相に翳《かげ》っていた。文字通り生気のない目は瞬《まばた》きもなく、空洞によく似た色合いをして、彼にひたと注がれている。力無く佇んだ肢体を覆《おお》った屍衣は、墓場の泥にまみれ悄然《しようぜん》と垂れていた。

静信は鉛筆を止めてわずかに考え込んだ。

弟に復讐《ふくしゅう》の意図はなくても、兄のほうは当然のように弟が復讐のために現れたのだと思うだろう。

弟は彼を、自分と同じ煉獄《れんごく》へと引き込もうとするに違いない。

彼は最初に墓から甦ってきた弟を見るなりそう確信し、恐怖に駆られて弟から逃げ出す。——たぶん、そうする。

だが、屍鬼から逃げ出すことはできなかった。彼が逃げ出した先々に、弟はいつの間にか廻り込んで彼を待ち受けている。彼はそれを繰り返したあげくに逃げることはできないと悟った。だからこそ弟の姿を目にして、唯々《いい》諾々とその側へと歩み寄るのだが（弟の傍らに進むことになることを承知で歩みを進めるのだが）、彼は常に、今度こそ弟が復讐のために危害を加えるのではないかと恐れている。

（復讐……）

静信は原稿用紙を見つめながら思案した。彼が想像していた「復讐」とはどういうものだろう？　それは日本の幽霊談によくあるような、取り殺す、という行為だろうか。あるいはもっと直截《ちょくさい》に、彼がそうしたと同じく、凶器を持って彼を襲うことなのだろうか。あるいは、この舞台となる土地には、復讐のための行為が定められているのだろうか。

しばらくの間、静信は文字面《づら》を見つめ、復讐にはそれなりの様式がほしい、と思った。何か象徴的な——暗示的な行為。記憶を探って古今東西の復讐の手段について思いめぐらせてみたが、これと言ったものは思い出せない。次いでさらに記憶を探り、参考になるような資料を持っていないだろうかと考えてみたが、これまた思い当たるものがなかった。

静信は軽く息を吐いて、寺務所の黒板を見上げた。意識が原稿から（凍った荒野から）離れ、唐突に寺務所に満ちた午後の陽射《ひざ》しと、クーラーの作為的な冷気、窓越しに聞こえる蟬《せみ》の声に気がついた。

七月二十七日、水曜の午後、予定がふたつ入っていたが、これは鶴見と池辺が行くことになっている。静信は原稿用紙を揃《そろ》え、抽斗《ひきだし》の中に戻した。裏返して入れた原稿用紙の上に文鎮を置いて抽斗を閉じ、立ち上がる。ちょうど寺務所を出たところに、大きな薬缶《やかん》を持った美和子が通りがかった。

「あら、出かけるの?」

「ちょっと図書館に行ってきます。——お母さん、持ちましょうか」

静信が言うと、美和子は笑う。

「結構よ。行ってらっしゃい」

頷《うなず》いて、静信は玄関に向かう。広い土間を横切り表に出ると、真夏の陽射しで境内は目映《まばゆ》いほど明るかった。蟬の声が降ってくる。植え込みは旺盛《おうせい》な緑、山門から本堂へ、寺務所脇《わき》の輿寄《こし》せへ、あるいは庫裡《くり》の玄関へと続く参道の石畳は灼《や》けたように白い。静信が表に出てきたのを認めたのか、境内のあちこちに散った老人のうちの何人かが丁寧な会釈《えしやく》をしてきた。

「あら、若御院」

声がしたのは、植え込みの間だ。玄関脇の柘植《つげ》の間で立ち上がった老女は、麦藁《むぎわら》帽子を取って頭を下げる。

「お出かけですか」

久々に見る顔だった。盆前だからと、わざわざ来てくれたのだろう。静信は会釈を返す。

「お久しぶりです。お暑い中をありがとうございます」

「とんでもない。今年はうちのお爺《じい》さんが十三回忌なんで、またよろしくお願いしますねえ」

「はい。こちらこそ」

「御院のお加減はいかがですか」

一年半前、父親の信明《しんめい》は脳卒中で倒れた。以来、寝たきりの生活をしている。

「おかげさまで。近頃はずいぶん、声も出るようになりました」

「そりゃあ、良かったですね」言って、老女は首にかけたタオルで顔を拭《ぬぐ》う。「そう言えば、つい最近、何かの雑誌で若御院が書いてるのを見ましたよ。エッセイって言うんですか、短いやつが載ってるのが、病院の待合室にあって」

ああ、と静信は苦笑した。尾崎医院の院長は静信が嫌がるのを分かっていて、わざわざ原稿の載った雑誌を買ってきては待合室に置く。そうですか、とだけ答え、コメントは避けた。

「あら、お引き留めして済みませんね。お気をつけて」

老女は言って、深々と頭を下げた。それに会釈を返して、静信は輿寄せの脇にあるガレージに向かい、車に乗り込んだ。図書館まではあえて車を使うほどの距離ではなく、むしろ気分を変えるための散歩にはちょうど良いくらいだったが、なにしろ照りつけるような陽射しが降り注いでいる。しかも日中、村を歩くと、先々で檀家《だんか》の人々に捕まって一向に前に進めない。今は先を急ぎたい気分だったので、車を使うことにした。

窓を開け、エアコンを点けて車の中に籠《こ》もった熱気を追い払いながら車を出した。老人たちが見送ってくれる。副業で文章は書いても静信の本分は僧侶《そうりょ》だ。村にひとつの旦《だん》那《な》寺、父親が倒れて以来、静信が檀家を背負っている。

老人たちの丁寧な会釈を受けながら境内を徐行して横切り、鐘楼脇の私道に乗り入れた。山門から下るのはさほど長くはない石段で、これはもちろん、車で通行はできない。それで鐘楼の脇のほうに私道を設けてあった。これを下ると、隣り合わせた丸安製材の材木置き場の脇に出る。私道のコンクリートも白く灼け、枝を差しかけた樹木から降る蟬の声が炙《あぶ》られている。文字通り、茹《う》だるような夏の景色だった。

例年になく雨が少なく、暑さが厳しい。車を東へと向け、川沿いの村道に出ると、渓流の水位が下がり、河原が面積を増していた。ろくな雨に恵まれないまま梅雨が明けた。国道の橋をさらに下ったあたりには堰《せき》があって、この時期には水門を閉じているが、それでも川の水位が平素より低かった。渇水《かっすい》というほどではないものの、そもそも溝辺町には川らしい川が、この渓流に端を発する尾見川しかない。下流では水が不足しており、外場でも取水を絞り込んでいた。酷暑による被害も出ている。農作物の枯死、熱中症による死者、きつい夏になりそうだった。

渓流に沿って南へと向かい、神社に向かう一之橋の袂《たもと》を過ぎる。川の対岸に見える鎮守の森は目に痛いような緑だ。さらに村道を下ると二之橋、外場の中心となる市街は、二之橋から三之橋にかけての一帯にある。この三之橋が、かつては外場の果てだったらしい。

外場はそもそも、寺院所領に木地師が住みついて拓《ひら》いた村で、寺院所領の解体が行なわれるまで、付近一帯にある村落はこの外場が唯一《ゆいいつ》だった。三方を山に囲まれた谷間に集まった六集落、これに北の山間《やまあい》にある飛び地のような一集落を加えて、都合七つの集落を総称して「外場村」と言った。近年になって溝辺町に併合され、一括して「外場」という地名の中に押し込められたけれども、村人も近隣の者も外場を村と呼ぶし、郵便上の記述としては今も「村」の文字とともに、七集落の名前が生き残っている。

総計四百戸足らず、人口にして千三百人あまりの小さな村だが、かつて村制が布《し》かれていた頃の財産で、とりあえず村としての面目が保てるだけの設備があった。静信が向かっている公民館もそれだ。

二之橋の袂、村道の脇に古風な木造、瓦葺《かわらぶ》きの建物が見えた。古い校舎のようなこの建物が、かつての村役場、現在の公民館だった。村が溝辺町に併合され、村役場に代わって町役場の出張所ができた。役目を終えた村役場は公民館として今も使用されており、一部は図書館になっている。田舎の図書館の蔵書などというものは貧弱なものと相場が決まっているが、外場のそれは破格だった。寺や尾崎、兼正が代々申し合わせてかなりの量の書物を寄贈しており、兼正が村を離れる際には、大量の蔵書や古文書を寄贈したこともあって静信などは使いでがある。もっとも、軽い読み物などは少なかったので、村人にはあまり評判が良くなかった。

大川酒店の手前で村道を折れて公民館の駐車場に車を入れ、建物の中に入る。古色蒼《そう》然《ぜん》とした建物の中には、小さなホールや寄り合いのための会議場、各組合の事務所などが寄り集まっている。開け放された窓からは子供の歓声が聞こえてきていた。公民館に隣接して、保育園を兼ねた児童館があり、その事務所も公民館の中にある。これらの維持費の多くは、寺——室井と尾崎、兼正が負担している。室井と尾崎、兼正の三家はそのようにして、ずっと村を支え続けてきた。

顔見知りの人々に会釈をし、静信は一郭を占める図書館へと向かう。前世紀の遺物然としたカウンターには、司書の柚木《ゆずき》が坐《すわ》っていた。

「おや。若御院、こんにちは。調べものですか」

「済みませんが、入れてください」

図書館の蔵書の多くは、建物に続くふたつの蔵の中に納められている。ほとんどが村人の興味とは関係のなさそうな書物であり、古文書も多いことから図書館は一部が閉架式になっていた。書庫には入れないのが規則だが、とりあえず静信は大目に見てもらえることになっている。

柚木は白髪まじりの頭を頷かせ、書庫の鍵《かぎ》を机の抽斗から引っぱり出した。ちょうどそれを受け取ったとき、児童室から子供が二人、本を抱えてカウンターに駆け寄ってきた。柚木は破顔して子供たちが差し出した本を貸し出す手続きをする。柚木は温厚な男で、内向的な性格のわりに子供好きなので有名だった。子供の興味に気を配り、よく面倒を見て話し相手にもなるので、「図書館のおじさん」を慕っている子供も多い。

「さすがに夏休みになると、賑《にぎ》やかですね」

静信が声をかけると、柚木は嬉《うれ》しそうに笑った。

「いつもこうだといいんですけどね。今の子供たちには、本より楽しいものがたくさんありますから」柚木は言って、児童室と、開架式の閲覧室のほうを見比べる。「それでも子供は、まだしもです。あっちのほうは、常に閑古鳥が鳴いてます」

大人向けの本を棚に並べた閲覧室は、今も無人だった。静信は頻繁に図書館に来るが、閲覧室で本を読んでいる村人の姿を見かけることはほとんどない。本好きな者がやって来て、本を借りていく程度、あとはノートを開いている中・高生のグループを見かけることが時折ある程度だった。

「若御院のほうこそ、執筆の具合はいかがです。新刊はいつ頃？」

さあ、と静信は笑って言葉を濁した。

「やっと取りかかったところです」

そうですか、と笑う柚木に促されて、静信は事務室の中に入り、書庫へと向かった。

書庫に独特の、古びた紙の匂《にお》い、古い書物の気配が、静信は好きだった。蔵に入って戸口近くに置かれた机のスタンドを点《つ》け、棚を物色する。書物は柚木の手で分類法に従ってきちんと収納されていた。

兄の手にかかって非業《ひごう》の最期《さいご》を遂げた弟、その弟が殺人者に対して復讐するとしたら、どういう手段を採るだろう。弟は決して復讐など望んではいないのだが、兄はそれを恐れているはずだった。

しかしながら、弟は彼に対して復讐をしない。呪《のろ》うでなく責めるでなく、ただ彼の傍らに付き従う。最初の一夜以来、夜ごとに現れながら、ずっとそのように振る舞い続ける。彼は当初、恐怖し、そして弟がいかなる危害も加えようとはしないのを知って落胆する。

弟が復讐のためにやって来たのだったら、どんなに良かっただろう。

それはもちろん、恐怖でありはするのだが、

　　　　そうやって危害を加え、彼の命を奪おうとすることによって、弟もまた彼と同じく殺戮《さつりく》者として振る舞ってくれたなら、彼は確実にある種の救いを感じることができただろう。

だが、彼の弟はそうしなかった。

決して危害を加えようとしない被害者は、彼の罪を逃れようもなく明らかにした。弟は殺戮者ではない。罪人ではない。殺戮者であり破戒者であるのは、彼だけなのだ。

(彼は……)静信は本のページを繰りながら思う。(おそらく、失望する)

弟がおぞましい生き物になってまで復讐を企《たくら》むことで、自分と同種の殺戮者になって

ほしかった。だが、弟は彼の期待に応《こた》えない。応える気がないことを、彼は弟の空疎《くうそ》な視線から悟る。たまりかねて弟を罵《ののし》る。——おそらくそうする。

復讐することもできない弟の不甲斐《ふがい》なさを、彼は侮辱し嘲笑《ちようしよう》し、責めさえする。それでも

弟は彼を打つことも罵ることもしないのだった。ひっそりと傍らに立ち、空洞の目を彼に向けている。

彼の挑発は成功しない。彼はそれによっていっそう打ちひしがれ、ついに弟の前に膝《ひざ》を折る。

大地に慴伏《しようふく》して謝罪し、屍衣に縋《すが》って許しを乞《こ》うた。

——しかしながら、それをも弟は空洞の目でただ見つめている。

彼は弟を見返し、そしていつものように目を逸《そ》らした。弟の空疎な視線から逃れるために俯《うつむ》き、弟が埋葬されたはずの丘から遠ざかるべく、さらに足を踏み出した。弟は引き留めもせず、進路を阻《はば》むこともせず、無言のままほんの少し遅れて彼の傍らを滑るように歩き始めた。この屍鬼はそのようにして、明け方まで彼にただ付き従うのだった。もはや彼にはできることがなかった。逃げることも、追い払うこともできず、赦《ゆる》してくれと独白しながら弟を従えて荒野を歩くしかなかった。

深く俯き、決して弟を振り返

らず、それでいながら視野の端に弟の存在を否応《いやおう》なく意識しつつ、歩き続ける。

鬼火は凍った地を這《は》い、乾いた風に揺れて円弧を描きながら彼と屍《しかばね》の道行きを照らした。彼は大地の起伏を視線と足裏の感触で拾いながら、黙々と歩いた。視野の片隅には弟の姿が常にちらつき、微《かす》かな死臭がつきまとう。それは彼の罪と罪にまつわるすべてのものを忘れ去ることを許さず、摩耗させることすら許さなかった。

ひょっとしたら、それこそが弟の復讐なのかもしれなかった。

いや、それは弟の復讐ですらなく、決して遠ざかることのない丘とその頂上に点《とも》った光輝と同様、彼に課せられた呪いの一部なのかもしれなかった。

——されば汝《なんじ》は詛《のろ》われ、此《こ》の地を離れ、永遠《とわ》の流離子《さすらいびと》となるべし。


書庫で本を漁《あさ》り、知識の断片や思いついたことをメモに取り、静信が書庫を出ると、すでに二時間あまりが経過していた。夏の陽射しは黄昏《たそがれ》へと向けてゆるゆると傾き始めている。

「済みません、長々と」

静信が声をかけると、子供の相手をしていた柚木が振り返った。いえいえ、と笑う柚木の手許《てもと》には昆虫図鑑が広げられ、子供が甲虫を入れた紙包みを差し出している。何という虫なのか、訊《き》きにきたのだろう。

それが微笑《ほほえ》ましく、静信は笑って柚木に書庫の鍵を返した。三冊ほどの本を貸し出してもらう。また、いつでもどうぞ、という柚木の声に会釈を返したところで、表からけたたましい音がした。車のブレーキの音、そして何かが横転する音だった。

柚木が血相を変え、窓辺に駆け寄った。あとに続いて静信も駆け寄ると、公民館の脇、傾斜の関係で窓と同じ高さに見える村道に黒塗りの車が停まっていた。フェンダーの脇には子供用の自転車が横転している。

「大丈夫か！」

柚木は滅多に出さない大声を上げ、血相を変えて図書室を駆け出した。静信もそれに続き、公民館から村道へと出る。静信と柚木が駆けつけたとき、ちょうど車の運転手が自転車を抱えて道の脇へと放り出そうとしているところだった。

「――怪我《けが》は」

柚木の声に、道端にしゃがみ込んだ三人ほどの子供が顔を上げる。柚木の顔を見るなり、わっと泣き出した。運転手はそれを振り返りもせず、自転車を路側帯に投げ出すと車の前を廻って運転席に乗り込もうとした。それはまったく、車の通行の邪魔になる障害物を取り除いた、という態度だった。

「おい、お前」

近所の酒屋から駆けつけてきたのは、店主の大川富雄《とみお》だ。大川は怒声を上げて車に駆け寄り、閉じようとしていた運転席のドアを摑《つか》む。黒いメルセデスは村ではついぞ見かけたことのない代物《しろもの》だった。運転手の顔も見かけない。村の者ではない。果たして自分の置かれた状況を理解しているのか、どんよりと無感動な表情をして前方を見つめていた。

「とにかく、降りてこい！」

大川の声にも、男は反応しなかった。五十代の初めだろうか、車にふさわしく羽振り良さげな身なりをした恰幅《かっぷく》の良い男だったが、それにしては生気のない濁った目をしている。静信は一瞬、男が泥酔《でいすい》しているように思った。

「降りてきて子供を介抱しようって気はないのか。お前、どこの者だ」

静信が見たところ、子供たちに大事はない様子だった。それでも一人は足を抱えて蹲《うずくま》り、柚木に縋って泣きじゃくっている。痛むのか驚いたのか、泣けるようなら最悪のことはないだろう。

「どうした？　ぶつかったのかい？」

静信が声をかけると、子供たちは頷《うなず》く。小学校の低学年だろう。道端に放り出された自転車は小さな子供用のもので、後輪が歪《ゆが》んでいる。

それらのものを静信が見て取っている間に、変速機がリリースする音がした。車が動き始め、大川が怒声を上げる。

「おい！　あんた！」

静信はぎょっとした。運転席のドアを開けたまま車が動き出していた。ドアに手をかけた大川の、巨漢と言っていい体躯《たいく》がほんのわずか引きずられて横転する。黒い車はそのまま村道を川上に向かって走り出し、ドアを閉めるとスピードを上げて遠ざかっていった。

「大川さん、大丈夫ですか」

道端の草叢《くさむら》に放り出された大川は、顔を歪めて身を起こす。怒気を露《あら》わにした表情で去っていく車のほうを睨《にら》みすえた。

「何者だ、あいつは！」

吐き捨てるように言って、静信を振り返る。

「若御院、ナンバーを見ましたか」

静信は首を横に振る。とっさのことで、そこまでは気が廻らなかった。

「村の者じゃなさそうだったな。見たことのねえ車だ。まったく、近頃はろくな連中が出入りしない」

大川は車が去ったほうを忌々《いまいま》しげに見やった。

「とにかく駐在の高見《たかみ》さんに——」大川は言いかけ、泣いている子供たちを思い出したように振り返った。「いや、その子らが先か。怪我は」

「大事はないようです。とにかく病院に連れて行きます。ぼくが車で来ていますから」

大川は息を吐いて、子供たちの側に屈《かが》み込む。

「さあ、泣くんじゃねえ。今、若御院が病院に連れて行ってくれるからな」

大川のその声に同意するように、柚木が慰めの言葉をかけながら子供たちを順番に撫《な》でた。

「まったく、なんて奴《やつ》だ」大川は吐き捨て、静信を振り返る。「この子をお願いしますよ。高見さんへはおれが連絡しとくんで」

静信は頷いた。騒ぎを聞きつけたのか、村人が集まってきていた。


怪我をしたのは下外場の子供で、前田茂樹といった。

「打ち身と擦り傷だな。車にぶつかったわけじゃなく、自転車を引っかけられて転んだだけだろう」

敏夫はレントゲンを見ながら、そう言った。

「車のほうも、そんなに飛ばしていたわけじゃないんだろうな。特に頭を打っている様子もないし、まあ、この程度で済んで良かったよ」

静信は軽く息を吐く。静信の背後からレントゲンに見入っていた駐在の高見も同様にして息を吐いた。

「そりゃあ、良かった。一安心だ」

　診察室には、敏夫と静信、高見だけ。家族はまだ来ていない。怪我をした子供の顔に、静信は見覚えがなかった。本人が住所と名前を名乗ったものの、家に電話しても誰も出ない。おそらくは、田圃《たんぼ》に出るか山に入るかしているのだろう。近所の者に連絡をして、家族を捜してもらっているところだった。

「にしても」と敏夫は肩を竦《すく》める。「解《げ》せない話だな。見覚えのない車だったって？」

　静信は頷いた。

「村の者じゃないと思う。見覚えのない顔だったたし」

「そんな安請け合いをしていいのか？　お前、茂樹くんの顔だって知らなかったんだろう」

「どうやら檀家《だんか》ではないようだし、檀家でも子供の顔までは覚えていないけれども、あの車は違うと思う。黒のベンツだったから」

　ははあ、と敏夫は頷いた。高見も意を得たように頷く。

「なるほど、ベンツは見かけたことがないですねえ。この村で外車っていうと、若先生の奥さんのＢＭＷぐらいしか思いつきませんからな」

　敏夫は笑った。

「うちの十和田くんはゴルフに乗ってるし、看護婦の汐見くんはミニだよ」

や、と高見は額を叩《たた》いた。

「——だがまあ、ベンツはさすがにないだろうな。そんな車に乗ってる奴がいたら、噂《うわさ》が耳に届くだろう。しかし高見さん、いちおう調べといたほうがいいぜ」

高見は頷いた。

「もちろんです。当て逃げですからな。しかもドアを摑んだ大川の大将を引きずって逃げ出したってんだから悪質です。ですが先生、村の者にそういうことをしでかす者がいますかね」

「間の悪いことや、魔が差すことはあるさ」

けれど、と静信は口を挟む。

「運転手の様子がおかしかったんだ。上手《うま》く言えないのだけど……そう、酩酊《めいてい》しているような感じ。それも酒に酔っているというふうじゃなくて、麻薬にでも酔ってるような感じだった」

静信は、運転手の憑《つ》かれたような目つきを思い出した。

「そりゃあ、村の者じゃないですねえ」

「そう即断しないほうがいいぜ、高見さん。静信、お前、麻薬中毒患者に会ったことがあるのか?」

「ないけれど。酩酊しているふうだったんだ。けれども酒に酔ってる顔つきじゃなかった。大川さんも酒の匂《にお》いはしなかったと言っていたし」

「滝《たき》の親父《おやじ》さんも似たようなことを言ってましたよ」高見はボールペンの頭で額を掻《か》く。「ちょうど水利組合の窓から車を見かけたらしいんですがね。車種は分からないけど黒い大きな車が、妙にフラフラしながら村道を走っているのを見たそうで。酔っぱらってんじゃないのか、と思ってたらあの騒ぎでしょう。現場に駆けつけてきて、やっぱり事故ったかって憤慨してましたから」

「ふうん」

「村にせめて警察の分署がありゃあねえ」高見は息を吐《し》いた。「北のほうに走ってったてえ話なんで、ぱっと村の出入り口に検問を布きゃあ、目立つ車ですから一発なんですけど。いちおう署には連絡しときましたが、あそこからパトカーが駆けつけたって間に合いませんや。今頃は村の中を迂回《うかい》して逃げ出しちまってるでしょう」

「だろうな。おまけに肝心の被害者が打ち身と擦り傷じゃあな」

「そうですねえ」呟《つぶや》いて、高見はふと気づいたように視線を落としていた手帳から顔を上げた。「ねえ、若御院。それ、兼正の家の車ってことはないですかね」

静信は意表を衝《つ》かれて高見を見返した。

「兼正――あの？」

「あれだけの家を建てた御仁ですよ、いかにもベンツなんか乗りまわしていそうじゃないですか」

「しかし、あの家は、まだ越してきていないでしょう」

「でもほら、虫送りの日にトラックが来たって」

「やって来て、引き返したって話だろう」敏夫が口を挟む。「あれきり、引越があったって話も聞かないし、住人が越してきた様子もないじゃないか」

「そうっと越してきたのかもしれないじゃないですか」

敏夫は呆《あき》れたように笑った。

「この村で、そんなことができるもんか。それでなくてもあの家は注目されてるんだから、住人が越してきた気配がチラとでもあれば、翌日には村中に広まってる」

「それはそうなんですけど。……じゃあ、家の者が、様子を見に来たとか」

「それなら、なくはないだろうが」敏夫は言って、静信を見る。「でも、お前は顔を見たんだよな？　もしもこの先、住人が越してきたとき、顔を見れば分かるだろう」

「それはばっかりは会ってみないと」

静信はそう答えた。なにしろとっさのことで、ナンバープレートを読みとることも思いつかなかったぐらいだから、いささか心許ない。あのどこか異常な目の色は覚えているが、顔の造作を覚えているかと問われると自信がなかった。

敏夫は大仰に息を吐く。

「あとは、タケムラの婆《ばあ》さんたちに訊《き》いてみるんだな。村道を来たっていうんだから、あの連中が村に入ってきたところを見ているだろう。上手くすれば、ナンバーを覚えているかもしれないぜ」

静信と高見は顔を見合わせて失笑した。タケムラ文具店の店先には、常に付近の老人たちがたむろしている。まさか監視しているわけでもないだろうが、村に出入りする者の動向に呆れるぐらい詳しかった。

高見は苦笑しながら刈り上げた頭を掻く。

「とにかく、車を見かけた者がいないか、訊いてみますけどね。こりゃあ、下手をすると犯人は捕まえようがないかもなあ」

高見が溜息《ためいき》まじりに呟いたときだった。待合室のほうからけたたましい音がして、女の甲高い声が聞こえた。すぐに診察室の戸口に看護婦の律子が顔を出す。

「あの、先生。前田茂樹くんのお母さんだと思うんですけど」

「とにかく処置室に入れて、茂樹くんに会ってもらってくれ。そのほうが安心するだろう。すぐに行くから」

はい、と律子が頷き、慌《あわ》ただしい足音が診察室の前を通り過ぎていく。パーティションひとつで区切られた処置室のほうに駆け込む物音と、堰《せき》を切ったように泣き崩れる女の声がした。

茂樹、と悲鳴まじりに呼ぶ声を聞きながら、敏夫は処置室に向かう。静信と高見もそれに続いた。ベッドに横たわった少年を、中年の女が掻き抱き、同年輩の女が見守っている。こちらのほうには静信も見覚えがあった。ドライブイン「ちぐさ」の矢野加奈美だ。

加奈美が先に敏夫らに気づいた。軽く茂樹の母親らしい女をつつき、それで女も顔を上げる。敏夫ら三人を見比べて、ぱっと子供を放し、立ち上がった。

「その人が、茂樹を撥《は》ねたんですか！」

女の視線がまっすぐに静信に向かっていて、静信は狼狽《うろた》えた。必死で駆けつけてきたのだろう、汗にまみれた顔は頭から水を被《かぶ》ったようで、蒼白《そうはく》の顔に縺《もつ》れた髪が貼《は》りついている様子には鬼気迫るものがあった。

言葉にならない声を上げて駆け寄ろうとした女を加奈美が止め、慌てたように高見もそれに駆け寄る。

「ああ、違う。違いますよ、奥さん。こちらは息子さんを運んできてくれただけなんで」

「じゃあ、犯人はどこなの！」

女の金切り声に、放り出された当の子供が怯《おび》えたような顔をした。

「いや、それが、逃げ出してしまいまして」

「嘘《うそ》よ、そいつが轢《ひ》いたんだわ！」

「元子」叫ぶ女に声をかけたのは、矢野加奈美だった。「この人は違うわよ。ほら、お寺の若御院だから。あんたんちは檀家じゃないから知らないでしょうけど、あたしはよく知ってる人だから」

元子はその言葉に、弾《はじ》かれたように加奈美を見上げた。加奈美は気まずげに微笑《ほほえ》む。

「だからね、落ち着いて」

「じゃあ——」元子は静信と加奈美を見比べるようにした。「誰が茂樹を撥ねたの」

それがねえ、と高見は元子の側に歩み寄り、とりあえず事情を伝える。犯人は村外の者らしい、と高見が言ったところで、元子はまた声にならない悲鳴を上げた。今にも倒れそうな表情で、敏夫を見る。

「茂樹は——茂樹は大丈夫なんですか」

「御覧の通り、大丈夫だよ」敏夫は快活に答える。明らかに元子に興味を感じている様子だった。「打ち身と擦り傷だけ。念のためにレントゲンを撮ってみたけれど、特に異常はないから。明日もラジオ体操に行って、大暴れできる」

元子はぽかんと敏夫を見つめ、ようやく事態が腑《ふ》に落ちたのか再び泣き崩れた。敏夫は苦笑して、困惑したように立ち竦んでいた律子に目をやる。

「どっちかというと、お母さんのほうが重態だな。律ちゃん、落ち着かせてあげて、怪我の様子を説明して」

　はい、と律子は頷く。敏夫は矢野加奈美に手招きをして、診察室のほうに促した。

「あんたは『ちぐさ』の加奈美さんだったよね」

「そうです。元子、ちょうどうちにパートで入っている時だったもので」

「ああ、そう。前田の奥さんは取り乱しているようなんで、いちおう加奈美さんに説明しとくから。もしもあとで奥さんが事情を分かってないようなら説明してあげてくれるかな」

「ええ——はい」言って、加奈美は静信に向かって微笑んだ。「若御院、済みません。元子は昔から、子供のことになると神経質で」

　いえ、と首を振る静信に加奈美は頭を下げる。

「茂樹くんを運んでくださったんですね。ありがとうございます。元子はあんな調子なんで、あたしからお礼とお詫《わ》びを」

「いえ、お気になさらず。元子さんも動転なさっているんでしょう」

　本当に、と加奈美は困ったように微笑む。

「元子の家、国道に近いものですから。ほら、国道は事故が多いでしょう。それで、自分の子供が国道を走る余所者《よそもの》に轢かれてどうにかなってしまうんじゃないかって、ちょっと思い詰めているところがあるんです。本当に、申し訳ありません」

　ああ、と静信は呟いた。加奈美は「思い詰める」という言葉を使っているが、元子にとってそれは、一種の強迫観念になっているのだろう。子供が事故に遭ったと聞いて、一足飛びに最悪の事態を想像したのに違いない。

「それは——元子さん、さぞ御心配だったでしょう」

　ええ、と加奈美はさらに微笑む。とにかく、と敏夫が声を上げた。

「少しも心配するような怪我じゃないから。担《かつ》ぎ込まれた当初は、ショックで呆然《ぼうぜん》としてるふうだったけど、すぐに落ち着いて自分の名前も住所も電話番号もちゃんと言えたし。レントゲンの結果も異常はないし、目に見える打ち身と擦り傷以外に、特に怪我はない。とにかく本人も驚いただろうし、子供のことだから二、三日落ち着かないかもしれないけど、すぐにいつも通りになる」

「じゃあ、本当に大事ではないんですね」

「車に撥ねられたというより、自転車の後輪を引っかけられて転んだ、というだけのことだな。子供によっては精神的なショックで、熱を出したりすることもあると思うけど、心配はいらない。もしも心配なようなら安定剤を処方するなり、処置をするんで連れてくるように言ってくれるかな」

　はい、と加奈美は安堵《あんど》したように笑った。

「安心しました。元子も安心するだろうと思います」

そう言えば、と高見が口を挟んだ。

「あんたのとこは、ちょうど村の入口だよねえ」

「ええ。そうですけど、それが何か」

「いやね、茂樹くんを引っかけて逃げたのが黒いベンツなんだけどね、あんた、まさか見かけてないよねえ」

加奈美は瞬《またた》いた。

「黒のベンツ——ですか？」

「そう」

「見ました。じゃあ、あの車が茂樹くんを」

「見た。——ひょっとして、ナンバーなんかは」

「いいえ、それは。溝辺町のほうに向かった黒い外車が、駐車場に入ってきたんです」

「溝辺町のほう？」

高見が声を上げ、静信も内心で首を傾《かし》げた。ドライブイン「ちぐさ」はちょうど、国道と村道が交わる交叉点《こうさてん》の溝辺町側にある。溝辺町へ向かう車が「ちぐさ」の駐車場に入ったのなら、いったん村道を通り過ぎたことになる。

ええ、と加奈美は神妙に頷いた。

「クラクションの音が聞こえたんですよ。そしたら、国道の橋のほうから黒い外車がうちの駐車場に入ってきて、それを掠《かす》めるようにトラックが通り過ぎるところだったんです。危ない運転をするものだわ、って元子とも話していたんですよ。それが、駐車場の中で切り返して、村道のほうに入っていったんです。なんだか、フラフラした運転で……」

「運転手の顔は見ましたか」

「ええ。見かけない顔でした。村の人じゃないと思うんです。それで村道を見落として、通り過ぎたんだな、と思ってたんですけど。とにかくすごく危なっかしい運転で、運転をしている男の人も、妙にフラフラしているというか——」加奈美は口ごもる。「切り返すのにハンドルを切るたび、こう、頭がのめったり傾いだりするんですよ。それで、大丈夫なのかしら、と思ったんです」

加奈美は言って、不安そうに付け加えた。

「立派な車だったし、元子とも言っていたんです。ひょっとしたら、あれが兼正の人なのかしら、って」

2

まったく雨の気配すらないまま、七月も終わりに近づいた。三十日、土曜日の午後、最後の患者を見送り、律子がカーテンを引こうと玄関に向かったときにも、一点の曇りもない青空が広がっていた。強い陽射しが風景を白々と灼《や》いている。そこここに落ちた影は小さく、しかも塗りつぶしたように濃かった。

律子は戸外の明るさに目を細め、陽に褪《あ》せたカーテンを引こうとした。ちょうどそこに喘鳴《ぜんめい》のような音を立ててスクーターがやって来た。すっかり古びたスクーターは、熱気に揺らぐ駐車場に入ってくると、玄関脇《わき》の小さな軒が作る日陰の下に停まった。

律子はそれを見て苦笑し、閉めかけた玄関のカーテンを半分ほど開けておく。背後から井崎聡子の声が聞こえた。

「律子さん、急患?」

聡子はすでに私服に着替えて、バッグを提げている。

「村迫《むらさこ》のお婆ちゃん」

「あら」

「いいわよ、今日はもう終わりなんだし。みんなでお昼を食べに行くんでしょ? 気にせずに帰って」

「そうですか? ごめんなさい」

聡子が軽く拝むようにして、裏口のほうへ消えるのと同時に、玄関のドアが開いた。

「あのう……いいかねえ」

塗りの剝《は》げたヘルメットを片手に、おずおずと入ってきたのは、山入の村迫三重子《みえこ》だ。もはやスクーターに跨《また》がっているのを見るのが怖いような年齢だが、住まいが山入では、せめてスクーターでもなければ生活ができない。

「どうぞ」

律子は三和土《たたき》に立ったまま、三重子を促す。ぺこりと頭を下げた三重子を通して、改めてカーテンを引いた。

「土曜は昼までなのにねえ。家を出るのが遅れちゃって。ごめんなさいねえ」

「いいんですよ。義五郎《ぎごろう》お爺《じい》ちゃんのお薬ですか？」

律子は言って、受付の中に廻り込む。途中、休憩室から武藤が顔を出した。

「律ちゃん、急患かい？」

「三重子お婆ちゃん。――いいですよ、お昼、食べててください」

律子は言って受付に入ったが、あとを追ってすぐに武藤が入ってくる。

「済みませんねえ」

カウンター越しに拝むようにして、三重子が申し訳なげに汗を拭《ぬぐ》っていた。

武藤は笑って、軽く手を振る。

「いいや、気にせんでください。お暑いですな」

「本当に」

「義五郎さんのお薬ですか。——律ちゃん、カルテはわたしが出しておくから」

武藤が言うと、律子は頷《うなず》いて事務室の奥にある薬局のほうに曲がっていく。

「どうですか、義五郎さんのお加減は」

「それが、ここ何日かあまり良くないみたいで……」

「おや」

北のはずれの集落、山入ではわずかに三人の老人が残って肩を寄せ合うようにして生活している。そのうちの一人、大川義五郎は長く高血圧で薬を処方されていた。義五郎本人が薬を取りに来ることもあるが、ついでがあれば近所の村迫秀正《ひでまさ》か三重子がやって来る。

「そりゃあ、いかんな。若先生に診てもらったほうがいいんじゃないですか」

「夏風邪じゃないかとは思うんですけどねえ。——実はうちのお爺さんも夏風邪でね」

「あら、大丈夫なんですか」

口を挟んだのは、やすよだった。麦茶のグラスを持って受付に入ってきたやすよは、それをカウンターの上に置いた。

「暑かったでしょう。こんなもんでもおあがって」

「あら、済みませんねえ。閉まったあとに来たうえに」

「いいんですよ。暑いとこに出るのが嫌で、だらだら居残ってたんですから」言って、やすよは、「義五郎さん、大丈夫なんですか。熱は？」

三重子は手を振った。

「熱はないみたいでしたけどね。風邪でなきゃ、夏負けってやつかしらねえ」

「村迫のお爺ちゃんも風邪だって」

武藤が口を挟むと、三重子は申し訳なげに再び手を振る。

「そんなたいそうなもんじゃないと思うんですよ。うちのお爺さんも熱なんてありゃしないんですから。でも、なんだかぼーっとしちゃって。怠《だる》そうなんで、寝かしつけてきたんですけどね」

あらまあ、とやすよは呟《つぶや》く。

「先生に訊いて、薬だけでも出してもらったほうがいいんじゃないかしらねえ」

「そんな、とんでもない。若先生のお昼を邪魔するようなことじゃないんですよ。悪いようなら、来させますから」

武藤は再度口を挟んだ。

「やすよさん、ちょっと先生に声だけでもかけてくるから」

「あら、まあ、そんな」

「なに、ちょっと訊いてくるだけですから」

気安げに言って武藤は受付を出る。住居のほうへ小走りに行く武藤を見送り、やすよは三重子に坐《すわ》るよう勧めた。

「ちょっと待っててくださいねえ。——義五郎さん、食事が喉《のど》を通らなかったんじゃないですか、この暑さだから。そうでなきゃ、仕事に精を出しすぎたとか」

「そんなに上等な人だといいんですけどねえ。いえね、本人は出かけたんで疲れただけだって言ってたんですけどね」

「あら、いいわねェ。御旅行？」

「そんなたいそうなもんじゃないんですよ。何日か前に、お客さんがあったんですよ、義五郎さんとこに。なんだか立派な車が来てねえ。あたしは車の名前なんか分かりゃしないんですけど。えらく立派な車が来てたわねえ、って言ったら、ちょっと人に会う用があるんで出かけてくる、って。どこに何の用があるのかは言ってなかったですけどね」

「へええ」

「いい話でもあったふうでしたけどね。機嫌良く出ていったと思ったら、夜になっても帰ってこないでしょう。泊まるんなら泊まるって言って出ていけばいいのにねえ」

やすよは笑う。一人暮らしの義五郎は、夕飯を村迫家で摂《と》るらしい。住む家は違っても、もはやそれだけ家族も同然なのだろう。

「無断外泊。義五郎さんもやるもんだわね」

やすよが言うと、三重子も声を上げて笑う。

「ぴんしゃんして帰ってくればねえ。それが翌日、戻ってきたら、気でも抜けたみたいにぼうっとしちゃってて。自分でも疲れたんでなきゃ夏風邪だろう、って言ってはいたんですけどね。なんだかもう、怠くてたまらないみたいでねえ。それっきりべたべた寝てばっかりで」

「あらま。それは心配だこと」

「熱はないんですよ。手を当ててみてもひんやりしてるくらいで。顔色は悪いんですけど、別に血圧が上がったふうじゃなかったし」

「三重子さんとこのお爺ちゃんも、そんなふうなんですか?」

「そうねえ、義五郎さんと同じふうだわねえ。それで義五郎さんの夏風邪をもらったのかしら、と思ったんだけど。お爺さんがあんなふうじゃなかったら、車に乗せて連れてきてもらったんですけどね」

「それは先生に診てもらったほうがいいんじゃないかしらね」

「とんでもない。寝てれば治りますよ」

「——困るな、素人《しろうと》に勝手な診断をされちゃあ」

笑いまじりに声をかけたのは、敏夫だった。

「あら、先生。どうも済みません」

三重子は心底、恐縮したように深々と頭を下げる。

「それで？　義五郎さんがどうしたって？」

　敏夫が三重子を診察室に招いたのを見て、やすよは薬剤室に向かう。律子は、ちょうど薬をまとめて輪ゴムをかけているところだった。

「先生、出てきたんですか？」

「うん。何のかんの言いながら、あの人もマメな医者だね」

　律子は笑う。

「本当に。——あれで口さえ悪くなきゃ、いいんですけどね」

「駄目、駄目。あたしはあの人が子供の頃からここに勤めてるから、よーく知ってるけどね、昔っからひねくれ者でねえ。周りが口に気をつけろって、言えば言うほど、ろくでもないことを言いたがるのよ」

　律子は笑って、コメントは避けた。

　その敏夫と三重子が出てくるまで、いくらもかからなかった。

「律ちゃん、薬、出しとくから」

　敏夫は言って、カルテを受付に差し出し、三重子を振り返る。

「とにかく、悪いようなら、診察に来させなさい。足がないんだったら、診に行くから電話して」

「本当に済みません」

「風邪だ、夏バテだって、軽く見ないように。年寄りは、くたばるときには呆気《あっけ》ないんだから」

また余計なことを、とやすよが顔を顰《しか》めると、律子も軽く笑いを零《こぼ》した。それでも三重子は母屋《おもや》のほうへ戻る敏夫を、丁寧に頭を下げて見送っていた。

3

「かおり、いつまで寝てるの？」

母親の佐知子が小花模様のカーテンを開けた。白い陽射しがまともに顔を照らして、かおりは布団《ふとん》の上で寝返りを打つ。

「暑い……」

「こんな時間まで寝てるからよ。もう十時なんだから。起きて朝御飯を食べなさい。片付かないでしょ」

険のある声に、かおりは息を吐いた。汗が身体《からだ》にまとわりついて重い。食欲はなかったが、ほしくないなどと言うと「作っている者の身になれ」と叱《しか》られることは確実なので、仕方なく起きあがる。タオルケットが貼《は》りついたようなのが気持ち悪かった。まとまった雨がないまま八月に入った。梅雨とは名ばかりの梅雨が明けて以来、うんざりするような晴天が続いている。連日の猛暑が大気を暖め、籠《こ》もった熱気は夜にも完全に吐き出されることがないまま、また翌日の陽が昇る。そうやって熱気が少しずつ大気中に蓄積しているような気がする。

「クーラー、ほしい」

かおりは汗でまとわりつく髪を掻《か》き上げた。かおりの部屋は風通しがいい。朝晩には涼しくて、これまでクーラーの必要性を感じたことがなかったが、今年の夏は特別だ。なにしろ夜は深夜まで寝苦しく、陽が昇ると暑くて目が覚める。眠くて寝床にしがみつくのだが、満足に寝られた例《ため》しがなかった。

「贅沢《ぜいたく》なことを言ってないで、涼しいうちに起きたらどう?」

はあい、と呟いて、かおりは部屋を出ていく佐知子を見送った。のろのろと着替えて階下に降りると、ほんの少しだけひんやりして感じられる。顔を洗って茶の間に行くと、かおりのぶんだけ朝食が残っていた。げんなりしながら食べ始めたところに、ばたばたと賑《にぎ》やかな足音がして弟の昭《あきら》が入ってきた。

「なんだ。かおり、いまごろ朝飯かあ?」

昭はかおりのふたつ下、今年、中学に入ったばかりで生意気盛りだ。かおりのことも呼び捨てにする。

「あんた、元気ね。暑いのに」

「おれ、かおりほど脂肪がないからな」

はいはい、とかおりは呟いた。昭の体温で茶の間の温度が上がった気がする。口喧嘩《げんか》をする気にもなれなかった。

「なあ、涼しくしてやろっか?」

昭は悪戯《いたずら》でも企《たくら》んでいるような顔をする。

「いらない。どうせろくなこと考えてないんだから」

「そうじゃなくて」昭は口を尖《とが》らせた。「兼正のあの家、出るって話」

まさか、とかおりは昭の顔を見る。

「出るもなにも、あそこ人が住んでないじゃない」

「そう。誰も住んでないのに人影を見た奴《やつ》がいるんだって。窓からさ、外を見てたって」

「越してきたの?」

昭は脱力したように肩を落とした。

「そういう話をしてるんじゃないだろ。だから、きっとあの家でさ、何かあったんだよ。そんで幽霊が取り憑《つ》いてて、時々、窓から外を見てるって話」

かおりは箸《はし》の先っぽを噛《か》んで首を傾《かし》げた。

「……なんか、変なの」

「なんで」

「だって、あの家ってたしかに古そうな建物だけど、建ったのってつい最近じゃない。まだ誰も住んでないわけでしょ？　あの家で死んだ人だっていないはずだし」

「そりゃあ、兼正の土地に建ってからの話だろ。移築っていうの？　もともとどっかに建ってたわけじゃない。その頃の話だろ」

そうか、と思いながら、かおりは釈然としない。家で不幸なことがあって、死者の霊がそこに取り憑くというのはよくある話だ。恐れをなした住人が建物を取り壊して、建て直したのにやっぱり出る、という怪談話なら聞いたことがある。だけど。

「家を動かしたら、幽霊も一緒に動いちゃうの？　なんか変な感じ」

昭は気勢を殺《そ》がれたように頬杖《ほおづえ》をついた。

「かおりって妙なとこで理屈っぽいのな。とにかく出るんだって。見たって奴がいるんだから、そういうことなんだろ」

「見間違いじゃないの？」

「絶対に本当だって言ってたぜ。他にもさ、塀の中から呻《うめ》き声がするのを聞いた奴がいるんだって。塀を内側からガリガリ引っ掻くみたいな音がして、誰かが唸《うな》ってたんだってさ」

かおりは顔を顰めた。こういう話は、あまり好きじゃない。

「そんなの、単なる噂《うわさ》話だよ、きっと」

「そうかもしんないけど。――だからさ、確かめに行こうぜ」

「やだよ。気味が悪いもん」かおりは朝食を、半分がた手つかずで残したまま茶碗《ちゃわん》を片付けにかかった。「あたし、あの家、好きじゃない。なんか古くて暗いし、変な感じだし」

茶碗を流しに下げようとすると、昭もあとをついてくる。

「そこが凄《すご》いんだろ。曰《いわ》くありげでさ。――大丈夫だって。まだ午前中なんだし、そんなにおっかないことなんて起こんないって」

「だったら行っても仕方ないじゃない。行きたいなら、夜に昭一人で行けば？」

「単なる噂だって、かおりが言ったんじゃないか。ちょっと様子を見て、それっぽい感じかどうか確かめるだけだよ。もしかしたら、ついでに本当に家の奴が見られるかもしれないし」

「まだ越してきてないんでしょ」

「トラックが来たとかいう話もあったじゃないか。なあ、ちょっとだけ行ってみようぜ」

かおりは溜息《ためいき》をついた。昭は言い出したら聞かないのだ。うんと言うまで暑苦しくつきまとわれることになるのは目に見えている。

「散歩のついでに家の前を通るだけだよ」

昭はにっと笑う。

「おっけー」

表に出ると、四方から立ち昇る熱気で炙《あぶ》られるようだった。勝手口の脇《わき》にある犬小屋に行くと、ラブは小屋の下に掘った穴の中に半身を突っ込んで、バテたように横になっている。かおりが引綱を出しても、そっぽを向いた。雑種のラブは長毛種の血が混じっているらしく、むくむくしている。それだけ暑さが堪《こた》えるらしい。

「ほら、ラブも嫌だって」

かおりは言ってみたが、昭はお構いなしに引綱を首輪に繋《つな》いでいる。引っぱられて、仕方ない、と言いたげにラブが腰を上げた。げんなりしながら、かおりもあとに続く。

路面は白く灼《や》けて陽炎《かげろう》が立っている。昭は逃げ水を追いかけるようにして意気揚々と歩き始めた。田圃《たんぼ》は緑、降るような蟬《せみ》の声が耳にも暑苦しい。アスファルトが熱いのか、ラブは路肩の草叢《くさむら》を選んで昭を追った。

かおりの家は下外場にあって、兼正まではかなりの距離がある。少しでも木陰のあるところを、といったん南に横たわる末の山の麓《ふもと》に出たので、余計に遠まわりすることになった。山の端まで出ると、さすがに樅《もみ》の中を吹き下ろしてくる風がひんやりとしていたが、そのぶん蟬の声が増したので気分的には余計に暑くなったような気がする。昭に引っぱり出されたことを後悔し始めたとき、ちょうど末の山と西山の交わるあたりに出た。西山に沿って曲がっていく道の脇には小さな祠《ほこら》が建っている。

「あれ？」

先頭に立っていた昭が足を止めた。どうしたの、と訊《き》くと、困惑したように祠を示した。

「かおり、あれ」

昭が指さして、かおりもラブも祠の中を覗《のぞ》き込む。アスファルトからの照り返しで目を灼かれていたせいで、祠の中は最初、薄暗く見えた。

その小さな祠は、大人なら三人も入ればいっぱいになってしまう。板囲いをした奥に古い石の柱や、摩耗して何だか分からなくなった石や小さな賽銭《さいせん》箱が並んでいる。――いや、そのはずだった。

「やだ……どうしたの、これ」

きちんと並んでいるはずの石が、コンクリートの床の上に投げ出されている。割れているものや大きく欠けているものもあった。中央に立っていたはずの石の柱は中程から折れて倒れ、その下で賽銭箱がひしゃげて小銭が床に散乱していた。

「これ、庚申《こうしん》さまだよね」

うん、と昭は頷《うなず》く。少ないとは言え、小銭が散らばっているから賽銭泥棒というわけではないだろう。第一、賽銭箱を壊すために塚を倒したというより、祠の中を手当たり次第に荒らした、というふうだった。

「ひでえなあ。全部、壊されてる」

かおりはちょっと身を竦《すく》めた。小さい頃から、祠や塚に悪戯をしてはいけない、と躾《しつ》けられている。悪さをすると罰が当たる、と言われてきたものだ。だから、こんな有様を見ると、起こってはいけないことが起こった、という気がしてならなかった。

「ねえ……昭、戻ろう」

なんで、と昭は呆《あき》れたように振り返った。

「誰かに知らせたほうがいいよ、これ」

なんとなく、このまま放置しておけない。暑い最中《さなか》に遠くまで散歩しようという気は完全に殺がれていた。

昭は未練がましく西山の北のほうを見たが、それでもやっぱり気にかかるのだろう、神妙に頷いて引綱を引っぱった。

「戻るぞ、ラブ。偵察はまた今度だ」


「ちょっと、タツさん、タツさん」

竹村タツが気怠《けだる》い中で店番をしていると、小走りに弥栄子と武子がやって来た。盛んに手招きをしている。

タツは団扇《うちわ》を使ったまま、気のない目を向けた。弥栄子と武子は、灼けた村道を横切って店の中に駆け込んでくる。

「あんた、見た？」

「見たって、何を」

「そこのお地蔵さん」弥栄子は三之橋の袂《たもと》を指さした。「首が落ちてるのよ、首が」

タツは眉《まゆ》を寄せ、陽射しに目を細めながら橋のほうを見やる。小さな祠の前に笈太郎が屈《かが》み込んで、中を覗いているのが見えた。

「橋の向こうで笈太郎さんに会ってね。なんでも水口の塚も壊れてたんだってさ。かち割られてね。験《げん》の悪い話だって言いながら橋を渡ったら驚くじゃないの。地蔵の首が落ちてんだもの」

そう、とタツは呟《つぶや》く。今朝の騒ぎはそれだったのか、と思った。朝、起きて表を覗いたときに、橋の袂に数人の老人が集まっているのが見えた。タツ自身は、朝いちばんに祠に参るような殊勝な習慣は持ち合わせがないが、近所の老人の中には、起きたらまず祠に手を合わせて掃除をする、という連中がいる。そのうちの誰かが見つけて人を呼んだのだろう。

「どうも、ゆうべのうちに壊されたみたいね。首から肩にかけて、滅茶苦茶になってるのよ。一体誰があんな罰当たりなことを」

本当にねえ、と武子は大仰に渋面を作った。

「とんでもない話だわ。おおかた、大川の息子とか、あのへんの若い悪たれがやらかしたんだろうけどさ」

そうだろうか、とタツは思う。あんな古くさい地蔵を壊して何になるというのだろう。もちろん破壊のための破壊なのだろうが、あんなものを壊して下がるような種類の溜飲《りゆういん》があるとも思えない。

思っていると、郁美が店先に顔を出した。弥栄子は弾《はじ》かれたように床几《しようぎ》から腰を上げ、声を張る。

「ちょっと郁美さん、あんた、見た?」

郁美は薄く笑った。

「見たわよ。そこの地蔵さんでしょう」

「そうそう」と、頷きながら、弥栄子はどこか気勢を挫《くじ》かれた顔をしていた。「酷《ひど》い話よねえ」

郁美はさらに薄く笑う。

「あれだけじゃないわよ」

「知ってるわよ。水口もでしょう?」

「そう。水口も。それも、上と下、両方よ」

え、と武子が声を上げた。

「両方って。二之橋の袂のと、いちばん下のと、どちらも？」

「そう。あたしが今朝、下のを見つけてね。ほら、うちの近所だから。それで気になって近所を一巡りしたの。二之橋の袂の塚もやられてたし、一之橋の向こう岸の弘法《こうぼう》さまもやられてたわ。上外場のいちばん上の塚もね」

弥栄子も武子も、あんぐりと口を開けた。

「なに……じゃあ、水口と村道に沿って全部？」

「みたいね。ひょっとしたら他のもやられてるんじゃないかしら」

どこか得意気に言って、郁美は床几に腰を下ろした。

「あれは村の守りだからね。悪いことが起こるわよ、これから」郁美は言って、薄く笑う。「賭《か》けてもいいわ。今年の夏は、ろくなことになりゃしないから」

清水恵《めぐみ》は、陽射しの傾き始めた道を歩いた。

家並みや田圃の間を縫って北へと向かう。小川に架かった橋を過ぎるとき、ちょうど顔見知りの老婆《ろうば》とすれ違った。

「あらあ、恵ちゃん、お洒落《しゃれ》して。お出かけ？」

まあ、と恵は言葉を濁した。年寄りの話し相手なんかしたくもなかった。

「大きくなったわねえ。もう高校生？　すっかり娘さんらしくなって」

その台詞《せりふ》は、前に会った時にも聞いた、と恵は辟易《へきえき》した気分で思ったが、口にはしなかった。相手になるといつまでも放してくれない。そういうものだと悟っている。「そうそう」と老婆が口にしたので、恵は急ぐから、と言ってその場を立ち去った。どうせ庚申塚がどうのこうのという話だろう。家を出てからもう二人も、その話を持ちかけてきた年寄りがいる。

村のあちこちにある塚や石碑が、ゆうべのうちに壊されたらしい。迷信深い年寄りはまるで犯罪でも起こったように騒いでいたが、恵にはたかが石のことじゃないの、と思えてならなかった。未《いま》だにあんなものがあって、掃除をしたりお供えをしたりする人間がいることのほうが不思議だ。

（馬鹿《ばか》みたい……）

恵は口の中で呟いて先を急いだ。道から道へ北を目指して歩いていくと、徐々に西山が迫ってくる。門前の集落に入ったところで西山の縁《ふち》に出た。

恵は曲がり角まで来て西山に登る坂を見上げた。外国映画にでも出てきそうな洋館。道は恵の佇《たたず》んだ角からゆるい傾斜で上り、小高い尾根を一周して門前の製材所の裏手に出るのだが、恵の位置からは家に続く私道に見えた。ゆるく上った道に対し、少しはすかいに閉ざされた門。門扉《もんぴ》は古い木でできていて、黒い金具がついている。門柱は煉瓦《れんが》だろうか。赤い色が新しく、周囲を取り巻く白い塀もまた眩《まぶ》しいほど新しい。高い塀の上には先の尖《とが》った鉄棒が植えられていた。

恵の立った位置からは、塀と植樹されたばかりでひ弱な感じのする木の先端と建物の屋根だけが見える。それでも恵は、家の外形が現れた頃からずっと工事を見守っていたので、塀を透かして建物の全部を見取ることができた。黒ずんだ灰色の石でできた壁、やはり黒ずんだ窓枠とそこに塡《は》まった板戸。玄関は建物の右手、少し奥まっていて、左手には複雑な形に張り出した出窓がある。

けれども、知っているのはそれだけだ。工事の最中から高いフェンスに囲まれ、かろうじて外壁は覗き見ることができたものの、内部がどうなっているのか、知る術《すべ》が恵にはなかった。どんな部屋があって、どういう内装になっているのか、それをとても知りたいと思う。

六月に完成したきり今日までまだ、住人が越してきたという話は聞いていなかった。一体、いつになったら住人は姿を現すのだろう。ずっとこんなに、それを待っているのに。

(――お家《うち》の中を見てみたい)

どんな部屋だろう。家具はどんなで、カーテンや絨毯《じゅうたん》はどんなふうなのだろう。やはり壁に絵をかけてあったりするのだろうか。花瓶に花が活《い》けてあったりするのだろうか。

(どんな人が住むのかしら)

恵と同じ年頃の娘がいるだろうか。いるとしたら、親しくなりたい。彼女の部屋はどんなだろう。少なくとも形ばかりの洋間に、大型スーパーの家具コーナーで買ったベッドや三段ボックスを並べている恵の部屋とはぜんぜん違っているはずだ。ちゃんとした家具と模様の入った厚い絨毯、大人のものみたいな机と箪笥《たんす》、クローゼットの中を覗かせてもらうのは、すばらしく楽しいことに違いない。

(男の子がいたりするかな)

少し年上の息子でもいいのに、——そう考えて、恵は恥じ入った。小学校の頃から使っている勉強机の抽斗《ひきだし》の奥に隠した写真。別にまだ告白をしたわけでもされたわけでもないけれど、あんなふうに写真を隠していて屋敷に住まう男の子のことを考えるのは、写真の彼に対して後ろめたい気がする。

でもそう、優しいお兄さんという感じなら。一人っ子の恵はいつも兄弟がほしかった。特にほしいのは鷹揚《おうよう》な兄だ。聡明《そうめい》で、何でもできて、誰にも自慢ができて、同級生の女の子が羨《うらや》むような兄。親しくあの家の彼の部屋を訪ねることができて、妹みたいになれたら。——でもきっと、彼を恵の家に招いたりはしない。どこもかしこも、煮物の匂《にお》いが染《し》みついているような、そんな家には。

（高校生ぐらいの子供がいますように）

工事が始まった昨年以来、何度目か、恵は祈った。もしも子供がいないとしたら、おっとりした老人が住むのだろうか。孫みたいに可愛《かわい》がってもらえたら。あるいは上品な中年の夫婦で、娘みたいに扱ってもらうのでもいい。

（あの家に入りたい）

親しく出入りして、まるで自分の家のように隅の隅まで熟知していられたら。

（どうしてあたしは、あの家の子供じゃないんだろう）

そうだったら、本当に良かったのに。堅苦しい父親の子供でもなく、口煩《くちうるさ》い母親の子供でもなく、始終がみがみ言う年寄りの孫でもなく。

（あそこに行きたい……）

恵は引き寄せられるように坂に向かって足を踏み出した。ほんの五メートルほど登って足が止まる。これ以上は惨《みじ》めになるだけのようで、近づくことができなかった。たまらず家を見上げると、そこには恵を拒むかのようにぴったりと閉ざされた門が立ち塞《ふさ》がっている。

「見てくれよ、これ」大川富雄は両手をカウンターの客に示した。

大川酒店の中には、短いカウンターがある。レジの脇《わき》に客が試飲できるよう、椅子《いす》をいくつか置いてあるのだが、そこが飲兵衛《のんべえ》の溜《た》まり場になっていた。夕飯前から酒を求めて集まった連中に、大川は瘡蓋《かさぶた》のできた両手を見せた。先日、余所者《よそもの》の車に引きずられて横転したときにできた怪我《けが》の痕《あと》だ。

「まったく、とんだ野郎がいたもんさ」

客の一人が、同意するように頷いた。

「豪勢な車を乗りまわした余所者だってんなら、ろくな奴《やつ》じゃないのは分かり切ってるさ。そいつ、まさか兼正の新入りじゃねえだろうな」

「さあな。高見さんは違うだろうと言ってたが。何にしても、そのまんまずらかったんだ。こっちはナンバーも覚えてねえし、今頃は雲隠れしちまってんだろう」

「ひょっとしたら、そいつかもな」顔を赤く酒灼《さけや》けさせた老爺《ろうや》が言う。「ほら、ゆんべ一之橋の弘法さまが壊されただろう」

なに、と大川は目を剝《む》く。

「なんてえ罰当たりな。そういうことをすんのは余所者だよ。余所の連中は、ああいうのをちっとも大事にしねえからな」

違いない、と声を上げる客がいる一方で、どうだかな、と言う客がいる。その老爺は、黙って脇で棚の整理をしていた大川の息子に目をやった。

「あっちゃんじゃねえだろうな」

客のダミ声に、大川篤《あつし》は顔を上げた。

「かーっとなってぶち壊したんじゃねえのかい」

「賽銭《さいせん》をくすねようとしたんだろう」と、別の客が篤を笑った。「あっちゃんは昔っから、手癖が悪いからな」

篤はまだニキビの痕が残る顔に、露骨にふてくされた表情を浮かべた。客をねめつけて、そっぽを向く。

「その態度は何だ」言ったのは大川だった。「生意気な真似《まね》をするんじゃねえ。図体がでかくなったからって、いい気になるんじゃねえぞ」

篤は無言で棚に目をやった。つまみの缶詰をざっと棚に突っ込んで、空いた段ボール箱を手に立ち上がる。

「おい、篤。もうちょっと丁寧にやれ」

「やった」と、篤は短く答え、箱を提げて店を出る。背後で、二十歳を過ぎても棚の整理ひとつ満足にできない、と大川が客に零《こぼ》しているのが聞こえた。

「高校も、お情けで出してもらったようなもんだ。勤めに出ても続かねえ。いい歳《とし》して、粋《いき》がるしか能がねえんだからな。なんだってあんなろくでもねえ餓鬼が生まれたんだか」

篤は店の裏手に廻り、空き箱を放り出す。思い切りそれを踏みつぶして箱の山に叩《たた》きつけた。

ふざけるな、と篤は胸の中で吐き捨てて店をあとにした。古ぼけた石像なんか知るものか。子供の頃、賽銭箱の小銭をくすねていたのは事実だが、いまどき、五円十円が入った賽銭箱などありがたくも何ともない。いつまでも子供の頃の話を持ち出して、何かと言うと篤のせいにするのも気に入らなかった。

店の脇の路地を出て、商店街に出たものの、行くあてはなかった。こんなとき、車かバイクで飛ばしてやったらさぞかしスッキリするだろうという気がしたが、篤は車もバイクも持たない。高校の頃には貸してくれる友人もいたが、卒業して村に引っ込んでしまうと縁が続かなかった。店の車やバイクは鍵《かぎ》を親が管理している。何かにつけて締まり屋の母親は、篤がガソリンを無駄遣いすることを警戒して、配達の時でなければ鍵を渡してくれない。自分の稼ぎがあればいいが、篤は一日、店を手伝わされているにもかかわらず給料をもらったことがなかった。飯を食わせて小遣いまでやっているのだから店を手伝うのは当然だ、というのが親の言い分だ。

篤はそういう何もかもが気に入らなかった。腐った気分を変えたくて、遊びに行こうにも遊び場がなく足がない。いい歳をして車ひとつ持てないでいる自分、それが惨めだから友達にも会えない。バスに乗って行くのも迎えに来てくれと頼むのも、自分の不甲《ふが》斐《い》なさを露呈するようで気が進まなかった。するともう、この山の中に閉じ籠《こ》められて身動きができない。何かと言うと小さい頃の悪戯《いたずら》を持ち出して監視するような目を注ぐ年寄りたち、自分とは違うと一線を引く同年輩の連中。親や弟妹ですらが、篤を爪弾《つまはじ》きにし、見下げた目で見る。

気に入らない、面白くない、何もかもに腹が立つ。憤懣《ふんまん》を足裏に込めて篤は路面を踏みしだく。無目的に足を叩きつけて、気がつくと夕暮れの迫る中、西山の麓《ふもと》まで来ていた。

蒸すような熱気と、意味もなくたそがれた蜩《ひぐらし》の声。村人の誰もが家へと急ぎ、篤を振り返る者すらいない。

――構うものか。どうせ篤に声をかけてくるのは、お為《ため》ごかしの年寄りばかりだ。いつまでもブラブラしてるんじゃない、親に心配をかけるな、脛《すね》を囓《かじ》っているんじゃない、もう少ししっかりしろ、弟や誰それを見習えと、言われることなど想像がついた。そうでなければ非難がましい詮索《せんさく》か、あからさまな揶揄《やゆ》だ。

(馬鹿にしやがって)

篤は時折、疾風のような速度に乗って村を捨て去ってしまいたい欲求にかられる。だが、どうして篤がそんな逃げ出すような真似をしなければならないのだろう。消えてなくなるのなら自分ではなく村のほうであるべきだ。篤は路肩に唾《つば》を吐いて、苦いものを吐き出そうとしたが、それはべっとりと胸から口腔《こうこう》に貼《は》りついたまま取れなかった。

ほんの少し前方に西へと上る坂道があった。兼正に向かう坂だ。それを登ったのには格別の意味があるわけではなかったが、中腹まで行って屋敷の威容が見えてくると、篤の胸にひとつの創案が降って湧《わ》いた。

夏前に建ったきり、住人の現れない無人の屋敷。越してきたという噂《うわさ》もあったし、人影を見たとか声を聞いたという話もあったが、まだ誰もいない、というのが実状のようだった。余所者の建てた家。村とは厳然として違う何か。それが村の中に割り込んで、傲慢《ごうまん》にも村を——篤らを見下ろしている。

篤はぴったりと閉ざされた門の前に立った。茜色《あかねいろ》の空を背景に暗く佇む屋敷には、やはり人の気配がない。篤は何気なく周囲を見渡す。やはり誰の姿もなかった。

誰もいない。——見ていない。

ここで、と篤は気取った門柱を見上げた。

(忍び込んでも分からない)

身の丈ほどの木製の門扉に、あたりを窺《うかが》いながらそろりと手をかける。

忍び込み、屋敷の中に入り込んでも。窓を叩き割り、家の中に泥をぶちまけてやっても誰も見ていないのだから篤の仕業だと分かるはずがない。それどころか、住人がいないのだから、そんなことがここで行なわれたということさえ、誰にも知られないままだ。住人がいつ越してくるのかは知らないが、越してきて初めて、家の中が荒らされているのに気づく。

（悪くない）

篤は口許《くちもと》を歪《ゆが》めて笑った。越してきた奴らは、さぞかし驚くだろう。こんなたいそうな屋敷を建てて、村の者を見下げたつもりだろうが、その生意気な鼻面《はなづら》に、文字通り泥を塗ってやるのだ、と思うと、鬱積《うっせき》した何かが晴れる気がした。

よし、と軽く声を上げて、篤は門扉をよじ登る。塗られたばかりの茶色い門扉や、そこに打たれた真新しい黒い金具に足跡がつくのが楽しかった。故意に門扉を蹴《け》りたてるようにして登って越える。広い前庭には黄昏《たそがれ》が落ち、いかにも無人のそれらしく、どこか荒涼とした感じが漂っている。そこをめがけて飛び下りた。誰に対してかは分からない、ざまを見ろ、という気分がした。

どこから入り込んでやろう――と篤は家を見上げた。物々しい石組みの外壁、どっしりと威圧感のある建物の正面、右手に大きな窓が見える。庭に向かって張り出しているそれには雨戸がない。ぴったりとカーテンが引かれていて、ほんの少しの隙間《すきま》からは家の中にわだかまった暗闇《くらやみ》が覗いていた。

あそこからガラスを割って入ってやろうか、と思う。窓には細かく桟が入って幾何学模様を描いていたからガラスを割っても入れそうにはなかったし、第一、それではつまらない、と思い直した。

そんな派手なことはしたくない。もっとこっそりと中に侵入するのだ。そうすれば越してきた連中は、中に入って初めて、立派な家が見る影もなく荒らされているのに気づく、というわけだ。

薄く笑いながら、篤は建物の外壁に沿って裏手へと向かった。篤にはよく分からないが、たいそうな建物であることはたしかだった。壁はいかにも重々しく、しかも屋根までが高い。古びた石壁が大きな空間をぴったり閉ざして抱え込んでいる。中にはきっと、さっきカーテンの隙間から見た暗闇が蹲《うずくま》っているのだろう。

正面を過ぎて脇へと曲がると、建物の影が落ちている。すぐ隣には細い路地を挟んでガレージらしき建物が建っていた。白っぽく塗装された真新しいシャッターが下りている。

篤はなんとなく周囲を見まわし、自分が完全に塀と建物に囲まれて外から切り離されていることを確認した。真新しいシャッターを二、三度蹴る。金属が悲鳴を上げる音はガレージ内部に反響し、至近の距離に聳《そび》える外壁に谺《こだま》して、ぎょっとするほど派手に響いた。思わず身を竦《すく》める。あまりの音に不安になった。

(誰もいない……)

いないはずだ。建物は西山に孤立していて隣家もない。いくら物音を立てても、誰かの耳に入るはずがない。そう分かっていても、周囲を窺わずにいられなかった。今にも誰かに誰何《すいか》されそうな気がして、篤は少し怯《ひる》む。シャッターがへこむくらい蹴ってやりたかったが、傷がついたことで良しとした。――そう、目的は建物の中に侵入することだ。

ガレージと建物の間には、ごく細い路地が延びている。そこにはもう薄闇が降りていて見通しは利《き》かなかった。行き止まりのようだが、路地に面してドアか窓でもあるだろうか。周囲を窺いながら、篤は薄暗い路地に足を踏み入れ、さらに裏手へと進入路を探して歩いた。

思ったよりも開口部が少なかった。路地に面して窓がひとつあったものの、それは篤の背丈ほどの位置にあり、しかも板戸が閉まっている。足場もないし、そこから出入りはできそうになかった。路地の奥には壁が立ち塞がっているだけだった。ガレージと建物を繋《つな》ぐ通路があるのだろう。篤は舌打ちをする。踵《きびす》を返そうとして、わずかに身を硬くした。

唐突に、背後に誰かいる、という気がした。なぜそんな気分になったのかは、自分でも分からない。暗い石壁とガレージの間の細い路地、その奥にいる自分。背後に誰かいて、自分の背中を見ている。路地の入口との間に立ち塞がっている、という予感。

（馬鹿な……）

そんなはずはない。住人はまだいないのだから。篤はそろそろと背後を振り返った。

暗い路地の先に残照を浴びた庭が見えた。もちろん、入口と篤の間には誰の姿もない。

気のせいか、と自分の思い違いを恥じながら路地を戻りかけ、半分ほど歩いたところで篤は再度、足を止めた。今度は路地の奥のほうから視線を感じた。たった今自分が歩いてきたところ、背後、その——上のほう。

はっと篤は背後を振り仰ぐ。陰鬱な色の外壁の上のほう、二階に窓がひとつ見えた。板戸はなく、ガラス窓の外に鉄格子《ごうし》が塡《は》まっている。

まずい、という気がした。誰もいるはずがない、なのに誰かから見られている気がする。あの窓だ。あそこに誰かがいて篤を見下ろしている。

引越してきた、という噂もあった。ひょっとしたら誰も知らないうちに、住人は越してきていたのかもしれない。

いや——と篤は思う。もっと妙な噂も聞いた。ここには、いるはずのない住人がいる、という。子供だましの怪談話。

(まさか)

思いながらも、足が速まる。路地から庭に出たものの、やはりどこからか見られている、という気がしてならなかった。篤は家を見上げる。妙に威圧感のある、暗い家。

嫌な感じだ、と思ったとき、たった今、自分が出てきた路地の奥から小さな音がしたような気がした。路地に敷かれた砂利を誰かが踏みしめるような音。

そんなはずはない、路地にはドアがなかった。誰もいなかったのはたしかだ。なのに、足音を忍ばせ、誰かが近づいてくるような気がしてならない。

篤は門へと駆け戻った。ガレージに傷をつけてやった、それで今日のところは良しとしよう。背後を何度も窺いながら、門扉を乗り越えた。見渡した付近の山は樅《もみ》の林、樹影が濃くて林の中には一足早く夜が訪れている。

門を飛び下り、篤は坂を駆け出した。坂の脇、夕闇の下りた下生えの中から、がさりと音がしたのは、その時だった。篤は音のしたほうを一瞥《いちべつ》し、足を急がせる。それは明らかに篤のあとをつけてきた。篤が小走りになればスピードを上げて下生えを掻《か》き分け、林の中を付き従ってくる。

篤は形振《なりふ》り構わず坂を駆け下った。角まで下ると下生えを掻き分ける音がやむ。振返るとそれは、逡巡《しゅんじゅん》するような間のあと、音を立てて坂の上のほうへと戻っていった。下生えの間に、ちらりと白茶けた毛並みを見たような気がした。

「犬かよ……」

篤は吐き出す。そう言えば、最近、野犬が多いという話を聞く。それか、と思って安堵《あんど》し、すぐさまそうやって安堵する自分に腹が立った。誰も見ていなかったようなのが救いだ。野犬に怯《おび》えて血相を変えて逃げてくるなんて。せっかく敷地に忍び込んでいながら、シャッターを蹴っただけで逃げ出してきた。

そういう自分が苛立《いらだ》たしくてならなかった。自分にそんな不様な真似をさせたものが憎い。何もかもが気に入らない。――この坂も、あの家も、本当に、何もかもすべてが。

子供の遊び場は限られている。それは、渓流の河原であり、橋を渡った向こう側にある神社であり、御旅所であり、ほんの少し山を登った樅の木陰だった。

裕介《ゆうすけ》は家の前の橋を渡って、神社に向かった。日の暮れた神社の境内は無人だった。誰もいないことなら知っている。家の角にいて、橋を渡って神社から戻ってくる子供たちを見たのだから。しゃがみ込んで、買ってもらったばかりのミニカーを走らせていたけれども、裕介に目を留め、声をかけてくれる者はいなかった。

加藤《かとう》裕介は近所でたった一人の一年生だった。自分より下の子供は三歳のマコトがいちばん上だし、上は三年生の三人組がいちばん下だ。ぽっかり子供のいないところに生まれてしまった。それで裕介は一人だ。裕介より下の子供たちは母親のエプロンにしがみついて遊ぶし、裕介より上の子供たちはそれぞれ遊び仲間を持っている。ボールやバットを持って楽しげに橋を往《ゆ》き来するのを見ていたので、すごく楽しいことがありそうな気がしていたのだけど、やはり神社は神社でしかなかった。

裕介はミニカーを握ったまま、鳥居の下に立ちつくした。ぽっかりと開いた空間、本殿は閉じた家だし、神楽殿《かぐらでん》は開いた家だ。ぎっしり何かを抱え込んで戸をぴったり閉じた建物と、それとは反対に壁すらなくてからっぽのままポカンと口を開けている建物。片隅に蹲る小さな稲荷《いなり》としおれた旗、境内の木は濃い闇を落としている。

神社にはよく来る。祖母のゆきえが毎朝、掃除をするのについてくるからだ。朝の神社は裕介にとって、他人の家の座敷みたいな場所だ。何もなくて、でも何かありそうで、つんとしている。昼間の神社は余所《よそ》の茶の間か台所みたいだ。裕介には入れない、入れないのがちょっとがっかりきてしまう種類の場所。

「留守番だ」

裕介は陽の落ちた神社を見渡して、そう結論づけた。日暮れの神社は留守番をしている家みたいだ。がらんとして隙間だらけで、よく知っているのに、知らない場所のようだ。こないだまでは祭りで人が多かったから、いっそうそういう気分がした。

裕介は鳥居の下にミニカーを置いて、代わりに石を拾った。年長の子供たちの真似をして鳥居の上に投げ上げてみたけれども、少しも楽しくなかった。なぜあの子たちは、あんなに燥《はしゃ》いでいたのだろう。石よりミニカーのほうが良いと気づいて、裕介はそれを握りしめた。けれども別に、ミニカーを握っているから楽しいということもない。

ちぇっと石を蹴ると、それは藪《やぶ》の闇の中に転がり込んでいった。ふいに風が吹いて、枝が鳴った。何かに驚いて飛び起きたように蟬《せみ》が短く鳴くのが聞こえた。

楽しくなんかない。気味の悪い場所だ。

裕介は後退《あとずさ》る。だからといってこのまま家に戻ると、いちばん楽しいところを見逃してしまいそうな気がした。もう誰もいないのだから、楽しいことなんてありはしないのだけど。

しばらく思い悩み、裕介は目に見えて濃くなる木陰の闇と背後の橋を見比べた。橋の正面には明かりの点《つ》いた店がある。あの電気屋が裕介の家だった。父親は「ハイタッ」と「コウジ」にしょっちゅう車に乗って出かけ、祖母は店番をしている。裕介は学校に行って帰って一人で遊ぶ。裕介には母親がいない。お母さんという名前の写真や位牌《いはい》や墓は見たことがあったけれども、実際に会ったことは一度もない。裕介が小さい頃に死んだのだ、と父親が教えてくれた。死ぬというのがどういうことか、裕介にはよく分からない。たぶんそれは、山から這《は》い下りてきた鬼に捕まる種類のことなのだと思う。

鬼、と自分で思ってぎくりとした。日が暮れてから出歩いてはいけないのだ。たとえ父親がシュウリで遅くなって、しばらく御飯の時間にならず、祖母が台所に行って裕介はぽつんとテレビを見ていなければならないにしても、暗くなったら家にいないといけない。鬼が来るから。

裕介はミニカーを握りしめて、鬼が来たらすぐさまそれを投げつける準備をしながらそろそろと退った。鳥居を潜《くぐ》ったところでくるりと背を向け、橋に向かって駆け出す。橋の中程に来て、ガラス越しに明るい店の中が見通せるようになってから足を止めた。

正面、明かりの点《とも》った自分の家の上を見る。西の山は黒い影になって横たわっていた。

(ほんとは知ってる)裕介はとぼとぼと橋の残りを渡った。(鬼はあそこにいるんだ)

おばあちゃんは墓から出てくると言うけれども、鬼だって土の中なんか嫌に決まってる。だからあの、気味の悪い家にいるのだ。あの中に隠れて夜を待っている。そうして、みんなをあそこに連れて行くのだ。そうに決まっている。

そう息を呑《の》んだところだったので、まさしく自分が見上げている山の斜面に、小さな明かりがひとつ点ったのを、裕介は見逃さなかった。山寺よりもずっと西、尾崎医院や、門前の家並みが点す明かりよりも高い位置にそれはある。

(あそこ……)

じっと見つめる裕介の目の前で、二、三度瞬き、その明かりは唐突に消えた。

裕介にはそれが、何か怖いことの前兆のように思えた。おずおずと川端の道を横切り、そうして店へと駆け戻っていった。

4

「あら、いらっしゃい」

静信が書店の中に入ると、田代留美《たしろるみ》がレジに立っていた。表に面して大きく取られた窓からは眩《まぶ》しい陽射しが降り注いでいたが、店内にはクーラーが利いていた。静信は、ほっと汗を拭《ぬぐ》う。

「こんにちは。お願いしていた本が来たと、マサさんから電話をもらったんですけど」

静信が言うと、留美はちょっと待ってくださいね、と言い置いてレジの奥の棚を探った。棚には医学関係の表題をつけた大判の本が何冊か見える。あれは敏夫の注文だろう。

村にある書店は、田代夫妻の経営するこの田代書店が唯《ゆい》一《いつ》だった。店舗の片隅に雑誌や新聞を置く店こそ珍しくなくても、専門の書店は他にない。もともとは門前の文字通り山門前にあって経本や図画を扱っていたのが、先代の頃に商店街のはずれに移転して書店として店を開けた。ごく小さな住宅兼用の店舗だったものを、住居をつぶして拡大し、棚を増やしたのは十年ほど前、息子の正紀《まさき》の代になってからだ。田代正紀は静信の二級上、小学校から高校まで同じ学校に通った。

「これかしら。済みませんね、パパは今喫茶店に油を売りに行ってて」

留美はゴムバンドでひと括《くく》りにした数冊の本を棚から引っぱり出した。留めつけてあるメモに目をやり、一人頷《うなず》く。

「これだわ。――まだ二冊、届いてない本があるみたい。取次にないので版元に問い合わせてるって」

「いつも済みません」

留美は微笑《ほほえ》んで本を紙袋に収めていく。それを待ってレジ近くの棚を見るともなく物色していたときドアの開く音がして、熱気と一緒に「どうも」という陽気な声が入ってきた。

「やあ、お暑いですな」

駐在の高見だった。駐在所は田代書店の斜め向かいにある。

「若御院が入るのが見えたもんでね」

「本当にお暑いですね」

留美は高見に頭を下げた。高見はそれに会釈《えしやく》してから、

「若御院、聞きましたか」

「何をです？」

「いや、例のベンツなんですがね」

あら、と留美は手を止めた。

「前田さんとこの茂樹くんを引っかけたっていう、あれですか？　そう言えば、若御院がちょうど居合わせたんですよね」

田代夫妻の自宅は、現在は前田家と同じく下外場の集落にある。

「ええ」

「前田さんのところの奥さん、神経質だから。あれですっかりピリピリしちゃって。ラ

ジオ体操にもついてくるんですよ」

「おやまあ」

高見が呆《あき》れたような声を上げた。留美は溜息《ためいき》まじりに微笑む。

「気持ちは分かるんですけどね。国道が近いから。うちの子にも国道の向こうには行かないよう言ってるんですけど、子供は行くなって言うと行きたがるから。それに、国道の向こうには堀江自動車の廃車置き場があるでしょう。あそこも危ないからって言ってあるんですけど、何度か子供の姿を見かけたことがあるもの」

堀江自動車は、自動車の修理工場だ。ガレージ裏にはかなりの面積の廃車置き場がある。これは付近の親たちの頭痛の種だった。子供たちにとっては、これ以上の遊び場はない。しかしその遊び場は危険だし、そこに行くためには国道を横断しなければならなかった。

「横断歩道も信号もあるんだけどねえ。どうして余所の連中は、あれを見落とすんだろうねえ」

「本当に。この間もね、父兄会の集まりで歩道橋を設置したらどうか、って話も出てたんですけどね。歩道橋なんてあっても使うかしら」

「まったくです。しかも、歩道橋は年寄りには辛《つら》いしなあ」

国道で災難に遭うのは、概《おおむ》ね子供か老人だった。高見は嘆息し、それから思い出したように静信を見る。

「そう、で、あの車なんですけど。大失敗ですわ」

「どうしたんです?」

「いやね、あの日の夜に見たって言うんですよ、大塚《おおつか》製材の息子が」

「夜ですか」

「ええ。かなり遅い時間にね、黒塗りのベンツが村道を下って村を出て行くのに行き会ったそうで。例によって危なっかしい運転だったそうですよ。それが夜の十一時くらいだったって言うんです。あいつ、それまで村のどこかにいたんですわ」

高見は言って、大仰な溜息をついた。

「こっちは、てっきり子供を引っかけて逃げたんだから、さっさと村を出て行方をくらましたに違いないと思っていたでしょう。そしたら、夜までどっかに隠れてて、ぬけぬけと村道を通って出て行ってたんですよ。あのあと、村道の入口を見張るなり、もうちょっとあちこちを捜すなりしときゃ良かったと思ってねえ」

「しかし、隠れるといっても、あんな車が停まっていたら目立つでしょう」

子供を引っかけた車がいる、という噂《うわさ》は、あっという間に村中に広まったはずだ。とは言え、一口に村と言っても実際にはそれなりに広い。だから住民の全部というわけにはいかないだろうが、かなりの数の村人がそれを知っていたのはたしかだし、見慣れない車には注意を払ったはずだ。

「そうなんですよ」高見は言って、声を低める。「それでねえ、やっぱり兼正の車なんじゃないかって話なんです」

「まさか」

「いや、他にね、考えられんでしょう。村を出るまで、見た者がおらんのですわ。電気店の加藤さん——あそこの、ゆきえさんが、村道を上に逃げていくのを見てるんですが、それから先はさっぱり。けれども電気店は、ちょうど一之橋の袂《たもと》ですからね」

ああ、と静信は頷いた。一之橋をさらに上に向かったというのなら、問題の車は上外場の集落か、さもなければ門前の集落に向かったのだ。——ただしいったん北上し、廻り込んでどこかへ行ったのならその限りではないけれども。

（いや）と静信は思う。（上外場か門前——さもなければ山入）

村の北、北山の向こうにある飛び地のような集落。

「兼正は門前でしょう。それで兼正の屋敷に入ったんじゃないかって、ね。塀の中に入れちまって門を閉めれば村の連中の目につかないじゃないですか。それで人気《ひとけ》が絶えるまで中に隠れてたんじゃないかって」

「山入ということはないですか」

まさか、と高見は手を振った。

「あそこは老人ばっかり三人っきゃいないんですから。あんなところに入り込んだらかえって目立つでしょう」

「しかし、兼正は門前でも西のはずれです。兼正に行ったのなら、門前を横切ったことになりますけど、それこそ誰かが見ていて当然なんじゃないでしょうか」

「ああ、そうか。それもそうですねえ」高見は首を傾けた。「いちおう山入の御老体に訊《き》いてみたほうがいいですかね」

兼正じゃないかしら、と口を挟んだのは留美だった。

「なんだか気味が悪いわ、あの家。得体が知れないっていうか」

そう、と高見は頷く。

「いやね、加藤さんとこの倅《せがれ》が——裕介くんでしたか、あの子もね、婆《ばあ》さんと店番をしてて車を見てるんですけど、車は兼正に行った、って言うんですよ。いや、別に兼正に行くのを見たわけじゃない、きっとそうに違いないって話なんですけどね」

高見は言って苦笑した。

「どうも裕介くんは、兼正のあの家をお化け屋敷か悪党の住処《すみか》みたいに思ってるみたいなんですわ。それで、悪い奴《やつ》の乗った車なら、兼正に行ったに違いないってえ、子供じみた発想なんですけどね」

なるほど、と静信も留美も笑った。

「ただ、子供らの間でね、妙な話があるらしいんですよ。兼正の近くで見慣れない人間を見たとか、妙な声を聞いたとか」

ああ、と留美は声を上げる。

「そうなの。うちの子も言ってますよ、それ。兼正の坂を夜に登っていく人影を見たとか、誰もいないはずなのに人がいるのが窓越しに見えたとか」

そう、と高見も頷く。

「子供の噂話を真に受けるのもどうかとは思うんですけどね。ただ、大人でもいるんですよ、こう——雨戸の間から光が漏れてるのを見たとか、塀の中で物音がしたのを聞いたとか言う人がねえ」

「気のせいか、勘違いではないんですか」

静信が問うと、高見は首を傾《かし》げる。

「どうでしょうねえ」

「なにしろ建って長いのに無人のままだし、それにああいう変わった風情《ふぜい》の建物ですから、怪談話の種になってしまったんじゃないかな。本当に誰かが出入りしているなら、そんな曖昧《あいまい》な話じゃなく、もっとはっきりとした話として広まるでしょう」

高見は首を傾げて考え込む。静信は言葉を重ねた。

「ひょっとしたら、外観こそは完成しているふうですけど、内装で何かやり残した工事があって、人が出入りしているのかもしれません。もしも住人だったら、そんなにこそこそ出入りはしないでしょう」

「それは、ああやって子供を引っかけたから、こそこそせざるを得ないのかもしれないじゃないですか」

「だったら、ほとぼりが冷めるまで近寄らないんじゃないかな。単なる怪談話だと思いますけど」

「そうですねえ」

高見は言ったが、やはり釈然としたふうではなかった。

留美は息を吐く。

「何にせよ、さっさと越してくるなりしてくれれば、すっきりするんですけどね」

5

「ふきさん、こんばんは」

矢野妙《たえ》は煌々《こうこう》と明かりの点《つ》いた茶の間の人影に向かって、軽く鉢を掲げてみせた。茶の間にいた後藤田《ごとうだ》ふきが、驚いたように振り返る。

「あらあ、妙ちゃん」

言いながら、ふきは立って縁側へと出てくる。少し足を引きずるのは、ふきが関節炎を患《わずら》っているからだ。網戸を開け、軽く眉《まゆ》を顰《ひそ》めるようにして膝《ひざ》をついた。

「おかずを余計にしちゃったから。ふきさん、いらないかと思って」

「悪いわねえ、いつも」

「娘は店で夕飯を食べるから、あたし一人でしょ。でも、一人ぶんだけ作るのって難しいのよねえ。だからって、店に行って油っ濃いものを食べる気にもならないし」

「歳《とし》を取ると、洋食はねえ」

ふきは言って、手渡された鉢を軽く拝むようにする。膝に手を当て、叩《たた》き伸ばすようにしながら立ち上がった。

「まあ、お坐《すわ》んなさいよ」

言って奥へ足を引きずっていくふきを見送り、妙は縁側に腰を下ろす。茶の間は、しんと静まり返っていた。珍しくテレビが点いてない。ふきの息子の秀司《しゅうじ》も姿が見えなかった。

どこかに出かけているのだろうか、珍しいことだ。秀司は三十八、いやもう三十九になったのだったか。ふきの末子だ。一人だけ結婚しそびれて、今も家に残っている。よく夜遅くに娘がやっているドライブインに来るようだが、誘い合って飲みに来るような友人はない。加奈美はカウンターが暗くなると言って、秀司の来店をあまり歓迎していないふうだった。

妙は縁側に坐って、秀司の行方について考えた。さほど強く興味があったわけではない。ただ、茶の間を外から覗き込んだとき、白々と明かりの点いた茶の間にふき一人だった、その姿を見たときの気分が喉許《のどもと》に引っかかっているだけだ。老人がぽつんと坐っているのは見ているだけで寂しい。きっと娘が店に行って一人で食事をする自分も、あいうふうに見えるのだろうと思うから、いっそううら寂しいものがある。

「ちょうど切らしてて、何にもないんだけど」

盆を持ったふきが戻ってきた。

「お構いなく」言って、妙は言葉を継いだ。「ところでねえ、ふきさん、兼正の家に人が越してきたかどうか知らない？」

湯呑《ゆの》みを差し出して、ふきは首を傾げる。

「何も聞いてないけど。越してきたの？」

「そのはずなのよ。今朝お手水《ちょうず》に起きたときに、明かりが点いているのを見たんだもの」

「見間違えじゃないの？」

「違うわよ。前にも明かりを見たの。その時には見間違いかしらと思ったんで、よくよく気をつけて見たんだから。あの位置に見えるのは絶対に兼正よ。兼正でなきゃ、街灯もないようなところだし、夜に往《ゆ》き来する人だっているわけもないんだし」

「そうかしらねえ」

「なんだかあの家、気味が悪いのよねえ。本当に間違いなく明かりが点いてたの。でも、誰もいるはずがないのに明かりが点いてるなんて、どういうことだと思う？」

　縁側に坐り込んだ妙に、さあ、とふきは返す。我ながら素っ気ない声だ。話に気が乗らないのを察してくれればいいが、と思う。そして気を悪くしないでくれればいいのだが。

「こんなところに縁もないのに越してくること自体、何か曰《いわ》くありげじゃない。変な人じゃなけりゃいいんだけど」

「そうねえ……」

　この声はいよいよ素っ気なかった。妙はようやくそれに気づいたように、わずかに困惑した顔をした。

「なんだか邪魔しちゃったみたいね」

　そういうわけじゃ、とふきは言い淀《よど》む。

「ちょっと今、秀司が寝付いていて」

「あら、夏風邪？」

「そうじゃないかと思うんだけど、ほら、病気ひとつしない子が寝付くと、どうもねえ」

「そうなの。ごめんなさいね、取り込んでる時に坐り込んじゃって」

「あら、そんなことじゃないのよ」

「いいのよ、気にしないでちょうだい。夏風邪ひとつでも、気を抜くと怖いから。お大事にねえ」

ふきが頷《うなず》くと、妙は立ち上がる。また、と言って黄昏《たそがれ》の落ちた道を歩いていった。

悪いことをした、とふきは思う。妙はドライブインをやっている娘の加奈美と二人暮らし、その加奈美が夜は遅くまで店に出てしまうから、妙は一人の家が寂しいのだ。何かれとなく理由を見つけては、はるばる村を横切って訪ねてくる。

「……ごめんね、妙ちゃん」

呟《つぶや》いて詫《わ》びて、ふきは兼正の家の方向を見た。そこに家のあるはずの斜面はただ暗い。一瞥《いちべつ》で興味をなくし、ふきは茶の間の奥、開け放した襖《ふすま》から廊下へ出た。

「ねえ、秀司。妙ちゃんが煮物をくれたんだけど、食べない?」

ふきは声をかけながら、廊下を奥へと歩く。息子の部屋を覗き込んだ。襖は開けたまま、部屋の中に明かりはない。ふきが燃した蚊取り線香の匂《にお》いが、薄く淀んでいた。

「秀司?」

ふきの息子は、布団《ふとん》に仰臥《ぎょうが》したまま天井を見つめていた。ぽっかりと開いた目は、この世ではない別の世界を覗き込んでいるように見えた。

ふきは溜息をつく。一人だけ歳の離れた末っ子は、結局ふきの手許に残った。じきに四十になろうかというのに、妻もなく子もない。妙が娘と二人きりなら、ふきは息子と二人きりだ。その息子の様子が村の北にある山入の集落から戻って以来、おかしい。

「大丈夫なの？　お前、今日は何も食べてないのよ」

ふきは息子の額に手を当てたが、手の下の肌はむしろひんやりして思えるくらいだ。そうやっても息子の反応はない。思い出したように瞬《まばた》きしながら、天井を見つめている。

村の北、ちょうど北山の裏側にあたる位置に、山入の集落は孤立している。もともとは山に入る拠点となった集落だが林業が廃《すた》れるにつれ住人も減って、現在、残っているのは老人ばかり三人にすぎない。その老人の一人が、ふきの実兄だった。秀司が伯父――秀正を訪ねて山入に向かったのは五日前、仕事を終えていつものように飲みに出た息子は、寝ようかという頃に電話してきて山入に行ってくる、と言った。

酒が入っているからと、ふきは最初とめたのだが、秀司は「ちぐさ」で秀正の具合が悪いと聞いた、という。買い物のため村に下りてきた兄嫁の三重子が、そう言っていたらしい。気になるから見舞いに行くというものを、ふき自身、強くとめる気にはなれなくて、気をつけるように言って電話を切った。戻ってきたのはその夜更《よふ》け、以来ずっとこの調子だ。翌日にはただ気怠《けだる》そうに見えたが、次の日には寝込んだ。熱があるわけでも咳《せき》をするわけでもない。以来、まるで魂をどこかに置いてきたように青ざめた顔で横たわったまま、今日は一日、声をかけてもふきの顔さえ見ようとしない。

「秀司、ねえ」

やはり返答はなかった。視線は天井に注がれたまま、どんよりと濁っている。医者を呼ぼうかとも思う。尾崎医院の跡取りは、先代と違って往診を嫌がらない。だが、本当に呼んでもいいのだろうか。

ふきが眠っているうちに山入から戻ってきて、以来、様子のおかしい息子。翌日、起こしに来たふきは、秀司の夏布団が汚れているのを見つけた。それは血に見えた。驚いて布団をめくると、眠った秀司は服のまま、しかもその手も服も乾いた血で褐色に染まって異臭を放っていた。慌《あわ》てて眠る息子の身体《からだ》を検《あらた》めたが、別に怪我《けが》をしている様子もない。

一体何があったのか、と訊いても息子は返答をしなかった。兄が何か知ってはいないかと電話してみたが、応答がない。ひどく嫌な感じがした。なぜか電話に出ない兄夫婦、秀司の様子。ふきが車なりバイクなりの運転ができるなら、是が非でも兄夫婦の様子を見に行くのだが——そう思いながら、ふきはそれが言い訳にすぎないことを分かっていた。行ってみるのが、なぜだか怖い。

「ねえ、秀司、……何があったの」

ふきが問いかけると、ごろごろと声がした。秀司が喉の奥で唸《うな》った声だった。何かを答えたのはたしかだが、何と言ったのかは聞き取れなかった。

「——秀司？」

だが、それきり返答はない。秀司は億劫《おっくう》そうに目を閉じ、そしてやがて浅い寝息が聞こえてきた。ふきは途方に暮れた思いで立ち上がる。もしも明日もこの調子なら、明日こそは若先生に来てもらおう、と考えた。そう、血のことは少し黙っていてもいいだろう。きっと診察には関係ないはずだ。

息子に何があったのだろう、と廊下を茶の間に戻ると、ひたひたと足音が「何かがあったのだ」とつきまとう。何か——秀司が血で汚れるようなこと、そして兄夫婦が電話に出られないようなこと。

（まさか。何を考えてるの）

自分自身を叱《しか》ってはみたものの、やはり不安は立ち去らなかった。内向的な息子。この息子が意外に激昂《げきこう》しやすい性格であることをふきは熟知している。さらに息子と秀正が仕事のことで大喧嘩《げんか》したのは、つい先日のことだ。おとなしい息子だが、酒が入ってカッとくるといけない。特に身内に対しては。

（何を考えてるの。そんなことを思い出す必要なんか、ないじゃない）

ふきは頭を振り、再び人気《ひとけ》のない茶の間に戻ると、そこで長く考え込んでいた。

——その翌朝、ふきは布団の中で息子が死んでいるのを見つけた。

三章

I

静信がその知らせを受け取ったのは八月六日、土曜の早朝のことだった。朝の勤行《ごんぎょう》を終え、池辺と鶴見を本堂に残して一足先に庫裡《くり》へ戻ると、ちょうど寺務所から光男が出てきたところだった。

「ああ、若御院」声を上げ、小走りに廊下をやって来る光男の様子は、いかにも火急の用がある、というふうだった。「今、電話があって。後藤田の秀司さんが亡《な》くなったそうです」

静信は声を上げた。

「秀司さんって、まさか」

狭い村とは言え、住人のすべてと知り合いなわけではないが、静信は少なくとも、秀司が健康な男であることも急死するような年齢でないことも了解していた。

「事故ですか」

「夏風邪をこじらせたとか、おっ母さんは言ってましたが。小池《こいけ》の昌治《まさはる》さんが世話役代表で、手が空き次第、打ち合わせに来るそうです」

「分かりました。ありがとうございます」

光男は頷《うなず》いて庫裡の廊下を本堂のほうへと歩いていく。入れ替わりに静信は寺務所に入った。黒板を見ると、光男のおおらかな文字で「後藤田、打ち合わせ、小池」と書いてある。

村には弔組《とむらいぐみ》と呼ばれる制度があった。村には葬儀社がない。これに代わるものが弔組だった。いったん集落のどこかで不幸があると、近所の者は総出で行ってこれを助ける。弔問客の供応のための女手はもちろん、死者を埋葬するために、男手は不可欠だった。村では未《いま》だに死者を土葬にする。墓所は家ごとに村を取り巻く山の中に設けられていて、そこに墓穴を掘るのも、そこまで棺《ひつぎ》を担《かつ》ぎ上げて埋め戻すのも、男手なしには成り立たない重労働だ。その弔組の代表である世話役は、葬儀に際しては世話役代表を務め、葬儀社に代わって一切を采配《さいはい》する。棺の手配から必要なものの斡旋《あっせん》まで、およそ葬儀にかかわることのすべてを代行した。小池老人はもう長いこと中外場の弔組世話役を務めている。

(夏風邪……)

秀司はたしか、静信よりも六つか七つ上ではなかっただろうか。法事で出入りするから顔はよく知っているが、とりたてて親しいというほどでもない。たしか母親と二人暮らしだ。さぞかし母親の後藤田ふきは落胆しているだろう。

（なんて、呆気《あつけ》ない）

鬱々《うつうつ》と考えながら、奥に向かう。茶の間を覗《のぞ》いたが、母親の姿は見えなかった。そのまま離れ――といっても実際には母屋《おもや》から少し突出しているだけで、離れているわけではない――に行くと、父親の枕許《まくらもと》で食事の介助をしていた。

「おはようございます」と、これは今朝初めて会う父親に向ける。

この離れと呼ばれる棟が、寺で唯一《ゆいいつ》、洋間のある建物だった。父親の信明は痩《や》せた身体《からだ》をベッドに横たえ、電動のそれの枕辺を上げて半身を起こしている。昨年の始めに脳卒中で倒れ、以来、四肢に麻痺《まひ》が残っている。歳《とし》のせいもあって、寝付いて以来、徐々に容態は悪化しつつある。かろうじてフォークやスプーンを持つことはできたが、立つことも歩くこともできなかった。

「お父さん、後藤田の秀司さんが亡くなったそうです。戒名はどうしましょう」

父親も母親も驚いたように静信を見る。

「そんな、まだお若いのに」

絶句する美和子の横で、信明は投げ出すような動作でスプーンを置いた。

「秀司……ふきさんの、末の、息子さんだったか」

信明は病を得て以来、言葉を区切るようにして喋《しゃべ》る。うまく呂律《ろれつ》が廻らないのを、意志の力で懸命に御している印象があった。

美和子は眉根《まゆね》を寄せて、信明に頷く。

「指物《さしもの》の卸をやってる秀司さんよねえ？　何で亡くなったんですって？」

「なんでも夏風邪をこじらせたとか。じきに小池の昌治さんがいらっしゃいますが」

「うん。戒名は、考えて、おこう」

静信は軽く頭を下げる。未だ、寺のことは万事、信明に諮《はか》ることにしている。寺の住職はあくまでも信明であって、静信は副住職、信明の代理でしかない。旦那《だんな》寺の住持であることは、能力には関係がない。それは檀家《だんか》との信頼関係において築かれる地位だ。

「敏夫くんに、連絡」

「はい。行って様子を訊《き》いておきます」

「それから、墓地の、整理を」

信明が短く言って、静信は頷く。ひと一人を埋葬するには相当の大きさの土地が必要になる。一人死ねば、墓地を整理してそのぶんの広さを確保しなくてはならなかった。かつての塚の上に育った樅《もみ》を切り、根を掘り上げる。あらかじめ墓所の整理をしてあるといいのだが。

「世話役にお願いしておきます」

静信が言ったところで、光男が離れに顔を出した。

「小池さんがおいでです」

小池老は高齢にもかかわらず、痩軀《そうく》ながら頑健な身体つきで、血色も良く、歳よりもかなり若く見える。文字通り矍鑠《かくしゃく》とした老人だった。

「とんだことになってねえ」

「お疲れさまです」

小池は勝手知ったる、の伝で寺務所の椅子《いす》に坐《すわ》り込んでいた。

「ふきさんが気落ちして、慰める言葉もなくてなあ。逆縁の不孝とは、よく言ったもんだよ」

扇子で顔を扇《あお》ぎながら、光男の出した麦茶を飲み干す。

幾度も父親が——そして何度か静信がそうしたように、簡単に葬儀の手順を打ち合わせる。通夜《つや》は本日、密葬は明日、土葬にするので夏場は葬儀を急ぐ。

「とにかく急いで枕経を頼みますな。戒名は相応でいいということだから」言って小池は襟足を扇いだ。「急なことだし、大変だ」

「父が墓所の整理を気にしていましたが」

ああ、と小池は頷く。

「ふきさんが、ちょっと前に自分用に整理しておいたらしいな。夏場のことだし、葬式を遅らすわけにはいかんし、整理してなかったら、工務店に頼んで大急ぎで整理をせんといかんところだった。助かった、と言いたいところだが、ふきさんの気持ちを考えるとなあ。なにしろ自分が納まるつもりの墓に、息子が入るんだからねえ」

そうですね、と静信は呟《つぶや》く。ときに、と小池老は声の調子を変えた。

「若御院はこのところ、山入の秀正さんに会ったかね」

「山入の——村迫秀正さんですか？　いえ、彼岸にお会いしたきりですが」

「まさかその時に、旅行に行くとか、出かけるとかいう話は出なかっただろうなあ——いや、出ても仕方ないか。彼岸の話じゃあ」

「いらっしゃらないんですか？」

「うん、連絡が取れんのだわ。ほら、秀正さんはふきさんの兄貴だから。朝から電話しとるんだが、家に誰もおらんようで。おおかた、そんなこととは夢にも思わず、山に入っとるんだろう」言って小池は立ち上がる。「とにかく、よろしくお願いしますな」

「できるだけ急ぎますので」

「済みませんな。——どれ、失礼する前に、御院を見舞っていこう」

2

静信は、留守居をよろしく、と草毟《むし》りをしている光男に声をかけて境内を横切る。墓地から山に入り、林の中の小道を突っ切って山を下りた。製材所の地所を抜け、溝を渡って土手に出る。土手の上の踏み分け道のような小径《こみち》を辿《たど》ると、殺風景なコンクリート造の建物の脇《わき》に出た。生け垣の間にしつらえた枝折《しお》り戸を抜けた向こうが尾崎医院の裏庭だった。小さい頃から幾度となく通った順路だ。田舎には道路以外にも道が無数にある。

勝手に裏庭を通って、目指すドアを開ける。職員が出入りする通用口は裏階段のある小さなホールにあり、ホールは間仕切りのガラス扉で表からは区切られている。勝手に上がり込み、草履を揃《そろ》えたところで、ちょうど間仕切りの向こうを看護婦の律子が通りがかった。

あら、という顔をした律子は、すぐに廊下をやって来てドアを開ける。

「おはようございます。先生ですか？」

「ええ。診療時間中に悪いんですが」

「大丈夫ですよ。どうぞ」

律子は診察室のほうを示したが、静信はそれを断る。

「いや、衣ですから、ここでいいです」

「そうですか？　じゃあ、ちょっとお待ちになっててくださいね」

律子は廊下を診察室へと小走りに向かい、すぐに戻ってきて、背後を示した。「院長室──じゃない、控え室にどうぞ、だそうです」律子はくすくす笑う。「先生、助かったって顔をしてましたよ」

なんとなく想像がついて、静信は微笑《ほほえ》んだ。秀司が死んだ噂《うわさ》はすでにあちこちに届いているだろう。患者たちは診察を受けている時間よりも、無駄話をしている時間のほうが長い──。

軽く頭を下げて控え室に向かう。かつての院長室は改修の際につぶされてもうない。代わりに診察室の隣に小部屋を設けて、敏夫は自分の控え室にしていた。かつての院長室とは違い、特にこれと言った装飾もない機能いっぽんやりの殺風景な部屋だ。応接用のソファは先代からのものだが、そこには仮眠用の毛布や枕が常に出ているし、壁にはカタログや資料が所狭しと貼《は》られている。形ばかりノックをして勝手に部屋に入ると、ちょうど診察室のほうから敏夫が入ってきたところだった。

「文字通り、地獄に仏だな」

「悪いな」

「今は後光が射《さ》して見えるぜ。なにしろ朝から苦行を重ねてきたからな」言って敏夫は毛布を押し除《の》けてソファに坐り、テーブルに足を投げ出した。「いつもは勝手に薬局に入って薬を摑《つか》んで帰りかねない連中が、今日に限って問診を受けたがる。結局、何を話すかといえば後藤田の話だ」

静信は苦笑した。患者のほとんどは老人で、さらに大部分が一進一退の病であることが多い。関節炎や腰痛、皮膚病、高血圧、患《わずら》うというほど酷《ひど》くはないが、健康とは言いかねる、そんな患者が大多数を占めていた。長く通っている患者の中には、看護婦に声だけかけて勝手に物療室に入っていく者もいるし、電話であの薬を出してくれと要求して家族に受け取りに来させる者もいる。三年前、病院を継いだ敏夫はこういった無秩序を廃絶しようと躍起になっていたようだが、じきに降伏して両手を挙げた。老人が圧倒的に多い村では、患者の自発的な協力なしには病院が動かないことを悟ったらしい。

敏夫はソファに身体を投げ出して静信を見上げた。

「それで？　どうせお前も秀司さんのことで来たんだろう。おれはまた同じ話を繰り返すってわけだ。——これから枕経か？」

「うん。その前に様子を訊いておこうと思って」

敏夫は頷く。父親から受け継いだ静信の流儀を敏夫は承知している。何のために何を訊きたいのだ、とは言わなかった。

「おれが婆《ばあ》さんに呼ばれて駆けつけた時には、秀司さんはこれ以上ないくらい死んでた。もう死斑《しはん》も現れてたし、硬直も起こってた。おそらく、夜のうちに死んだんだろう。おれが行ったのは午前七時前だったかな。少なくとも明け方に死んだわけじゃない。たぶん深夜の話だ」

「何が原因だったんだ？」

敏夫はさも驚くべきことを訊かれたかのように目を丸くする。

「おれが看取《みと》ったわけじゃないぞ。それ以前、寝込んだ時点で診察だってしてないんだから、死因が分かるはずがないだろう。おれが最後に診察した秀司さんは、極めて健康そうに見えた。——荷物を落として足の親指の生爪《なまづめ》を剝《は》いでいたのを除けば。それだってもう半年やそこら前の話だ」

静信が苦笑したところにノックの音がした。看護婦の律子がトレイを持って入ってくる。

「ひょっとして愚痴ってるんですか」苦笑ぎみに笑ってから、律子は敏夫をねめつける。「先生、お行儀」

「このテーブルは、今日から足台になったんだ」

「じゃあ、その足台から足を除けて、お茶を置かせてください」

律子は言って、敏夫の足を軽く叩《たた》き、ローテーブルの上からどかせて湯呑《ゆの》みを置く。

やれやれ、と口にして敏夫は足を下ろした。

「先生ったら、御機嫌斜めなんですよ、患者さんが放してくれないもんだから」

「斜めにもなろうってもんだ。診たってどうしようもない年寄りばかりがやって来る。

それも、朝早くから玄関の前に並んでやがる。それでこっちは天手古舞だ。本当に診る必要のある患者に限って、手のほどこしようがなくなるまで、来ようとしない」

だいたいだな、と敏夫は湯呑みを静信に突きつけた。

「滅多に寝込まない人間ってのは、滅多に病気をしないんじゃなくて、多少具合が悪くても踏ん張りが利《き》くんだ。自己管理能力が高いから、風邪程度なら働きながら治す。苦痛に対して辛抱強い。そういう人間が寝込むなんてのは、よほどのことなんだ。それを周囲は滅多に寝込まない人間なんだから、そのうちに治るだろうと舐《な》めてかかって、常にあそこが痛いだの、ここが悪いだの言ってる甘ちゃんばかりを看病する」

極端を言う、と静信は苦笑した。

「後藤田の秀司さんにしてもそうだ。本人は三日も前から寝付いてるっていうのに、母親は医者を呼びもしなけりゃ、病院に行かせもしない。あげくの果てに、起きてみたら死んでただと。さほど熱もなかったし、軽い夏風邪か暑気中《あた》りだろうと思ったとさ」

「そうか……」

「話を聞いただけじゃ、一体どこが悪くて寝込んでいたのかさっぱり分からん。咳《せき》はない、あったというほどの熱もない、特に痛いところがあるというふうでもない。とにかく顔色が悪かった、ひどく疲れている感じだった、食事が喉《のど》を通らないふうだったと言う」

それで医者に診せる踏ん切りがつかなかったというわけだ、と静信は目を伏せた。誰も家族が大病をすることなど考えたくない。だから目を逸《そ》らし「まさか」という言葉で括《くく》って、そんな可能性など存在しないふりをする。そうしているうちに、もはや念頭にも浮かばなくなってしまうのだ。

敏夫は、げんなりしたように息を吐いた。

「いわゆる突然死ってやつだ。解剖でもしてみない限り原因が分かるはずもないし、解剖したって、いわゆるポックリ病なら理由は出てこんだろう。しかも当の後藤田の婆さんが、解剖は嫌だと言う」

「勧めたのか、そんなことを」

「必要な手続きってやつさ。だが、遺族が嫌がるものを、無理に持っていくわけにもいかん。行政解剖や司法解剖ってわけでもないんだからな。こうなったらもう仕方がない。伝家の宝刀、急性心不全と書いて死亡診断書を出したさ」

結局のところ、敏夫はそれが不服なのだろう、と静信は推測した。村人が病院に求めていることは、突き詰めれば大きな病院にかかるべきかどうかを判断してくれることでしかない。家で養生していればいいのか、それともきちんと医者にかかるべきなのか、それを篩《ふる》い分けてくれる人間がほしいのだ。そうでない患者は害にならない薬を出してもらえ、愚痴を聞いてもらえればそれでいい。敏夫はずっとそういう立場に抵抗しようとしていたが、抵抗し通せるものでもないだろうと思う。

「残された婆さんのほうが、病人みたいな有様だ。まあ、せいぜい泣き言を聞いてやるんだな」

静信は頷き、腕時計に目をやる。もう行かなくてはならない。とにかく遺族にとっては突然の――おそらくは理不尽な死であろうことは分かった。悲嘆に暮れる遺族の前で詳しい事情は訊きにくい。けれどもその死の状況を了解していなければ、どんな不調法な言葉をかけてしまわないとも限らない。だから、前もって尾崎医院に訊けることは訊いておく。どうせ村には病院はひとつしかない。ほとんどの死者は、敏夫の手を経なければ、埋葬されることができないのだ。

村は死によって包囲されている。

――包囲されているのは、僧侶《そうりょ》である静信であり、医師である敏夫なのかもしれなかった。

3

後藤田の家は上外場の北にある。上外場は川端の村道に沿って長く北に延び、寺の南一帯に広がる門前の集落と複雑に入り混じっていた。後藤田の家はその上外場の集落の中でも、もっとも北のほうにあり、寺のある北山に接する。東側の斜面を削り取ったようにして建っていた。

「なんだか、怠《だる》そうにしててねえ」言って、ふきは目頭を押さえた。「最初は暑気中りかしらね、と言ってたんですよ。まずそうに御飯を食べるわね、と思っていたら寝込むでしょう。もともと病気をしない子なんで、こっちも油断しているし、本人も寝ていれば治るって言うし、……それが」

ふきは弔問客の膝先《ひざさき》に泣き崩れ、静信は座敷の一隅に控えてそれをやるせない気分で見ていた。親を亡《な》くした子供も哀れだが、子を亡くした親は、何かが一本、折れたように見えて、いっそう哀れに思う。

「お医者に診せたら良かった」ふきは声を上げて泣く。「秀司が嫌だって言っても、若先生に来てもらったら良かった」

ふきの背を小池老が撫《な》でる。手伝いのために集まった者のうち、ふきの近くに集まった老女たちは、もらい泣きしているようだった。

座敷の、別の一郭では、不憫《ふびん》そうな目をふきに向ける者たちがいる。

「しかし秀司くんも元気そうだったのになあ」

「元気な人ほど逝《い》くときは呆気《あっけ》ないって言うしねえ」

「周りも本人も、どうしても甘く考えるからな」

そして、別の一群の声が聞こえて、静信はわずかに眉を顰《ひそ》めた。

「……驚いたわよ、立派な屋根の載った門のある塀なんだもの」

「それを建てるって？　誰が」

「ほら、前原《まえはら》のお婆ちゃん」

「だってあの人は係累《けいるい》がなかったろうに」

「そうよ。年金で生活してるっていうのに、そんな大金、どうしたのかしら」

「あら、あの人は山持ちでしょう」

「山ったって、山入の林道のほうじゃない。二束三文にしたって買い手なんか、いやしないわよ」

静信は軽く息を吐く。村は狭い。親戚《しんせき》関係、寄り合い、青年団、様々な組織で網の目のように人間関係が入り組んでいる。だからといって、必ずしも付き合いが深いとは限らなかった。葬儀に駆けつけるほどの縁はあっても、死者を惜しんで泣くほどの付き合いはない、そういう関係が村には無数にある。

「済みませんねえ」

小声で言われて、静信は振り返る。手伝いに来ていた老婆が静信の前に置かれた湯呑みを換えた。

「もう少し待っててくださいねえ。お客さんが途切れなくて」

頷いて、静信は軽く息を吐く。自分がこの場で、渋い顔をしてはいけない――。

村に死は珍しいことではない。老人の多い村ではむしろ死が多い。村人にとって、老人の死は悲劇ではない。それは避けられない人の営み、老人たちは生という巡礼を終えて山へ帰る。村で生まれた者は、村で人としての営みを全うし、やがて山へと還《かえ》っていくのだ。

だが、秀司はまだ営みを終えてない。村では時折、こういう惨《むご》いことが起こった。逝った者にとっても残された者にとっても、それは悲劇でしかないが、死は時折、人の帰還を待ちきれずに、樅の中から現れ村人を攫《さら》っていく。秀司は鬼に引かれたのだ。

――**屍鬼だ。**

黙って考えを巡らせていると、世話役の小池老にどうぞ、と声をかけられた。静信は読経《どきょう》のために秀司の枕辺《まくらべ》に寄った。

静信が読経を終えると、秀司の身体は納棺される。ふきの側《そば》からとりあえず人が途切れたのを見て、静信は側に寄った。

「これでいったん失礼します。どうぞ、お気落としなく。さぞお寂しいかと思いますが」

ふきは頷いた。隠居した先の住職も穏やかな男だったが、息子のほうはいっそう穏やかに語る。一瞬、何もかも吐き出してしまいたいという衝動にかられた。

(油断してたわけじゃないんですよ)

寝付いた息子が心配でなかったわけじゃない。医者に診せようと思った、何度も思った。医者を呼ぶことは呼ばないことよりも悪い結果になりはしないかと、怖かっただけだ。息子のことが心配だったから。

(布団《ふとん》の血……)

ふきは静信を見上げ、首をひとつ振って膝の上の数珠《じゅず》に目を戻した。

(もう終わったことだ)

秀司にいまさら、何があったのかと問うわけにもいかない。

「どうも、ありがとうございました。……また、今夜もよろしくお願いしますねえ」

ふきはそれだけを言った。静信は頷く。

「大変な時ですが、御無理はなさらないでください。秀司さんを亡くされてお辛《つら》いでしょうが、ふきさんが倒れれば同じように辛い人がたくさんいるんですから」

ふきは頷く。

(でも、あの子の布団には血がついていたんです……)

集まった人々に挨拶《あいさつ》をして小池老の姿を捜し、静信は茶の間で電話をかけているのを見つけた。

「小池さん、わたしは失礼します」

静信が声をかけると、無言で受話器を耳に当てていた小池老は、ああ、と声を上げて頷いた。

「お疲れさまでした。また通夜《つや》にはよろしくお願いしますな」静信に言って、受話器を置き、渋面を作ってひとりごちた。「……どこに行っとるのかな」

「村迫の秀正さんですか？」

静信が訊《き》くと、小池老は困り果てたように頷く。

「田圃《たんぼ》に出るか山に入ってるかしてるんだと思うんだが。——そうだ、若御院は秀正さんとこの山がどのへんだか分かるかね」

「分かると思います。墓所のあるあたりですから。なんでしたら、ぼくが行ってきましょうか？　どうせ今日はしばらく特に用がありませんから」

小池老は安堵《あんど》したように中途半端《はんぱ》な笑みを浮かべた。

「お願いしても構わんかね。なんとも申し訳ない話だが。なにしろ秀正さんとこの山を知ってる者がいなくてね。探せば誰かが知ってるはずなんだけども、わしらはこれから墓掘りに行かなきゃならんし」

「ぼくが行ってきます。山に入ってみて見当たらないようなら、家にメモを残しておきますから」

静信は後藤田家を辞去し、いったん寺に戻ってから事情を光男に伝えた。山に入ることができるよう衣を洋服に着替え、寺を出る。

鐘楼脇《わき》から私道を抜け、山門前の石段下に出る。石段下からの短いが急峻《きゅうしゅん》な坂道は、昔ながらの石畳で、それがほんの二百メートルほど続いて、つづまやかながらも門前町らしき光景を作っていた。蠟燭《ろうそく》や線香を扱う千代の雑貨屋、小さな石屋に花屋、こまごまとした仏具などとともに、村内で使う卒塔婆《そとば》や棺《ひつぎ》を取り扱う三宝堂。このごく短い門前町の出口に神社の御旅所があるのは、そもそも神社が寺と一体だった頃の名残だ。

徐行しながら車を進めると、店番をしていた人々がわざわざ表へと出てくる。車を見送るようにして頭を下げるのがバックミラー越しに見えた。

御旅所の角を曲がってアスファルト道に出ると、後藤田の家に向かうのだろう、常より人通りが多かった。ほとんどが道を川端の村道へと向かって歩いていく。それらの人々を追い越していくと、その多くが接近する車に気づいて振り返り、ハンドルを握った静信に目を留めて頭を下げた。

——これが、静信の背負ったものだった。

4

「ああ、若御院だ」

武藤は追い越していった白のセダンを見送った。

「衣は脱いでたな。もう枕経は終わったんだ」

呟《つぶや》く武藤を、結城は困惑した気分で見守った。

弔いがあるから、と武藤が声をかけてきたのは今朝のことだ。村の者は葬儀に際して助け合う。相互扶助のために隣近所で作る組織が弔組というものらしかった。そういう組織があるらしいことは知っていたが、結城はこれまでその弔組に組み込まれていなかった。行かないか、と誘われたのはこれが初めてのことで、ようやく自分も村の地縁社会の中に入りつつあるのだ、という感慨をもって出かけてきたのだ。

しかしながら、誘いに来た武藤に連れられて家を出ると、近所のどこにも葬式らしい様子はなく、武藤もまた中外場の集落を出て上《かみ》へと向かう。てっきり寺で葬儀があるのだと思って黙ってついて行くと、寺のほうへは行かずに上外場の集落へと向かった。要は隣組のような制度ではないのだろうか。なのにどうして、はるばる上外場に出かけなければならないのか、結城には釈然としない。

「武藤さん」結城は足を止めた武藤に呼びかける。「なんだって上外場に来るんです。お寺に行くわけじゃないんですか」

「後藤田の家に行くんだよ。弔組だから」

「だから――」

　その弔組というのはどうなっているんだ、と訊こうとして、結城はすぐ脇の畦道《あぜみち》から上がってきた男に目を留めた。

「広沢さん」

「ああ、どうも」広沢は例によって温厚な笑みを浮かべる。「そうか、武藤さんも結城さんも弔組ですか」

「というと、広沢さんもですか？」

　結城は首を傾《かし》げた。これまたいっそう、釈然としない。結城も武藤も中外場三班の人間だし、広沢が何班かは知らないが、少なくとも三班でないことは確実だった。それがどうして上外場の葬儀で出会うのだろう。

　不思議そうにしている結城に気づいたのだろう、広沢は肩を並べながら微笑《ほほえ》む。

「わたしも同じ弔組なんです。中外場三組」

「でも」

「住まいは六班ですけどね。弔組と班は別物なので」

はあ、と結城は曖昧《あいまい》に頷いた。

「結城さんは中外場三班ですよね。わたしは六班。これは行政上の区分けなんです。外場は行政上、外場校区というんですが、この外場校区は六地区でできている。各集落が地区です。これがさらに班に細分されていて、これは純粋に家の在所による区分けなんです」

「弔組はそうじゃないんですか？」

「ええ。村には本家・分家というものがありますから。弔組は基本的に班を母胎にしているんですが、分家は本家のある場所の弔組に所属するんです。祝儀《しゅうぎ》・不祝儀は結局のところ、そういう血縁を抜きにはあり得ないわけですから」

「ああ、そうか。祝儀にしろ不祝儀にしろ、結局、血縁は集まるわけですからね」

「そういうことですね。昔は──わたしの父親の頃までは、祝組《いわいぐみ》と言って、祝儀で集まることもあったようですが、いまどき本家の座敷で結婚式をする者もいないですから」

「祝組と弔組は同じものですか？」

「微妙に違いますね。弔組は寺の領分ですが、祝組は神社の領分なんです。弔組のほうは世話方といって寺の檀家《だんか》組織との関係が深いし、祝組では村方という氏子組織との関係が深い。ですから、同じ家でも弔組と祝組では若干、顔ぶれが違ったりします」

「なるほど」と口を挟んだのは武藤だった。「それが釈然としなくて、あんた、さっきから首をひねってたんだな」

結城は苦笑した。

「そう。なんだって上外場に行くんだろうと思って。そうか、血縁か」

「そういうことです。わたしは六班に住んでますが、本家は三班にあるので、弔組は中外場三組の所属になるんです。後藤田も同じです。家は上外場にあるんですが、弔組は中外場の三組」

「なるほど。広沢というと、うちの隣かな。あそこが広沢さんのところの本家になるんですね」

広沢は笑んだ。

「結城さんの家の隣じゃなくて、三班のいちばん下の家です。あそこも広沢で、あちらが本家です。お隣の広沢さんも、遠く遡《さかのぼ》れば縁続きなのかもしれないですけど、今はいちおう、関係がありません」

「ああ、あそこもそう言えば広沢か――。考えてみると、広沢という家は多いですね」

ええ、と広沢は頷く。

「村には四家というのがあるんです。竹村、田茂《たも》、安森、村迫の四家。これがどうも、村を拓《ひら》いた家らしいんですけど。これに広沢を入れて五家と数えることもあります。そのくらい多いんです。近頃は、田茂も村迫もずいぶん減りましたから、数の上では広沢のほうが多いくらいじゃないかな」

結城は目を見開いた。

「村が拓かれたのは――」

「江戸の初期ぐらいの頃の話だそうですね」

「その頃からあるんですか？　四家も？　それが今まで続いているんですか」

これは都会生まれ、都会育ちの結城にしてみると、ちょっと驚くべきことだった。結城自身は都会で生まれたが、父親は東北の出身で、母親は東海地方の出身だった。それも土地に根づいた家、というわけでなく、祖父母の親の代になると、もうどこの者なのか分からない。

「そのようですね。寺ができたのが、それから百年ぐらいあとのことなんだそうですが、寺ができた頃には、四家も広沢もすでにあったようですね。もっとも、その頃には名字はなかったわけですけど」

「すごいですね」結城は半ば感嘆して息を吐いた。「それが、土地に根づく、ということなんだなあ」

広沢は微笑んだ。それは結城からすると、根づく土地を持ち、確固としたものに所属する者の余裕から来る笑みのように思われた。

5

静信は川端の村道を北上する。ついさっき出てきたばかりの上外場の集落を過ぎ、山入へと向かう切り通しへと車を進める。上外場を過ぎると、村道からは路側帯が消え、そのぶん道幅が狭くなる。寺のある北山の麓《ふもと》に沿って迂回《うかい》するように北へと廻り込む、ゆるやかな上り道になっていた。

道の片側は鬱蒼《うっそう》とした樅の林、それが斜面を削り取った段差の間際《まぎわ》まで迫っている。土止めのための擁壁は川原石を積んだ古いもので、苔《こけ》と羊歯《しだ》に覆《おお》われていた。それとは反対の片側も樅の並木で、その向こうには渓流が流れている。とは言え、このあたりではかなりの高さの渓谷になっているから水面は見えない。その渓流は徐々に細くなり、やがて道を離れていった。そうなるともう、かろうじて車が離合できる幅の道路は、両側を樅に挟まれて見るべきものもなかった。ガードレールのようなものもなく、路側帯もセンターラインもない。

樅に視野を閉ざされ、単調に幹が続く中を走り抜ける。カーブを曲がると同時に林が途切れて小さな谷間——谷間というより山峡《やまかい》の窪地《くぼち》に拓けた集落が現れた。北山を迂回して山の北側に出たのだ。これが、山入だった。

道は林道と交わり、さらに細くなって集落へと上っていく。細い坂道の両側には申し訳程度の棚田と家が点在していた。かつては山に入る拠点となった集落だが、林業が寂れるにつれて人口も減り、今では二世帯、三人だけが生活をしていた。

山入は眠っているように静かだった。開けた車の窓から、蟬《せみ》の声だけが微《かす》かな風音とともに吹き込んでくる。常に静かなところだが、まるで無人の廃村に迷い込んだような気が静信にはした。やがて本当に無人になる日も遠くないだろう。村迫秀正、三重子の夫婦も大川義五郎もすでに高齢で、もういつ何が起こってもおかしくはない。

あとどれくらい山入に来ることがあるだろう、と静信は集落を見渡した。坂道は斜面と斜面の間を縫うようにして細く曲がりながら続いている。十数戸あまりの家が見えるが、そのほとんどが廃屋で、人の暮らしている建物は二軒しかない。ずいぶんと前に廃屋になった家の中には、屋根が歪《ゆが》んで軒が落ちているものもある。家は住人を失《な》くすと急速に荒廃する。下の六集落なら、そういった家を買い取って越してくる物好きもいるが、山入ではそれもないだろう。――集落は樅の中に呑《の》まれようとしている。

そう考えたところだったので、一軒の廃屋に目が留まった。閉め切った雨戸に真新しい板が打ちつけられている。一瞬だけ怪訝《けげん》に思いながら、静信はそれを通り過ぎ、少し上手にある家に車を向ける。電話に出ないのなら山に入っているのだろうが、念のためにと村迫家の地所に入った。

山入の家はどれも道よりかなり高い。山肌を削り、石垣を積んで家を建ててある。必ず坂の上のほうに出入り口があって道と接する構造になっていた。そのスロープに車を停め、とりあえず玄関に向かう。どんなふうに訃報《ふほう》を伝えたものか考えながら、声をかけつつ玄関を開けた。前庭に面した雨戸が半分引かれていたこと、この夏の暑い盛りに玄関の戸が閉まっていたことに不審を覚えたのは、玄関の内部に異臭を嗅《か》いでからだった。それは何かが腐った種類の臭《にお》いだ。ふと嫌な予感がした。

「村迫さん」

静信はもう一度声をかけたが、返答はない。困惑して表に出、家の周囲を見渡した。

「村迫さん、いらっしゃいませんか」

静信はいくぶん、縋《すが》る気分で家に向かって声を上げた。少しずつ嫌な気分が募ったせいだが、これに対する応答はどこからもなかった。裏から誰かが顔を覗《のぞ》かせることも、納屋《なや》から人が出てくることもない。庭に面した窓はすべて閉ざされ、ぴったりとカーテンが引かれている。村では、山に入ったり田圃に出るのに戸締まりなどはしない。夏のことならなおさらだった。熱気が家に籠《こ》もらないよう、風を通すためにあちこちを開け放っていく。

大川義五郎なら何か知っているだろうか、そう思いながら、静信は念のために裏手に廻った。台所脇の戸口を見つけて開けてみる。

「村迫さ——」

言いかけて、静信はとっさに後退《あとずさ》った。戸を開けたとたん流れ出てきた異臭が顔を打つようだった。

コンクリートを敷いた土間には履物が散乱し、ところどころに赤黒い染《し》みが広がっている。染みの上に蠅《はえ》が集《たか》り、風に驚いたように舞い上がっては螺旋《らせん》を描いて染みに戻る。

(……血?)

それは血痕《けっこん》に見えた。静信は軽く息を詰めて、恐る恐る中を覗き込んだ。

戸口の中にはかなり大きな踏込があって、一段上がって台所になっている。小さなテーブルが置かれ、いちおうダイニングキッチンの体裁になっているが、椅子《いす》のひとつは倒れ、テーブルも誰かが押しやったように斜めになっていた。ビニール製のテーブルクロスは半ば落ちかけ、卓上の小物は倒れて転がっている。床は投げ出されたものと至るところについた汚れで、ひどく散らかっている印象を受けた。子供が遊んだあとのようだ、と静信は思ったが、散乱しているものは玩具《がんぐ》などではなかった。

それは、犬か何かの毛皮に見えた。片付いた床の至るところにそれらが投げ出され、随所に赤黒い染みができていた。そして、猛烈な腐臭。

「これは」

言いさして、静信は鼻から口を思わず袖《そで》で覆う。腐臭が喉《のど》の奥に流れ込んできて、咳《せ》き込みそうになった。団欒《だんらん》の場にあるはずもないものを見た衝撃、腐臭と相まって吐き気がする。比較的大きな毛皮は、犬か何かの胴体に見え、あるいは足に見えた。小さく茶色の兎《うさぎ》のものらしい足が、戸口の側に転がっている。どれもこれも虫が湧《わ》き、びっしりと蠅が集っていた。

「村迫さん、あの！」

大声を上げたが、蠅がいっせいに飛び立っただけだった。

静信は後退る。血の気が引いているのが自分でも分かった。

何かがあったのだ。そうでなければ、あんなものを放置しておかないだろう。幾頭ぶんのものなのか、一瞥《いちべつ》しただけでは分からなかった。原形を留めているものがなかったからだ。たぶん数頭の、ひょっとしたらそれ以上の動物が五体をばらばらにされて放置され、腐敗している。

思いついたのは、野犬だった。外場周辺に熊《くま》が出たなどという話は老人の眉唾物《まゆつばもの》の昔話でしか聞かない。山に迷い込んで集団を作っている野犬がいる、という噂《うわさ》なら信憑性《しんぴょう》をもって語られたし、それが集団と呼べるほどのものであるかどうかはともかく、山の中で犬を見た者は多く、声を聞いた者はさらに多い。

静信は通り過ぎた廃屋を思い出した。それで雨戸に板が打ちつけてあったのだろう。野犬が廃屋を巣にしているのではないだろうか。そしてその野犬たちは、人の住んでいる家にまで侵入して——。

(侵入して、それから?)足許《あしもと》から震えが立ち昇ってきた。(犬は家の中を我が物顔で荒らしている。……それを止める者がいないから)

「——まさか」

自分に言って、静信はあたりを見渡す。戸口の側に庭箒《にわぼうき》が倒れていたのを見つけて拾った。それを携えて裏庭に向かう。飛び出してくる獣がいないか、充分に注意をして、何度も箒を手の中で持ち替えた。

村迫さん、と幾度も声を上げながら、不要品の積まれた裏庭に出た。すぐ家の背後に迫った崖《がけ》と建物に挟まれた細い庭には、ほとんど陽が射《さ》していない。その庭に面した縁側の掃き出し窓が、細く開いているのを認めた。

静信は半分開いた窓から中を窺《うかが》った。縁側の内側にある障子は、静信が及び腰に立った場所からほんの少し右手で半分ほど開いている。中を見通せる位置まで窓を開け、静信はこちらを見上げてくる一対の目を真っ向から覗き込んだ。

部屋に横たわった者は、障子の間から外を覗くようにして虚《うつ》ろな目を開いている。その目が白濁しているのを、静信は認めた。瞬《まばた》きもなく、青黒く変色した顔の筋肉には、ほんの微かな動きもない。そして——腐臭。

村迫さん、と声を上げながら、静信は障子の間から顔を覗かせているのが三重子であることを悟った。横たわった三重子の背後、奥には仏壇が見え、その手前には二組、布《ふ》団《とん》が敷かれていた。そのうちの一方は空で、夏布団が足許に丸まっている。もう一方には人が横たわっているのが見えたが、その枕辺《まくらべ》には蚊柱のように蝿が集って渦を巻いていた。

人が横たわったほうの布団からは茶色い粘り気のありそうな液体が漏れて、畳の上に流れ出ている。誰かが横たわっていることは分かったが、それが誰なのかは分からなかった。夏布団がいびつな形に盛り上がり、おぞましい色に変色したそれと融《と》け合っているように見えた。畳のあちこちには擦《なす》りつけたような染みが点在し、その染みの上にも無数の蝿が止まっては飛び立っている。

呆然《ぼうぜん》と見つめている目の前で、開かれたままの三重子の眼球に蝿が止まった。

静信は飛び退《すさ》る。悲鳴はおろか、声も出ない。とうてい中に踏み込む気にはなれず、静信は腑《ふ》抜《ぬ》けたように頼りない足を励まして表に飛び出した。

家の表側には何かの皮肉のように、眩《まぶ》しい陽射しが降り注いでいた。

陽射しは強く、スロープに敷かれたコンクリートは、ひび割れを黒々と残して白く陽光を反射する。地所の土もコンクリートも目を射るほどに白い。

（なんてことだ）

静信は地所を足早に出て、さらに少し上にある、大川義五郎の家に向かった。車に乗り込み、キーを差して動かす、そういった一切のことがあまりにももどかしく感じられて、車を使う気にはなれなかった。

集落にはなんの物音も気配もない。押し迫るような蟬の声が、虚ろに響いていた。細い道の先々を揺らめく逃げ水、アスファルトも石垣も陽光にさらされ、錯綜《さくそう》する照り返しで空気自体が発光して見えた。

「大川さん、済みません、電話を——」

乾いた地所に駆け込み、そう叫んで縁側に走り寄り、静信はそこでも強い腐臭を嗅いだ。義五郎の家は、村迫の家とは違って雨戸も開け放してあったし、障子も取り払われ、真通しに見える無人の茶の間を、冷ややかな風が通っていた。にもかかわらず、家の中には外の物音が微かな残響となって残るように、酷《ひど》い腐臭が留まっている。

「大川さん、義五郎さん」

静信は声を張り上げたが、返答はなかった。緊張に上擦ってはいても、僧侶《そうりょ》の声はよく通る。にもかかわらず、何度声をかけても返答はもちろん、人の動く気配すらない。わずか、逡巡《しゅんじゅん》して、静信は茶の間に上がり込む。上がってすぐのところに電話台があった。

(二人、ひょっとしたら三人)

そして、山入に人間は、三人しかいない。――そう、もしも義五郎が無事なら、人が姿を現さなくなった村迫の家を覗いたはずだ。そうすればあの惨状を見なかったはずがなく、だとしたら誰かのところに連絡がなかったはずがない。

静信は受話器を握った。自分の手はそれと分かるほど激しく震えていた。

呼吸を整えるために上げた視線は、戸外の風景を薙《な》いだ。陽光に灼《や》かれる集落。ほとんどが廃屋だが、じきにすべてが廃屋になるだろう。石垣も庭も道もここにあるすべてのものが意味を失う。死にかけた集落は本当に死に絶えた。――山入は樅に呑まれたのだ。

山では蟬の声が喧《かまびす》しい。鳥の声が交じった。軒の外では夏の陽光が降り注ぎ、樅は緑、山の上に横たわった空の色は冴《さ》える。

6

「ただいま」

声を聞きつけて、律子は雑誌から顔を上げた。休憩室のドアを開けてみると、ちょうど裏口から敏夫が診察鞄《かばん》を提げて戻ってきたところだった。土曜の午後、すでに残っているのは留守番をかって出た律子だけだった。

「おかえりなさい」律子は言って、敏夫の前に立って控え室に入った。「翔くん、どうでした?」

「日射病の軽いやつだ」

敏夫は往診を嫌がらない。呼ばれれば鞄を提げて気軽に出ていく。別に呼ばれたというわけでなくても、今日のように子供の様子が変なのだが、病院に連れて行ったほうがいいだろうか、と相談を受ければ、ちょっと用を足すような調子で出かけていく。遠方なら車を出すが、近所なら歩いて、あるいは看護婦の自転車を拝借していくから、なまじ近いと夏場は辛《つら》い。今も汗だくになっている。

「ひどい暑さですもんねえ、今年は」律子はエアコンの送風を強くした。「何か、冷たいものでも飲みます?」

「ビール」

げんなりしたように言いながら敏夫は鞄を放り出す。

「はいはい。色が濃くて、泡のないやつですね」

「ビールと言ったら、ビールだ」

言い張る敏夫を笑って、律子は控え室を出ていった。給湯室に行って冷えた麦茶をグラスに注ぐ。ついでに冷凍庫からシャーベットの小さなカップを取り出してスプーンを添えた。それを持って控え室に戻ると、敏夫はクーラーの通風口の前に立って襟の中に風を入れている。

「おつまみ付きです」

「そりゃ、サービスだな」

律子はグラスとカップをテーブルの上に載せ、敏夫が腰を下ろすのを見ながらトレイを胸に抱いた。

「さっき、前原のお婆《ばあ》ちゃんが来たんですよ。前原セツさん。薬がなくなったから、くれって言うんです」

敏夫はシャーベットの蓋《ふた》を剝《は》いでスプーンを突き立てた。

「前原のセツさん――橋本病でチラジンを出してるんだっけか」

「ええ。それが、調子が良くないらしいんです。効かないからって勝手に増やして薬を飲んだらしいんですよ」

「馬鹿《ばか》な。セツさんは狭心症の傾向があるんだ。とんでもない話だぞ、それは」

「そう説明したんですけど。とにかく薬が切れたから、くれって」

敏夫は息を吐いた。

「年寄りはすぐそれだ。薬なんてのは量を増やせば効果が上がるもんだと思ってる」

「先生の指示がないと薬は出せないから、帰ってくるのを待ってくださいって言ったんですけど、聞いてくれなくって。仕方ないんで、前回の処方箋《せん》通りにきっちり二日ぶんだけ渡しました。それ以上の薬は出せないから、月曜に必ず来るように言っておきましたけど」

「あの婆さんは、注射が嫌なもんだから、おれのいないときを狙《ねら》って来るんだ。診察を受けると血液検査されるのが分かってるもんだから」

「ちゃんと守ってくれるといいんですけど。それでも駄目だったら、どうしましょう？」

「メルカゾールでも混ぜてやれ」

「先生」

律子は溜息《ためいき》をついた。

「なんでだ？　抗ホルモン剤とホルモン剤で、帳尻《ちょうじり》は合うじゃないか」

「そういう問題じゃありません」

律子は、処置なし、と天井を見上げた。電話が鳴ったのはその時だ。律子が取ろうとすると、敏夫はスプーンを啣《くわ》えたまま手を挙げる。

「ああ、いい。おれが出るから。帰っていいぞ」

言って受話器を取るのを見て、律子は軽く頭を下げて退出の意を伝える。敏夫はそれに頷《うなず》いて応《こた》える様子を見せ、そして突然、なに、と声を上げた。律子は思わず足を止め、険しくなった敏夫の表情を見守る。

「全員？　本当に？　――警察は」

警察という言葉にぎょっとして、律子はトレイを抱いたまま敏夫の顔をまじまじと見る。無意識のうちに耳を澄ましたが、相手の声が聞こえるはずもない。

「通報するんだ。いや、いい、こちらから連絡しておく。——ああ、駄目だ、絶対に動かすんじゃない。何も触るな、表で待ってろ、いいな？」

誰かが倒れでもしたのだろうか。律子は軽く緊張する。

「で、義五郎爺《じい》さんの死体は確認してないんだな？」

律子は眉を顰《ひそ》めた。義五郎——山入の大川義五郎のことだろうか。

「確認しろ。坊主《ぼうず》が死体に怖《お》じ気づいてどうする。もしも息があるなら医者がいる。村迫さんのほうは確実なんだな？ ——いや、いい。とにかく行くから、そこで待ってろ。とりあえず義五郎爺さんの様子を見て、息があるようなら救急車を呼べ。すぐに出る」

口早に言った敏夫は受話器を置いて、立ち竦《すく》んだ律子を見る。短く言った。

「山入、壊滅」

7

「良かったわねえ、茂樹くん。何でもなくて」

矢野加奈美の声に、前田元子は窓際《まどぎわ》のテーブルへと向かいながら笑みを浮かべた。

「知らせが来たときには肝が冷えたけど。とうとう熱を出すことも、夜にうなされることもなかったし、本当に何でもなかったみたい。恥ずかしいわ、取り乱して」

加奈美はカウンターから笑う。

「子供のことになると、母親ってのはそんなもんよ」

そう言う加奈美は、離婚に際して子供を相手方に残してきた。多くを言わないが、元子は相手方の家に取り上げられたのじゃないかと思っている。

「若御院にも申し訳なくて。お詫《わ》びに行ったほうがいいかしら」

「大丈夫じゃない。お礼に行くのは止めないけど、そんなに難しい人じゃないから。気だての優しい人だからね、若御院は。あんたが喰ってかかったのだって、別に気を悪くしてるようじゃなかったもの」

良かった、と呟《つぶや》き、テーブルの上の食器を片付けにかかったときパトカーのサイレンを聞いた。元子はハッと顔を上げ、広い窓越し、国道に目をやった。

加奈美もカウンターの中で耳をそばだてる。加奈美のドライブインは村への入口に面し、カウンターからは溝辺町方面へ向かう国道が見える。遠目に、自動車道の高架下を潜《くぐ》って接近してくるパトカーの姿が見えた。窓際で元子が身を硬くするのが分かった。

「大丈夫よ、元子」

きっと外場とは関係ない、そう意図を含ませて元子に微笑《ほほえ》む。元子もぎこちなく笑みを返し、食器を集めたトレイをカウンターまで下げてきたところで、窓の外を疾走していったそれが、村道へと川端を曲がって行って驚いた。

(何かあった？——でも、何が？)

元子が小さく悲鳴を上げた。加奈美はその手を叩《たた》く。

「茂樹くんじゃないわよ、心配することないわ。——でも、何があったのかしらね」

(事故かしら)

万が一にも元子の子供などということがなければ良いのだけれども。友達の腕をことさらのように軽く叩きながら、加奈美はそう思った。どこか不安な気分で三台のパトカーと護送車のような灰色のバンを見送った。

ちょうどその頃、ドライブインの少し北に位置するタケムラ文具店の店先には老人たちがたむろしていた。例によって店先に出た床几《しょうぎ》に集まって無駄話をしていた老人たちは、突然のサイレンと疾走してくるパトカーの姿に、いっせいに腰を浮かせた。

「何だい、事故か？」

笈太郎は立ち上がり、通り過ぎたパトカーを見送る。行く先を見守って、それがまっすぐに川端の村道を北上していったのを確認した。

「上に行くぞ。上外場か、それとも門前で何かあったのかな」

「事故だわね、きっと」

そう言った弥栄子の声に、武子は鼻を鳴らした。

「たぶん大川の倅《せがれ》だわ」大川酒店の息子は鼻つまみ者だ。昔から気の荒い乱暴者で、配達のバイクを運転するのまで荒い。「おおかたどっかに突っ込んだんでしょうよ。いつかそうなると思ってたわ」

竹村タツは、特に言葉を挟まなかった。たかだか事故であんなにパトカーがやって来たりするものか、とは思ったが、教えてやるほどのことでもない。じきに誰かが、何が起こったのか知らせに来るだろう。


後藤田ふきは、矢野妙に支えられるようにして家を出、警察の車に乗り込んだ。電話があった。それを受けたのは世話役だった。受話器を置いた世話役は真っ青になってふきに実兄の死亡を伝えた。

それを聞いたときからふきの腕には鳥肌が立ったまま、それは真夏日の気温をもってしても治まらなかった。傍らの者たちが励ますようにふきの手を叩いてくれたが、一向に温《ぬく》もらなかった。兄がどうして死んだのか、世話役は言ってくれなかったので分からない。ふきにはそれを世話役が隠しているように思えてならなかった。パトカーが走っていくのが聞こえた。警察が呼ばれるくらいだから、きっと尋常な死ではないのに違いない。それがふきの背筋を粟立《あわだ》たせる。

矢野妙が車に縋《すが》るようにする。

「ふきさん、誰かに任せたほうがいいわよ。年寄りには酷よ」

はや涙ぐんでいる長年の友人の顔を見上げ、ふきはシートに坐《すわ》ったまま固く手で膝《ひざ》を摑《つか》んだ。隣に乗り込んだ世話役が、その手を握ってくれたけれども、その感触は現実感を欠いていた。

「大丈夫……、兄さんの、ことだから」

声に出すと、自分が震えているのがよく分かった。ふきの視線は妙を見ていたが、全身の神経が前と脇《わき》に乗った警官のほうを向いているのが自分でも分かった。

(落ち着かないと)

固く手に力を込めれば込めるほど、手首を軸にしたように震えはひどくなった。

(こんなことじゃ、変に思われる……)

「でも、ふきさん」

「……大丈夫」

警察官は無言で坐っている。聞き耳を立てているように思えてならない。ふきは耐えられずに、深く頭を下げた。同時に、ドアが閉まって車が動き出す。ふきには顔を上げることができなかった。

いた。

「御不幸があったとか。息子さんですか」

前から声をかけられた時には、シートの上で飛び上がりそうだった。こわごわ顔を上げると、助手席に坐った中年の警官が振り返っていて、その目がじっとふきに注がれていた。

「ええ、……はい。末の息子で」

(血が……)

「そりゃあ御愁傷様です。残念でしたねえ。――おいくつだったんです?」

「三十九です」

「では、お嫁さんとお孫さんが」

「いいえ、まだ、独り者で」

(血が……服に……)

ふきは頭を振った。警官は、そうですか、と言ったきり口を噤《つぐ》んだ。それから永劫《えいごう》の時間が流れた。ふきにはすべての物音が、気配が恐ろしかった。警官が息を吐くたび、いよいよ訊《き》かれる、という気がした。

(息子さんは最近、山入に行きませんでしたか)

(戻ってきた息子さんの様子に、変なところはありませんでしたか)

(衣服に血がついていたようなことは――)

だが、警官はそれきり何も言わなかったし、車は特にふきを尋問するためにどこかへ連れて行くようなこともなく、山入の実家に着いた。警官が車を降り、世話役に支えられたふきが同じく車を降りて途方に暮れていると、目つきの鋭い男が二人やって来た。今度こそ訊かれるのだ、とふきは覚悟を決めた。なのに、兄の家族について訊かれて、かえって驚いてしまった。

「あの、家族ですか……？」

「秀正さんと三重子さんにお子さんは？　連絡先は分かりますか」

「ええ……二人おります。どちらも遠方に出てますけど。連絡先なら家に帰れば……」

刑事らしいその男たちが頷いてメモを取る。他にも様々なことを質問されたが、別段、血糊《ちのり》の話は出なかった。安堵《あんど》のあまりしゃがみ込みそうだった。茶の間と座敷に連れて行かれ、なくなっているものはないかと訊かれたが、やはり血糊の話は出なかった。三重子と対面したが、誰も秀正を訪ねて山入から戻ってきた秀司の服に血がついていたことは持ち出さなかった。

8

静信は樅の木陰から陽射しに炙《あぶ》られる集落を見上げた。

蟬《せみ》の声が響いて山の斜面に谺《こだま》していた。村迫家の家の付近の路上にはツートーン・カラーの車があちこちに停まっている。まるでテレビか映画だ、と静信は思った。それらのものや捜査員の姿は、恐ろしく現実感を欠いていた。

真っ先に駆けつけてきたのは駐在の高見で、高見に事情を説明し、あちこちの惨状を示している間に県警が到着した。静信は彼らを相手に再度、前後の事情を説明し、自分が辿《たど》った順路を実際に示しながら経過を説明させせられたが、それが終わるともうすることがなかった。見慣れない――異質な人々であふれかえった場所が気詰まりで、特にあてがあったわけでもないが、山入の道を歩いた。ひょっとしたら、これでもう本当に最後なのだと、そういう気があったのかもしれない。

村迫家付近の廃屋にも、軒下や家の中を覗《のぞ》き込む捜査員の姿があった。それで山入の入口までとぼとぼと道を下り、三叉路《さんさろ》の脇に坐って集落の死に様を見ていた。山入は死んだのだ、という認識と、今目の前にある喧噪《けんそう》の落差が、今日の朝、目《ま》の当たりにしたばかりの秀司の弔いに酷似していた。――まさしく、これはひとつの集落の、弔いの風景だった。

村から上ってきた村道は、ちょうど今、静信が腰を下ろしている場所から左に折れて山入の集落に入る。その右手にはかなりの広さの空き地があって、空き地の奥から右に向けてさらに北へと林道が延びていた。ぎりぎりトラックの車幅ぶんの山道だったが、左右に二筋、土の色に轍《わだち》跡が続いて林道がまだかろうじて生きていることを示している。

くっきりと残った轍跡の、炎天に白茶けた土と夏草の対比が、いかにも夏の色だった。空き地の隅には湧《わ》き水があるのだろう、小さな祠《ほこら》の前、縦横に残された轍跡がぬかるんでいて、そこに色鮮やかな蝶《ちょう》が水を求めて集まっていた。かろうじて囲いと屋根があるだけの祠には石柱と地蔵尊が納められていたが、それらは倒れ、折れた地蔵の首がぬかるみの側に転がっていた。赤い前垂れは昨年の（そしておそらくは三重子の手による）ものなのだろう、寂しげな色に退色している。傷口をさらした地蔵の首に、ガラスのような羽をきらめかせて、蜻蛉《とんぼ》が留まった。

死に絶えた集落と、生者の喧噪、蟬の声と鳥の声、鮮やかな夏の色とその生気、そこに入り混じった荒廃と死。山入は今、どこもかしこもそんな断裂に埋めつくされているように思われた。

なんとなく見るに堪えなくて、息を吐いて腰を上げる。陽射しと照り返しに炙られながら坂を登り、所在なく今度は義五郎の家に向かって道を歩いた。――我ながら、度を失っている、と思う。

大川家の地所の下にある石段に腰を下ろすと、村迫の家が真向かいで、村迫家の下に停まったパトカーと、その側に立ったふきが二人ほどの捜査員と話をしているのが目に入った。

「——よう」

背後から声をかけられ、振り返ると敏夫が地所から石段を下りてくるところだった。村迫家のほうを見やって眩《まぶ》しげに目を細め、石段に枝をさしかけている無花果《いちじく》の影に入って煙草《たばこ》に火を点《つ》ける。

「とんだ災難だったな」

敏夫に言われて、静信は思わず口許《くちもと》を押さえる。義五郎の家から、真っ先に敏夫に連絡をした。その指示に従って義五郎を捜したものの、老人の有様は思わず敏夫を恨みたくなるような状態だった。

「ふきさんの姿が見えた。……大丈夫なのか」

「何が」

「遺体の……確認だろう?」

言いさして、喉《のど》の奥が鳴る。あいにく、もう吐くものは残っていない。

敏夫は肩を竦《すく》めた。

「それは、おれがやっておいた。村迫の婆《ばあ》さんはともかく、二人の爺《じい》さんはとてもじゃないが御老体には見せられんよ。見たって意味がないだろう。ありゃあ歯形でも照合しないと、身許の判別はつかんだろう」

静信は頷《うなず》いた。

「この陽気だからな」敏夫は言って、眩しく晴れ上がった空を見上げる。「死んで何日なのか知らないが、この猛暑の中を放置されてたんだ。まあ、大した見物《みもの》だったさ。おかげでまだ鼻が利《き》かん」

　静信はこれにも頷いた。部屋の戸口から覗き込んだだけでも、同様の有様だ。検屍《けんし》に立ち会った敏夫は静信の比ではないだろう。

「どうして……あんな」

「死因を訊くなよ。連中が持っていって解剖するだろ」言って、敏夫は煙草を啣《くわ》えたまま苦笑する。「もっとも、あれだけ欠損があったんじゃ、本当に分かるかな」

「欠損」

　静信が訊くと、敏夫は素っ気なく言う。

「部品を数えてみたんだが、数が足りん」

脳裏に甦《よみがえ》ったのは、部屋に散乱した義五郎の残骸《ざんがい》だった。寝室は村迫家の台所のような有様で、一瞬、静信は、それもまた動物の死骸だと思った。

「それは……」

「野犬狩りをしてとっ捕まえた犬を解剖したところで、とっくに消化されてるだろうな」

「じゃあ、義五郎さんをあんなふうにしたのは」

「野犬だろう。少なくとも刃物で切断したわけじゃない。村迫の婆さんには、外傷がなかった。おそらく自然死だろうって話だ」

良かった、と静信は思わず呟《つぶや》いた。敏夫が静信を振り返る。

「良かった？　事件じゃなくて？」

「ああ、まあ。……不謹慎だったな。悪い」

「おれにそれを言うかね。少しも良かあないさ」

「自然死なんだろう？　少なくとも三重子さんは」

だからさ、と言って敏夫は煙草を投げ捨てる。

「爺さん二人のほうは、死後何日かが経《た》ってる。少なくとも昨日今日死んだって話じゃない。三重子婆さんのほうは、おそらく昨日かそのあたりだ」

それが、と言いかけて静信は口を噤んだ。

「昨日……？」

「そう」と敏夫は皮肉気に笑う。「面白いだろう。三重子婆さんは、ここ何日か、死人と暮らしてたことになるんだ」

四章

I

彼は朝靄《あさもや》の流れるアスファルトを見つめていた。

しんと冷えた国道は、西から村に接近し、大きく迂曲《うきょく》して村に入る。渓流を跨《また》いだ橋を越えて南へと向かい、自動車道の高架下を潜《くぐ》って村を出ていく。

彼は夜、唐突に焦《あせ》ることがあった。何かに急《せ》き立てられるような気がする夜、眠れないままラジオの音に耳を澄ませば、いっそう電波に追い立てられるような気がする。寝床の中で輾転《てんてん》して過ごし、明け方たまりかねて家を出る。そういったときには、散歩気分で歩いていることなどとてもできなくて、自然、歩調は小走りになり、引かれるようにして国道へと出た。

訳もない苛立《いらだ》ち、何に対してか自分でも分からない焦燥感。国道は冷えて横たわり、無言で南に延びる。彼はその行く末を思う。山野を貫き、町を集落を置き去りにし、都市へと向かうその道。この小さな山村の、彼の足許《あしもと》に横たわるアスファルトが、賑《にぎ》やかな街に通じているのだと、知識としては了解していたものの、それは周囲の大人が語る彼の「未来」のようにひどく現実感を欠いている。

今日がひとつ過ぎて、明日が降り積もる。明日の堆積《たいせき》がおよそ大人たちの言う「未来」とはなんの関係もなく思えるように、この道は夢幻に向かって吸い込まれていくように思えた。本当に、この道を歩いて行けば都市に出るのだろうか。想像してみても、朝靄に呑《の》み込まれて消えていく自分の後ろ姿だけが見える。

時折、静寂を震わせてトラックが駆け抜け、彼を置いて南へと去るのを、どこか自嘲《じちよう》するような気分で見送る、いたたまれない朝。じりじりと身の置き所のない気分で、それでもその場を立ち去り難くて、東の山の端《は》から陽が昇るのを無為に待った。やがて他にすることもなくて蜩《ひぐらし》の物憂《ものう》い声に踏ん切りをつけ、いつものように後ろ髪を引かれる思いで踵《きびす》を返すと、背後に連なる西の山には強い朝陽が鮮やかな陰影をつけている。眩《まぶ》しくて俯《うつむ》き、家へと引き返す。ほんの少し、打ちのめされたような気分がして、同時に安堵《あんど》もする、自分の不可思議。

今朝もまた、心中の割り切れないものを見つめながら、田圃《たんぼ》の中の道を引き返した。彼が国道にいるわずかの間に、村は目覚めようとしている。日曜であっても村の朝が早いことには変わりがなかった。狭い道路脇《わき》に並ぶ家々の窓は開き、そこここで人の気配がしていた。朝靄は蒸散し、東の山の影は掻《か》き消え、北を目指して歩く横顔には強い朝陽が当たる。——今日も暑くなるのだろう。

眩しくて目を細め、掌《てのひら》を翳《かざ》した彼の足許に、茶色の毛玉が飛び込んできた。同時に歯切れの良い声がする。

「たろ！」

声のした方向を振り返ると、引綱を握った女が駆けつけてくるところだった。彼の足にじゃれかかる柴犬《しばいぬ》には首輪がついてない。それもそのはず、彼女が握った引綱の先にそれは輪を作ったままぶら下がっていた。

「ごめんなさい。——太郎、おいで」

律子は慌《あわ》てて駆けつけ、ちぎれるように尻尾《しっぽ》を振ってじゃれかかる犬を捕まえた。ようやく仔犬《こいぬ》とは呼べないほどの大きさになった柴犬は、興奮しているのか、元気が有り余っているのか、取り押さえて改めて首輪をしようとしても、少しも腕の中に納まっていない。じゃれかかられた当の相手が手を貸してくれて、それでようやく首輪に繋《つな》ぐことができた。

「首輪を大きいのに換えたばかりなんで、ゆるいのかしら。すぐに抜けちゃうの。ごめんね、ありがとう。——夏野くん、だっけ？」

律子が言うと、彼は眉《まゆ》を顰《ひそ》める。ふいと顔を逸《そ》らして無言で小さく会釈《えしゃく》する様子がいかにも不快そうだった。自分を覚えていないのだろうか、と律子は思う。病院で何度か会ったことがある。とは言え、相手にとって自分は看護婦の一人にしかすぎず、一人一人の識別などついていないのかもしれない。

「ジョギング？　足はもういいの？」

そう重ねて訊《き》いたのは、相手がTシャツにジャージ姿だったせい、このまま会釈して別れるのがなんとなく決まりが悪かったせいだ。

たしかずいぶん前に脛骨《けいこつ》結節を腫《は》らして来ていた患者だったと思う。成長期の少年にはよくある病気だ。伸び盛りの時期を過ぎれば自然に治まるし、実際、彼の場合も何度か痛み止めを処方されただけでその後は来なくなったから、痛まなくなったのだろう。

「……足はもういいです。なんか、膝《ひざ》の下に出っ張りができたけど」

「軟骨が固まったんだ。じゃあ、もう痛まないね」

律子が言うと、夏野は仏頂面《ぶっちょうづら》で頷《うなず》く。取りつく島がないように思われて、じゃあ、と声をかけようとしたときに、当の夏野のほうから話しかけてきた。

「あの、看護婦さん」

「うん？」

「出っ張りの骨ができたら、もう背ぇ伸びないって聞いたんですけど、本当ですか」

重大なことのように訊くのが微笑《ほほえ》ましかった。先を急ぎたがる太郎に引きずられて二、三歩歩くと、答えを待つようにして夏野もついてくる。

「そうねえ……そう決まったものでもないけど」

犬の太郎に引かれるまま歩けば、特に行くあてもないのか夏野も脇に並ぶ。

「そうね。軟骨が骨化したってことで、成長期は過ぎた、っていう証拠ではあるんだけど。でも、もう中学生の頃みたいにずんずん伸びる時期は過ぎたってことだけで、完全に伸びるのが止まったってことじゃないから」

そうか、と複雑そうに言うのがおかしい。同時に少し安堵した。

病院で会ったのは二、三度のことだったが、律子はそれ以外にも早朝の散歩道で何度か夏野を見かけたことがあった。夏野は国道を見つめていた。自動車道のほうを望んで佇《たたず》む少年の姿は、まるで南に焦《こ》がれているようで、今にも村を出て歩み去ってしまいそうに見えた。声をかけて引き留めなければという思いに駆られたが、同時に声をかければ、それが彼の背中を南に向けて押し出してしまいそうで、できなかった。――そんなイメージが強かったから、彼がごく普通の少年のように身長が伸びるか伸びないか、そういう些末《さまつ》なことを気にしているのだと分かると、なぜだかほっとする。

「夏野くんは今年、高校に入ったんだっけ」

「はい。……それ、やめてください」

少年の声はぶっきらぼうで不快な調子が露《あら》わだ。

「ん？」

「下の名前で呼ぶの」

ああ、と律子は頷いた。姓は結城と言ったか、小出と言ったか。父親の姓は結城で母親の姓は小出だ。夫婦は入籍していなくて、彼は母親の籍に入っている。だから保険証の姓は小出になっていたと思う。病院では夏野、と下の名前で通っていた。姓がふたつあってどちらで呼べばいいのか誰もが困ったせいもあるだろうし、父親の結城と親交のある事務の武藤が、そう呼んでいたからかもしれない。

「嫌いなんだ？　名前」

夏野は仏頂面で頷く。

「いい名前だと思うけどな。清々《すがすが》しくて。お母さんがつけたんでしょ」

「親父《おやじ》。なんか、貴族の名前らしいけど」

「そうか。お父さん、ロマンティストなんだ」

夏野は顔を顰《しか》めた。

「でなきゃ、越してこないよ、こんなとこ」

「何にもない単なる田舎だもんねえ」

律子が笑うと、夏野は恥じ入ったように俯く。

「別に……そういう意味じゃないけど」

「そういう意味でも構わないじゃない。本当のことだもの」

——典型的な田舎、って感じだよな。

そう、言われた。その通りだ。

――余命幾許《いくばく》もない、って感じ。若い者がいるところじゃないだろ。

（その通りだわ）

律子は村を見渡した。V字型に開いた尾根は刃を開いた巨大な鋏《はさみ》のように見えることがある。いつかじりじりと閉じて、家も人も押しつぶしてしまいそうだ。

「そうね……本当に単なる田舎町。ずっと都会で暮らしていたお父さんたちにしたら、物珍しくて良く思えるのかもしれないけど……」

「看護婦さんって、足りないんでしょ、今」

「うん？　まあね」

「だったら、どこでも就職には困らないんじゃないんですか。ここ出て都会に行こうとか、思わないの」

「そうねえ……」

早起きの老人たちが律子らを認めて声をかけてきた。庭に水を撒《ま》く者、道路を掃除する者、すれ違う子供たちは明るい声を上げながら道を急いでいる。日曜はラジオ体操も休みだから、これから遊びに行くのだろう。

「ここで生まれちゃったからなあ」

おはよう、と背後から自転車で追い抜いていったのは、外場に住む広沢麻由美《ひろさわまゆみ》だった。

彼女は律子たちに手を振り、子供たちのあとを追うようにして北へと走っていく。これから仕事なのに違いない。

広沢麻由美は下外場の大川家から広沢家——通称、小広《こひろ》——に嫁いだ。以前は溝辺町の信用金庫に勤めていたが、結婚してからは、商店街のいちばん上にあるスーパー「たも」でレジ係をしている。三世代の同居、子供はまだいない。——律子はそんなふうに、村のいろんなことを熟知していた。

季節季節に恒例の行事、その行事で誰が何をするのか、どこの家は誰のものか、その姻戚《いんせき》関係はどうなっているのか。特に興味を持ってはいなくても、自然に耳に入るし、覚えるともなく覚えた。最近では仕事がそれに拍車をかける。村で唯一《ゆいいつ》の病院で看護婦をしていれば、本当に細かいことまで分かってしまうし、気安さも増す。道を歩いていれば、ひっきりなしに声をかけられた。

「やっぱり、縁ってものがあるし……」

律子は、おとなしく脇をついてくる夏野を振り返る。

「知り合いとか、親しい人とか、そういう人間関係みたいなものがあるから、田舎だとか都会だとかで住む場所を決める気になれないんじゃないかな」

「彼氏がいたり？」

茶目っけを含ませた夏野の問いに、律子は軽く相手をねめつける。

「そういうことじゃないの」

「不便なところになあ」

「ここより便利なところを知らないから、不便だと思わないのよ」

笑いながら、彼は村を出たいのかもしれない、と律子は思う。夏野が外場に越してきたのは中学のとき、都会で育った彼が住み慣れた場所に戻りたいと願うのは、むしろ当然のことかもしれなかった。

「分かんないな。住めば都ってやつ？　取り柄って言うと、自慢にもならないようなもんだけなのに。樅《もみ》とか、卒塔婆《そとば》とか」

そうね、と律子は頷いた。

——なんか、縁起悪いよな。薄気味悪いだろ。

卒塔婆の村と言えば、それは実際、不吉な響きをもって聞こえるのだろう。外の学校に通う子供は、誰もがそれで一度は揶揄《からか》われるものだ。だが、その木工所も減った。一時は卒塔婆だけでは立ちゆかずに棺《ひつぎ》なども作っていたが、今では老人が手作業で卒塔婆を作っているだけだ。その数ももう多くない。木工が寂れたあとはお定まりの農業と林業、それも専業の家は徐々に数が減って、大半が兼業だ。

律子の家もそんな典型的な外場の家庭で、寡婦《かふ》の母親が狭い田を耕し、律子と妹が働いて家計を助けている。——いや、正確に言うなら、今や家計は律子が支えていた。母親の作る田畑からの収穫は、一家の食い扶持《ぶち》ぶんだけ、足りないぶんは妹が収入を入れて補ってくれる。

律子は訳もなく息を落とし、目を西の山に向けた。樅に覆《おお》われた斜面、麓《ふもと》に小さく開かれた棚田。樅林の間にきらりと光ったのは、兼正の屋敷の雨樋《あまどい》か何かだ。

「……あの家、結局越してこなかったのね」

律子が呟《つぶや》くと、夏野が怪訝《けげん》そうに振り返った。

「あの家？」鸚鵡《おうむ》返しに呟いて律子の視線を追い、ああ、と声を上げる。「——兼正の家」

その建物に何らかの触発を受けたのか、母親が最近、家を建て直したいとしきりに言う。律子の家は古い農家だ。無駄な部屋も多いし、設備も古くて不便でならない。建て直すのは歓迎するところだが、実際に改築するとしたら、それは律子がすることになってしまう。

（分かってるはずなのに）

早くに父親を亡《な》くし、手に余る山林は放置したまま、もともと広くもなかった田畑でさえ耕作が追いつかない。蓄えと呼べるほどの蓄えも、一家にはない。母親がそれを分かっていないはずはなかった。——母親は律子に家をねだっているのだ。

——あんな辛気くさい村、出たら清々するだろ。

だから結婚しよう、と言われた。嫌いな相手ではないし、結婚したくないわけではない。自分でもこのチャンスを逃せば、もう結婚なんてできないのじゃないかと思う。

（でも……）

踏ん切りがつかないのはなぜだろう。母親は律子が村に残り、家を建て替えて先々まで面倒を見てくれることを望んでいる。ひょっとしたら自分もそれを望んでいるのかもしれなかった。ただ、母親のあからさまな期待は心に重い。それを思うと逃げ出したくなるが、自分が逃げ出せば今度は妹が縛りつけられる。それを思うと同じく心に重かった。あんな村、と悪し様《あざま》に言う相手と逃げ出すことになるのならば、なおのこと。

「そう言えば、親父が引越のトラックを見たとか言ってたな。虫送りの日に」

「そっか。結城くんのお父さんも、ユゲ衆をやったんだよね」

うん、と夏野は頷く。

「虫送りの夜に、ベットを焚《た》いてて、引越屋のトラックを見たって言ってたけど。でも、引き返したんでしょ。道を間違えたんじゃないのかな」

うん、と律子は頷いた。太郎に引かれるまま、いつの間にか川端の道を国道へと出ている。ひょっとしたら夏野はこの国道から戻ってきたのじゃなかったかと思ったけれども、それには触れてはいけないような気がして、律子はあえて問わなかった。西から延びてきた国道はここで川端の道と交わり、大きくカーブを描いてさらに南へ延びていく。

村の南限へと向かって。

「結城くん、喉《のど》、渇かない?」

「おれ、財布持ってこなかった」

「奢《おご》ってあげるわよ。妹と散歩に来ても、いつも奢らされちゃうの」

律子は笑って、ちょうど曲がり角にある「ちぐさ」の駐車場にある自販機に歩み寄る。「ちぐさ」とありがちな名前がついたドライブインは、矢野加奈美が女手ひとつで切り盛りしている。加奈美がいくつで、どういう人物か——そういうことまで律子は把握していた。加奈美とは十も歳《とし》が違い、加奈美自身はほとんど病院の厄介にならないにもかかわらず。

ドライブインの駐車場、道路に面した自販機に硬貨を落とし込み、律子は冷えた缶を取り出した。夏野のために硬貨を放り込んで、缶を開けながら村を掠《かす》めて去っていく国道を見渡した。国道の向こう側、ほど近いところにバス停が見える。誰もいないバス停は、置き去りにされているように見えた。

進歩が、崩壊が——変化が、村の外ではひっきりなしに続いている。村だけが外界から取り残され、外の世界との距離が増していく、律子にはそんなふうに思えた。遠く離れた外界、置き去りにされた村。その村も、確固としてそこに在り続けるわけではない。若者は出て行く。老人は死んでいく。徐々に小さく頼りない存在になりながら、寂しく置き去りにされている。

「村迫のお婆《ばあ》ちゃん……亡くなったのね」

「村迫――山入の？　昨日、山入の三人の死体が見つかったって聞いたけど」

夏野がリングプルを引きながら訊く。

「うん。でも、ついこの間、病院で会ったの。大川のお爺《じい》ちゃんの薬を取りに来て。とても元気そうで、なのにもう、みんないないなんて不思議ね」

昔――まだ村を挙げて卒塔婆を作っていた頃、村人は山入から樅を切り出し、川沿いの道を馬に引かせて門前に下ろした。門前で材木の形に加工された樅は、外場でさらに加工されて卒塔婆になる。律子が子供の頃には、村のあちこちに木工所がたくさんあった。その木工所がひとつずつ姿を消し、山入に入る者も減った。わずかに残った三人の老人が死んで、山入という集落は消滅した。そんなふうに、外場もやがて消えていくのだろうか、と思う。人が減り、バス停も取り除かれ、数人の住人だけが暮らすようになって、ある日、誰かが訪れてみると、全員が死んでいる。――外場の終わり。そんな日が来るのだろうか。

看護婦さん、と夏野が声を上げた。

「山入の三人、殺されたって本当？」

律子は物思いから覚めて夏野を振り返った。

「やだ。殺されたって話になってるの？」

「おれはそう聞いたけど」

「先生は病死だって言ってたわ。検屍《けんし》って言うの？　死体の検案に立ち会ってきたの。病気か何かで、別に事件じゃないって」

「なんだ」と夏野は苦笑した。「だろうと思ったんだ」

「だろうと思った？」

夏野は肩を竦《すく》める。

「変質者が入り込んだ、なんて言ってる奴《やつ》もいるらしいけど。でも、そんなはずないと思ったんだ。だって、こんな田舎のさらに奥に人が住んでるなんて思わないよな、普通」

律子は瞬いた。

「そうかしら」

「村道の先にまだ人が住んでるところがあるって聞いたとき、嘘《うそ》だろって思ったもんな。信じらんないよ。この村でさえ、電車もないところによく住むよな、とか思ってたけど、山入ってバスですら通ってないんだもん」

「そっか……そうねえ。わたしたちは山入のこと知ってるけど、外の人はそう思うかもなあ」

「村に関係のない奴がさ、むしゃくしゃして村に入り込んでくること自体、妙だし、入ってきたって村道を上まで走っていったら、この道は行き止まりかなと思うんじゃないかな。まさか人家が途切れたさらに先に、人が住んでるなんて思わないだろうし」

「それは……そうかも」

「だとしたら、犯人って村の人間だとしか思えないじゃない。でも、そういう危ない奴がいりゃ、みんな知ってるだろ。こういうところなんだしさ」

「そうねえ」

「お互いに監視し合って、ひとつにまとまってるようなところだもんな」

ひとりごちるような夏野の声に、軽く苦笑して律子は視線を落とす。

そう——そう見えるのかもしれない。外部の人間にしたら。

（辛気くさい村……）

出たら清々するだろ、だから結婚しよう。

（……けれども）

よく知った人々、幼い頃からあまりにも馴染《なじ》んだ小さな村。この村を出て、誰一人知らない町に移る。その寂しさを理解してくれない人を頼りにして。——律子には、とてもできそうもない。

目を上げると、夏野は缶を握ったまま南を見ている。おそらくは、律子もそうなる。

外場を懐《なつ》かしんで夜明け前の国道に立つ、そういう人生を選びたくはなかった。

「最近、卒塔婆を作る家が減ったなあ。……あの匂《にお》い、好きなのに」

夏野は振り返った。

「匂い、って、樅の？」

律子は頷《うなず》く。

「樅の匂いって好きなのよ。どういうわけか厳粛な気分にならない？」

「卒塔婆を作ってる匂いだと思うからじゃないの」

「たぶんね。……そう、死んだ人のことを懐かしく思い出してる気分の匂い」言って律子は、どこか晴れ晴れとした気分で空を仰いだ。「——よし、新しい家は樅材を使おう」

「新しい家？」

夏野は困惑したように律子を見上げてきたし、太郎もきょとんと顔を上げた。

「うん。改築するの。今の家って、もう古いから」

律子は笑って太郎を振り返る。

「太郎、帰ろう。——あんたも新しい小屋がほしい？」

「すげえ」

茶の間で小声を上げた息子を、田中佐知子は台所から振り返った。

台所は四畳半の茶の間に面して一段下がっている。かろうじて床は板張りになっていたが、かつての土間の名残だ。勝手口の三和土《たたき》は広く、隅には洗濯機が据えられている。以前はそこに風呂《ふろ》の焚き口があった。洗濯機の隣に見えるのは風呂場に通じるドアで、これらはすべて古い造作の名残だった。佐知子の家は古い農家の造りを、そのまま残している。改築したいとずっと思っているが、夫の両親がともに長患《ながわずら》いをしたせいで、それほどの余裕がなかった。

「ねえ、山入、載ってるよ」

息子は茶の間から佐知子のほうに身を乗り出し、新聞を示している。へえ、と佐知子は洗い物をする手を止めて、茶の間の段差に腰を下ろした。

「昨日のパトカーはこれだったんだ」

「ふうん……」

佐知子は小さな——ほとんど埋め草レベルの——記事に目を通し、昨日の騒動の原因を知る。山入で人が死んだらしい、という噂《うわさ》は昨日のうちに耳に届いてはいたが、さすがに詳細は分からなかった。

「あら、別に事件ってわけじゃないのね」

「まだ分かんないよ」

息子の昭は、何かを期待する口調で言う。そうね、と答えた佐知子の口調にも同様の色調が滲《にじ》んだ。

「どうしたの？」

茶の間に姿を現した娘が首を傾《かし》げた。昭は嬉《うれ》しそうに新聞を示す。

「かおり、山入が載ってるぞ」

「お姉ちゃん、でしょ」佐知子は言って、新聞を畳んだ。「かおり、出かけるの？」

「うん。ラブを水浴びに連れて行こうと思って」

「それより、山入に行こうぜ」昭が腰を浮かせた。「おれ、長いこと山入に行ってないんだよな」

「よしなさい」

佐知子は息子をねめつける。中学に入ったばかりの昭は、まだ少しも落ち着いたふうがない。子供じみたことばかり言う。

「人が三人も死んだばっかりなのに、縁起でもない。鬼に引かれるわよ」

「馬鹿《ばか》みてえ。――な、かおり、行こうぜ」

「いや」かおりは顔を蹙《しか》めた。「気味が悪いもん」

佐知子は昭を軽く小突く。

「そんな暇があったら、宿題しなさい。あんた、まだ手つかずでしょ。――かおり、足許《あしもと》に気をつけなさいよ。水が減って、河原が滑るから」

「うん」

「犬に水浴びをさせるのはいいけど、そのへんを転げまわらせないでね。水を浴びると前より汚れて帰ってくるんだから」

静信は炙《あぶ》るような陽射《ひざ》しを受けながら、上外場の集落に向かう。後藤田秀司の葬儀は予定通りに行なわれる。喪主のふきは山入で死んだ村迫秀正の妹だが、後藤田家に嫁いで家を出ている。村迫の不祝儀《ぶしゅうぎ》はあくまでも村迫家のもの、後藤田家とは別物だし、なにしろ夏場なので秀司も埋葬を急ぐ。村迫夫妻の遺体は解剖に持っていかれ、戻ってくるのもいつになるか分からない。それでとりあえず予定通りの葬儀になったのだが、弔問客の興味は秀司ではなく、山入のほうに集中していた。

「いくら歳とはいえ、三人、いっぺんになんてねえ」

「溝辺町あたりから頭のおかしい若いのでも入り込んできたんじゃないの。物騒な世の中になったもんだわ」

「本当にねえ。あたしなんて、生まれてから一度も戸締まりなんてしたこと、なかったけど。もうそんな時代じゃないってことなのかしらねえ」

「ほら、ちょっと前にも余所者《よそもの》が子供を轢《ひ》いていったっていう話じゃない」

静信は別室に控えていたが、夏場のことなので襖《ふすま》も障子も取り払ってある。集まった人々の会話は筒抜けだった。

なにしろ状況が状況だったので、憶測が乱れ飛んでいる。村人のほとんどは、それを事件だと思っているようだった。物盗《と》り、あるいは異常者の犯行。ならばきっと村の者ではなく、外部からやって来た何者かが犯人に違いない。——それが村の「常識」というものだった。

山犬に襲われたのではないか、というやや穏当な説は、今も山に入って林業に携わっている老人の間で盛んだった。

「このところ、本当に増えたからな。溝辺町の端に新しく住宅地ができたろう。あそこの連中が山に犬を捨てるんだよ」

「家に戻ってこないよう、わざわざこのあたりまで車に乗せて捨てに来るんだからなあ。それも、仔犬《こいぬ》や年寄り犬ってわけじゃないんだ。要は飼うのに飽きたとか言って、持て余して捨てにくるんだよ」

「猪田《いのだ》の元三郎《もとさぶろう》さんだったか、春先に酷《ひど》い目に遭ったんだろう。山入でさ」

「そうそう。あの人の山は山入の東のほうだからね。そこで山犬に襲われて、酷い按配《あんばい》だったんだよ。襲った犬ってのがさ、何とか言う立派な洋犬だったって言うからね。店で買ってくるような毛の長い大きなやつだよ。犬にも流行《はや》り廃《すた》りがあってさ、都会から越してきた連中は流行らなくなると捨てるんだ」

静信は喧噪《けんそう》の中に漏れ聞こえる人々の声に、じっと耳を傾けていた。野犬のせいだと言いながら、その野犬を作った原因は、やはり村の中ではなく外にあるのだった。中年の女たちは心中じゃないのか、と囁《ささや》き合っている。山奥の寂しい暮らし、頼るべき縁者はいない。山の中に取り残され、病と老いに蝕《むしば》まれ、それで耐えかねて自殺した、あるいは村迫三重子が進退窮《きわ》まって無理心中をしかけたのではないか、という説もあった。そしてこれだって行政の不備、福祉の不備が原因であり、あるいは村を出てしまった子供たちの酷い仕打ちのせいであって、村の内部に原因があるわけではないのだった。

村は外界から隔絶されている。村自身が外界を拒絶している、と言っても良かった。そうやって様々な角度から「外界から侵入してきた死」というものをあげつらい、不思議なことに、方々で静信や敏夫が言明しているにもかかわらず、事件でも事故でもない、自然死だという意見は、最初から存在しないかのようにちらりとも口に上らない。

そう――「それ」は常に村の外からやって来るのだ。実際にやって来るのは、溝辺町からでも近隣の集落からでも、もっと遠い――バイパスの彼方《かなた》にある都市からでもない。それは村の外部、村を取り巻く樅の中からやって来るのだった。樅の林は村の外部であって内部ではない。「それ」は樅の中、村の外からやって来て村人を捕らえていく。村の境界線の外にある混沌《こんとん》とした生死の境の向こうへと、村人を引いていくのだ。

(……屍鬼だ)

大川富雄は酒屋の片隅にあるカウンターで酒を飲んでいる連中に憤然と語った。

「突然、電話があって伯父貴が死んだって言うだろう。慌《あわ》てて駆けつけたら、見られた状態じゃねえ。たしかに伯父貴かと訊《き》かれたけどよ、訊かれたって分かるはずがねえだろう。なにしろ腐ったうえにバラバラになってんだから」

カウンターの酒灼《さけや》けした老人たちは、いっせいに顔を顰めた。

「暑くて腐ってただけじゃねえ。蛆《うじ》がびっしり集《たか》っててさ、ぱっと爺《じい》さんの顔を見たら、骨になってるのかと思ったぐらいだ。そのわりにゃあ、なんだか動いてるなと思ったら、これが顔中に集った蛆さ」

大いに誇張してまくしたて、その場にいた者たちに悪夢の種を植えつけた。

「おまけに、あちこちの廃屋やら伯父貴の家から、兎《うさぎ》や犬のずたずたになったのが見つかったらしくてよ。あっちもこっちも血の海さ。ありゃあ、きっとどっかから気の違った奴でも紛れ込んできたんだぜ。義五郎のおやっさんと村迫の夫婦を殺して、ずらかったに違いない。警察の連中は野犬だろうなんて言ってたが、あてになるもんか」

大川篤は、階段を伝い昇ってくる父親のダミ声を聞きながら、複雑な気分を抱えていた。畳の上に据えたベッドに身体《からだ》を投げ出し、天井を睨《にら》みつける。

(誰かが、山入を) 死人と引き裂かれた動物、血染めの家。(……襲った)

篤は天井に、なんとかその惨状を思い描いてみようとした。血、臓腑《ぞうふ》、死体。背筋がちりちりし、同時に何か血が沸くものがある。殺人者、凶器、暴力。死体と血。腹の底に何かが溜《た》まり、むずむずと揺れている気がした。なぜかしら、居ても立ってもいられない感じ。

「くそ……なんか、ぱーっとしたことがねえかな……」

無人になった山入を滅茶苦茶に破壊してやったら、この得体の知れない気分も吹き飛ぶかもしれない。けれども、と篤は思う。同じことを思って兼正に忍び込んでいながら、いざという段になって篤は怖《お》じ気づき、逃げ出してきた。それを思い出すと腹の底から苦いものが迫《せ》り上がってくる。また、あんな不様な真似《まね》をする破目になったら。

父親のダミ声が一瞬途切れ、続いて怒鳴り声が二階へと飛んできた。

「おい、篤、配達だ」

村の至るところで人が移動していた。人々は耳から情報を注ぎ込まれると、それが零《こぼ》れ出ないように小走りに歩き、辿《たど》り着いた先で内圧でもって弾《はじ》けるようにして口から吐き出した。にもかかわらず、駐在の高見が足を止めて何かを尋ねようとすると、ぴたりと口を閉ざしてしまう。積極的に口を開いたのは、加藤裕介がただ一人だった。

「山入でいっぱい人が死んだんでしょ。だれがやったか知ってるよ」

子供の声に高見が身を乗り出すと、裕介はきっぱりと西の山を示した。

「あの家だよ。あそこに鬼がいっぱいいて、そいつらがやったんだよ」

祖母のゆきえは、慌てて孫の口を押さえた。

「そういうことを言うんじゃないの。――済みませんね。物珍しい家が建ったものだから、すっかりお化け屋敷だと思い込んでるんですよ」

違うよ、と裕介は身を捩《よじ》ったが、祖母は手を放してくれなかった。どうして信じてくれないのだろう、裕介にはこんなに明らかなことなのに。

「本当だよ……」

裕介は小声で言い添えたが、大人たちは聞いてなどいないようだった。本当、ともう一度小さく繰り返して、裕介は口を閉じた。

2

「あら、若先生」

駐車場の傍らから声をかけられて敏夫が振り返ると、三人ほどの女が立ち話をしていた。陽射しを避けるように、門の脇《わき》の木陰に入ってハンカチで顔を扇《あお》ぎながら噂話に花を咲かせていたらしい。御苦労なことだ、と思いながら、敏夫はそそくさと車に歩み寄った。どうせ連中の話題など決まっている。

山からは鐘の音がしていた。埋葬式で鳴らす鐘の音だった。秀司が墓所に埋葬されているのだろう。立ち話をする女たちを避けて車の中に逃げ込んだものの、シートが灼けていて敏夫を芯《しん》から閉口させた。

山入の騒動は、村の連中をすっかり舞い上がらせている。あちこちで寄り集まっては、憶測を逞《たくま》しくしているようだった。敏夫が検屍に立ち会ったことをどこからか聞きつけたようで、おかげで今日は休診日だというのに、急患がやたらに多かった。当たり前の顔をして診察を求める患者が引きも切らず、おまけに往診の求めも多い。そこで何を聞くかといえば、本人の容態の話ではなく、山入の事件に関する論評なのだった。無駄話をしたがる患者の言葉を、断ち切るように塞《ふさ》いでこなしていっても、患者の切れ間がない。正直言ってうんざりしている。

その記憶と、車の中に籠《こ》もった熱気に辟易《へきえき》しながら、敏夫は水口へと向かった。村道を下った南のほうでは、渓流の対岸に細長く集落が延びている。橋を渡ったそこが水口だった。

水口のいちばん下、狭い田圃《たんぼ》と林とも呼べないほどの竹の茂みを隔ててぽつんと一軒建っている荒ら家《あばらや》は、伊藤郁美の家だった。荒ら家という言い方は決して不当ではないはずだ。古い建物は歳月に洗われ、一見して廃屋かと思うほど荒《すさ》んでいる。瓦《かわら》の割れた屋根は歪《ゆが》んで傾いているし、雨の漏る箇所に載せたトタン板は錆《さ》びて穴が開いている。果たしてきちんと開くのか、昔ながらの木枠の窓に入ったガラスは、ガラスとしての用をなさないほどに汚れていた。玄関のガラス戸は傾いて、その上方に下がった古風な電灯は笠《かさ》が割れ、電球が黒ずんだままになっている。

「こんにちは」

敏夫はガラス戸の中に踏み込み、声をかけた。中は薄暗い土間で、熱気が籠もった中にむせ返るほど強く安い線香の匂いが漂っている。玄関の正面には、えぐれた土間がまっすぐに裏まで続いていて、その奥から顔を出したのは、郁美の娘、玉恵《たまえ》だった。歳《とし》は敏夫よりも三つほど上のはずだが、疲れ果てたような顔は、すでに一廻りも年上であるかのように老《ふ》け込んでいる。

わざわざどうも、と往診の礼を言った玉恵の目は、どこかしら虚《うつ》ろだった。でっぷりと太り、無気力を絵に描いたような玉恵の様子は、敏夫の記憶にある限り昔からのものだ。玉恵が頭を上げると同時に、奥のほうから声が響いた。

「若先生ですか？　どうぞ」

敏夫は玉恵に会釈《えしやく》をして、土間を奥に向かう。台所の手前にある部屋の、土間に面したガラス戸が開いており、穴蔵のような六畳の隅に薄い布団《ふとん》が敷いてあった。その上には女が坐《すわ》っている。これが玉恵の母親、郁美だった。

「どうぞ、上がってくださいな」

伊藤郁美は、娘とは逆に痩《や》せた顔に満面の笑みを浮かべた。敏夫は内心の溜息を隠して六畳に上がる。身を縮めてかろうじて空いた畳の上に坐った。畳の上のスペースが異様に狭いのは、ぎっしりと家財道具が置かれているからだ。部屋の半分を占めるのではないかと思われるような、仏壇とも神棚ともつかないもの、その前に据えられた台の上には、火鉢と見まがうようなサイズの香炉が置かれており、そこで焚《た》かれた線香が部屋を燻《いぶ》していた。油煙で黒ずんだような、妙な光沢のある棚がふたつ置かれていて、そこには意味不明の小物が埃《ほこり》にまみれて並んでいる。

敏夫はそれらのものから目を逸《そ》らし、事務的に診察鞄《かばん》を引き寄せた。

「どうしました」

「昨日から、どうも熱っぽくて」

郁美は言ったが、顔には生気が漲《みなぎ》っていた。少なくとも今日会った誰よりも健康そうに見える。

「体温は」

敏夫は訊きながら、体温計を渡した。この家には体温計がない、それは重々承知している。郁美は頻繁に往診を依頼するが、座布団を出されたこともなければ、茶の一杯が出たこともない。客用の座布団などというものは、そもそもこの家には存在しないのだと思う。客用の湯呑《ゆの》みがあるかどうかも怪しかった。

郁美はいそいそと体温計を手に取り、腋《わき》に挟む。敏夫が脈を取り、血圧を測る間、山入の騒動について語り始めた。パトカーがタケムラの前を通って驚いたこと、山入でとんでもない事件が起こったと聞いて衝撃を受けたこと、村迫夫妻の、義五郎老人の人物評、そんなものについてまくし立てた。郁美を無口で暗い女だとする向きもあるが、少なくとも敏夫に対しては洪水のように言葉を吐き出すのが常だった。敏夫はそれに生返事を返しながら、機械的に聴診器を当てる。

郁美は有名な吝嗇家《りんしょくか》だ。いまどき、山から薪を切ってきて竈《かまど》を使い、風呂《ふろ》は近所の湯をもらい湯する。一円の出費でさえ惜しむくせに、頻繁に敏夫を往診に呼ぶ。これには、医者を——あるいは「尾崎」を家に呼びつけるのが、郁美なりの奇妙な拘《こだわ》りなのだろうという説と、病院に診察を受けに来ると、いらぬ検査をされて検査料がかかると信じているからだろうという説があった。いずれにしても、往診に来て、実際に郁美の具合が悪かったことはない。郁美は村で何事かがあったときに、敏夫を呼びつけるのだし、ごくたまに、本当に具合が悪いときにも治療や投薬は拒んだ。もちろん、保険には入っていない。親子で細々と田圃と畑を作り、あとは他人の善意をあてにして食っている。

敏夫は通り一遍の診察をして、特に異常はない、とだけ答えた。

「そう？　変ねえ、とても怠《だる》いんだけど」

郁美は言って、ところで、と身を乗り出す。

「後藤田の秀司さんが亡《な》くなったそうじゃない。あれって山入と関係ないのかしら」

「関係？」

「だって、変じゃないですか、立て続けに死人が出るなんて。しかも、秀司さんは、村迫の秀正さんの甥《おい》でしょう？　何かあるんじゃないかしらね。村迫の家も、残っているのは秀正さんだけでしょう。秀正さんと、ふきさんと、二人しか残らなかったけど、もともとは五人兄弟なのよ、あそこは。けども、三人は若いうちに亡くなったの。おまけに三重子さんは、最後の子供を死産してるしねえ」

敏夫は聴診器を片付けながら溜息をついた。

「また祟《たた》りだの何だのと言い出すんじゃないだろうな」

あら、と郁美は心外そうだった。

「だって、おかしいじゃないですか。同じ血筋で立て続けに三人も死んだんだもの」

「義五郎さんも亡くなってるよ」

「義五郎さんは、村迫の家と家族同然だったじゃない。とばっちりを食ったってことも、あるんじゃないかしらねえ」

「何のとばっちりだい。あんまり馬鹿《ばか》なことを言うもんじゃない」

「若先生はすぐにそう言うけど、実を言うと、わたしは見たのよ」

「見たって何を」

「実はね、十日ほど前だったかしら。妙な夢を見たの。山入の上に真っ黒な雲が浮いてるのよ。それだけの夢だったんだけど、わたしはピンと来たわ。きっと山入で良くないことがある、って」

「単なる夢だ。——じゃあ」

言って立ち上がりかけた敏夫の膝《ひざ》を郁美は摑《つか》んだ。しっかりと体重をかけて縋《すが》りつくようにしたまま放さない。

「伊藤さん」

「わたしには分かったのよ。絶対、山入で不幸があると思ったんだから。そしたら、秀司さんに続いて、あの騒ぎでしょう。やっぱり村迫の家には、何かあったのよ。わたしは若い時分に、三重子さんにそう言ったことがあるんだから。あの家は良くないわよ、あんた、あそこに入ったままでいるとろくな死に方しないわよ、って。けども、三重子さんも人の話には耳を貸さない人だから。そしたらあの夢でしょう。わたしにはピンと来たけど、また妙な顔をされるのも嫌だから。それで黙ってたんだけど、分かってて何もしないのも気分が悪いじゃない。だからね、特別にお祈りをしたのよ、村迫の家で嫌なことが起こりませんように、って。そしたら、御祈禱《きとう》の最中にヤモリが出てきたの、それも二度も」

そう、と素っ気なく言って、敏夫は郁美の手を引き剝《は》がそうとしたが、右手を剝がせば左手が伸びてくる。

「これは駄目だ、と思ったのよ。それだけじゃないの。ほら、わたしは前々から言ってるじゃない、今年はおかしいって。お正月に占ったとき、良くない予感がしたのよねえ。そしたらこの暑さで渇水《かっすい》でしょう。おまけにね、今年に入ってからずっと、兼正の家のほうから良くない気を感じるの。悪いものが淀《よど》んでる感じがするのよ。こないだからそれが、山入のほうに流れていってるなって思ってたの。ほら、水が流れるみたいにね、ちょろちょろ山入のほうに流れてる感じがしたのよ。そしたらあの予知夢でしょう。兼正の土地を売ったのは良くなかったと思うのよ。あれで村の気が、ぐっと悪いほうに傾いたのね。もともと兼正は曰《いわ》く因縁のある場所だし」

「伊藤さん、おれはあんたの御託を聞いてられるほど暇じゃないんだがね」

「まあ、お聞きなさいって、悪いことは言わないから。兼正のあの家ね、あれは良くないのよ。あの家、方角も良くないの。門の位置が変わったでしょう、兼正の前の家と。あれは良くなかったのよ。せめて前のままにしておかないといけなかったの。それを教えてあげようと思って、訪ねたんだけど、誰もいないでしょう。きっとね、不幸があったのよ。賭《か》けてもいいわ。越してくる予定だったのに、身内で不幸があって、それで越してこれなくなったの。無理もないわ、あんな家、建てるんだもの」

「伊藤さん」

「これだけじゃ終わらないわよ。もしもあの家に、本当に人が越してきてごらんなさい。もっと酷《ひど》いことになるから。若先生、知ってます？　うちの近くにね、三猿の石碑があるじゃないですか。あれが割れたんですよ、つい先日。ちょうど山入で三人が死んだ頃なのよ、それが。それで気になって見に行ったら、三之橋の袂《たもと》のお地蔵さんも、神社の手前の弘法さまも壊れてたんですよ。首が落ちてバラバラに割れてたの。聞けば、義五郎さんの死体はバラバラになってたって言うじゃないですか。これが無関係だなんてこと、あると思います？」

「おれには、無関係としか思えないがね」敏夫は邪険に郁美の手を引き剝がした。「とにかく、特に具合の悪いところはないから。できればおれを呼ぶ前に、もう少し冷静に様子を見てほしいもんだな」

あら、と郁美は敏夫をねめつける。

「わたしは冷静ですとも。どうせ、わたしの言うことを信じてないんでしょう。けども、妙な予知夢を見て以来なんだから、調子が悪いのも。きっと毒気に当てられたんだと思うわ。ずっとなんだから、本当に」

そう、と言い捨てて、敏夫は土間に下りる。二度と郁美の往診だけはしたくないものだと切実に思うが、きっとまた呼ばれることになるのだろう。直接、郁美から電話があって呼ばれるのなら、断りようもあるし、電話で様子を訊《き》いて済ますこともできる。けれども必ず電話してくるのは娘の玉恵で、往診を断ろうとすればヒステリックに泣く。あとで郁美に叱《しか》られると言って泣き組ったあげく、泡を吹いて倒れ、玉恵のほうが救急車で運ばれたこともあった。敏夫の父親は、この親子を毛嫌いし、往診に呼ばれるたび青筋を立てて怒っていたが、それでも根負けする形で、結局、かんかんになりながらも足を運んでいた。おそらくは敏夫も同様に、また引っぱり出されることになるのだろう。

まだ何かを言い募っている郁美を置いて、さっさと土間を玄関に向かう。玄関脇の部屋から玉恵が出てきて頭を下げた。差し出した封筒は、使用済みのダイレクトメールのもので、その中には、最低限の規定額が入っていると、敏夫は長年の付き合いで知っている。

「どうも……」

玉恵は沈んだ声で言う。敏夫は溜息まじりに封筒を受け取った。

「玉恵さんの苦労は分かるけどね、こういうことで呼ばないでくれないか。こうしている間にも、本当に診る必要のある急病人が、病院に駆け込んでいないとも限らないんでね」

済みません、と玉恵はたっぷりした身体を縮めた。

「お母さんが、どうしてもって……」

「それは分かっているよ。だが、おれだって、世間話のために呼び出されたんじゃ困るんだよ。せめてお母さんのほうが病院に来るよう説得するなり、少しは玉恵さんが水際《みずぎわ》で止めてくれないと」

「……はい」

玉恵は、うっそりと頭を下げた。敏夫は再度、溜息をついて玄関を出る。道には陽炎《かげろう》が立ち、灼《や》かれたアスファルトは熱波を上げている。気怠いほど淀んだ空気にうんざりせざるを得なかった。

あの母親を抱え、二人きりで生活している玉恵の苦労は分かっているが、こうして忙しい中、しかも暑い中を引っぱり出されれば玉恵に対しても苛立《いらだ》ちを感じないではいられなかった。せめて二人に意見してくれる親戚《しんせき》なりともいればいいのだが、郁美は村外から嫁に入った女で実家とは疎遠《そえん》だし、あの奇妙な言動のせいで村内の親戚筋とはものの見事に縁が切れている。近隣の者も、敬して遠ざける、というふうで、相手をするのは暇を持て余したタケムラの老人たちぐらいなものだ。要求されれば面倒は見るし、それなりの手助けもするが、係わり合いになることを決して歓迎するわけではない。親子は村のはずれ、二人きりで孤立していた。

「やれやれ……」

まだ線香の胸が悪くなるような残り香が、白衣に染《し》みついている気がする。静信との友誼《ゆうぎ》のせいで、線香の匂《にお》いには慣れているが、寺で嗅《か》ぐ線香の匂いは嫌だと思ったことがなかった。むしろそれなりに風情《ふぜい》のある匂いだと思っているくらいだが、これは自分の気分の問題なのだろうか、それとも線香自体の問題なのだろうか。

病院に戻ったら白衣を換えよう、そう思いながら病院の脇の土手道にさしかかったところで、ちょうど駐在の高見が姿を現した。制服姿のまま、首に引っかけたタオルで首筋を拭《ぬぐ》っている。車を寄せて停めると、高見は親しげに笑った。

「ああ、若先生」

高見の木訥《ぼくとつ》とした笑みに、敏夫は少しく救われた気がした。

「お疲れさん。見巡《みまわ》りかい」

「そちらこそお疲れさまです。往診ですか」

「伊藤の郁美さんのとこにな」

敏夫が言うと、高見は大仰に息を吐いた。

「そりゃあ、本当にお疲れさまでしたねえ」

「まったくだ。高見さんも茹《う》だってるふうだな。冷たいものでも飲んで涼んでいくかい」

「そりゃあ、ありがたい」

高見は破顔する。敏夫は助手席を示したが、手を振って病院を示す。病院の敷地まで十メートルかそこらだ。意を察して車を走らせ、駐車スペースに入れていると、高見があとを追って敷地に入ってきた。

「いやね、念のために聞き込みのまねごとをしてみたんですけどね」

敏夫は車を降り、高見の照れくさそうな顔を振り返った。

「聞き込みって、何を」

「もちろん、山入のあれが自然死だってのは承知なんですが。いちおう、不審な人物を見なかったか確かめておくのも悪いことじゃないだろうと思いましてね」

「ははあ」

「単に、そんなことでもしてないと、どうも役目を果たした気がしないという、それだけのことだと言えば、そうなんですけどねえ」

高見は笑って顔を拭った。敏夫も、通用口に向かいながら笑う。

「それが人情ってものかもしれないな」

「それで思い立って、あちこち聞いてまわったのはいいんですが、結局、聞いたのは加藤さんちの坊やの話ぐらいなもんですわ。なんでも、何日か前に怖い小父《おじ》さんが村道を上に向かって歩いていったとか」

「怖い？」

敏夫は通用口から上がりながら問う。

「子供のことなんでね、何がどう怖かったんだ、と訊いても要領を得なくて。どうも、夕暮れ時に男を見かけて、それがバットだか金槌《かなづち》だかを持ってて、怖かったというだけのことらしいんですけど。裕介くんによると、兼正の家は鬼の巣なんだそうです」

敏夫は笑った。

「子供らしいって言うのかね。おれも餓鬼の頃はそんなだったのかな」

「覚えてないんですか？」

「忘れちまったよ。どうも周囲の人間の話を総合するだに、そういう可愛気《かわいげ》とは縁遠かったようだが」

高見が声を上げて笑って、休憩室から清美が顔を出した。清美ももちろん休みだが、患者があまりに多くて埒《らち》が明かないので出勤してもらった。せっかくの休日に清美も迷惑な話だが、給料を出すわけだから敏夫にとっても迷惑な話だ。

高見は制帽を脱いで清美に挨拶《あいさつ》をする。敏夫は高見を連れて控え室に戻り、白衣を脱いで放り出すとクーラーの通風口の前に立った。それでようやく人心地がついた。

「クーラーってのは、人類にとって最大の発明だって気がするな」

「クーラーと冷蔵庫じゃないですか」

「かもしれん」

「暑い中を歩きまわって、やっと聞けたのが、その怖い小父さんの話と、車の話だけですわ。ほら、七月の終わりに下外場の子供が車に引っかけられたことがあったじゃないですか」

ああ、と敏夫は頷《うなず》いた。

「あれきり別に見慣れない人間を見かけたこともないってんですから、村は平和です」

「それだけ世間が閉じてるんだろう」

高見は帽子で顔を扇《あお》ぎながら笑う。

「いちおう、気になるんで兼正にも行ってみたんですけどね」

「それであんなところを歩いてたのか。しかし、気になるって何が」

「いや、あの車――黒の大きな外車だったたって話でしょう。それで兼正の車なんじゃないかという噂《うわさ》がありましてね」

「なるほどな。極めて分かりやすい連想だ」

「だもんで念のために兼正の様子も見てみたんですよ。本当に無人なのかどうか、確かめておくのも悪くない気がしましてね」

「ふうん？」

「門には内側から閂《かんぬき》がかかってるようで、押しても引いても開きません。通用口も同じですわ。それで、ちょっと中を覗《のぞ》いてみたんですけどね」

敏夫は口を開けた。

「なんだい、塀を乗り越えたのかい」

ええ、まあ、と高見はいっそう照れたふうだった。

「気になったもんでねえ。中は可哀想《かわいそう》なことでしたわ」

「まさか、荒らされてたとか？」

「いや、そういうわけじゃ。前庭に、ずーっと芝を植えてあるんですよ。ところが、住人がいなくて水をやってない、そのうえこの日照りでしょう。それで、せっかくの芝がすっかり枯れててね。ありゃあ、もう一度植え込まないと、芝生になりませんや」

なるほど、と敏夫は笑った。

「でも、おかげで車が入ったり人が出入りしたんなら、土が荒れて分かったんじゃないですかね。とりあえず踏み荒らされた形跡はなかったんで、やっぱり住人はいないんでしょうねえ。少なくとも、出入りしてる者はいないふうでした。窓から中を窺《うかが》ってもみたんですが、どうも人がいる様子じゃない。ついでに裏口に廻って、メーターも見てみたんですけどね」

「へえ？」

「水道もプロパンも、元栓から締まってましたわ。電気のメーターもぴくりとも動いてない。プロパンも使った様子がなかったしねえ。ありゃあ、無人でしょう。ああも閉め切ってたら、それこそクーラーと冷蔵庫の恩恵なしにゃ、生活できない」

「そうだろうな。クーラーはたまたま切ってるとしても、冷蔵庫が動いてりゃ、メーターは動くだろうしな」

「そうなんですよ。いや、とんだ骨折り損でした」

高見は陽に灼けた顔を赤らめて笑う。敏夫もこれに苦笑を返した。誰もが話題に飢えている。——いや、変化に飢えているのだ。十年一日のように、なんの変化もない暮らし。山入の事件は、そこに投げ込まれた石だった。彼らはその波紋を、できるだけ長く保ちたいのかもしれない。単なる不幸な偶然では片付けてしまいたくないのかも。その気持ちは敏夫にも分からないでもなかった。

3

「どうです、厄落としをしていきませんか」

広沢が言うと、武藤も頷く。結城にも否《いな》やはなかったので、二人についていった。

後藤田の葬儀のあとだった。結城は初めて埋葬式に参加し、土の下に埋められる棺《ひつぎ》を見た。村の内で使われる棺には蓋《ふた》に小窓がない。葬儀の終わりに釘《くぎ》を打たれたまま、火葬場でそうするような最後の対面もなかった。そのせいか、棺が穴の中に埋められてしまっても死者が葬《ほうむ》られたという感触に乏しく、火葬場で遺骨が上がってくるときのように永遠に死者と切り離された、という感じはしない。火葬とは違う奇妙な別離がそこにはあった。

広沢と武藤は村の中心部——外場と呼ばれる——に向かい、商店街のはずれにある店に入っていった。

結城は興味を惹《ひ》かれた。村に越してきて一年になるし、商店街には生活の必要もあって頻繁に出入りする。はずれにあるこの建物には気づいていた。白っぽいテラコッタ仕上げの壁、アルコーヴのように窪《くぼ》んだところに黒い木製のドアがあり、磨りガラスが入っている。どうやら店舗らしいのだが、磨りガラスからは店の中が見通《す》せず、表に面した小さい窓もステンドグラスが入っていて、やはり中は覗き込めない。店の名前は「creole」なのだと思う。磨りガラスに金文字で入っているが、結城はそれを何と読むのか分からなかったし、ましてや何の店なのかも分からない。店を見るたびに気になってはいたが、さほどに重要なことでもないので、いつか武藤なりに訊いてみようと思いつつ忘れていた。

広沢がドアを開けると、クーラーの冷気と一緒に静かなピアノの音が流れてきた。カウンターと小さなテーブル、コーヒーの匂い、喫茶店だったのか、と結城は得心した。

「いらっしゃい」

カウンターの中には、四十半ばの痩《や》せた男が入っている。白いシャツに黒いズボン。

バーテンダーを思わせる風貌《ふうぼう》だった。広沢は迷わずカウンターに坐《すわ》る。結城も武藤とそれに並んだ。

「お揃《そろ》いで。不祝儀《ぶしゅうぎ》ですか?」

親しげな声に、広沢が頷く。アイスコーヒー、と声をかけるので、結城もそれに倣《なら》った。

「弔組でね。——こちらは」と言って、広沢は結城を振り返る。「結城さん。こちらはマスターの長谷川《はせがわ》さん」

よろしく、と長谷川は会釈《えしゃく》をして笑う。

「工房の結城さんですよね。初めまして」

「こちらこそ。……喫茶店だったんですね、ここは」

結城が言うと、長谷川は声を上げて笑った。

「食事も出しますし、夜には酒も出しますけどね」

「この人は」と、武藤は渋い顔をする。「わざと看板を出さないんですよ」

「何か理由があるんですか? いや、わたしもお店には気づいていたんですが、何のお店だか分からないので遠慮していたんです。居心地のいい喫茶店を探していたのに」

「それは失礼をしました。これを機会に御贔屓《ひいき》に」長谷川は言って、含み笑う。「いいんですよ、これくらいで。でないと近所の小父さん小母《おば》さんの溜《た》まり場にされちゃいますからね。有線で流行歌を流せだの、ランチに納豆をつけろだの言われるのは真っ平御免ですから。まあ、不遜《ふそん》ながらこうやって客を選んでるわけで」

「だから敷居が高い」武藤が恨めしげに言った。「喫茶店の看板も上げないし、わざと店の名前も横文字にして、読めないようにしてるんですからね、この人は」

「何と読むんですか、あれは?」

「クレオールですよ」広沢が言った。「結城さんはジャズは?」

「嫌いじゃありません。そうか、そのクレオールか。でも、だったらディキシーなんじゃないですか?」結城は笑った。「チック・コリアじゃなく?」

「やりますね」長谷川は破顔する。「当店はお客様のような方をお待ちしておりました」

くすくすと結城は笑った。

「長谷川さんも、転入組なんですよ」広沢も笑っている。「もっとも、奥さんが外場の方なんですけどね」

「ああ――そうなんですか」

「もう三年になりますかね」

広沢の問いに、長谷川は頷いた。

「三年半ですね。なんとか商売になってるからありがたい。越してきた当時は、女房に畑を作ってもらわないといけないかと思ってましたが、それなりに御贔屓にしてくれる人に恵まれたんで」

「わたしがこれを言うのはなんですが、どうしてまた外場に？」

長谷川は苦笑した。

「商社マンだったんですけどね。四年前に一人息子を亡《な》くしましてね」

結城は言葉に詰まった。

「いや、気にせんでください。バイクの事故で呆気《あっけ》なく。それで気抜けしちゃいましてね。都会で踏ん張る気力がメゲたっていうか。女房の親父《おやじ》が一人で残ってたんですけど、息子のあとを追うみたいに死んで。それで越してきたんです。喫茶店でもやって、夫婦二人で隠居するか、と思って」

「そうなんですか。奥さんはお店には？」

「今は外に出てます。夕飯時にはちょっと早いんで。昼時と夕飯時、それ以降なんです、書き入れ時は」

「ランチも出るんですか？」

「簡単なものと日替わりしかありませんけどね。夕飯も似たようなものです。基本はコーヒーと酒なんで」

「それは助かるな。外場はいいところなんだけれど、一人で飲む場所がなくてね」

「そうでしょう」と、長谷川は笑う。「外場に越してこようと思ってね、いちばん気になったのがそれだったんですよ。でも、外場じゃ酒を飲む場所も喫茶店もないし、と思って。それで自分で始めることにしたんです。もともと興味もあったんで。半分は道楽みたいなもんですね」

なるほど、と頷く結城に笑って、長谷川は広沢を見る。

「今日は学校は——ああ、今は夏休みか」

「本当は、ここしばらく出ないといけないんだけどね。今日は勘弁してもらいました」

「お疲れさまです。暑かったから大変だったでしょう」

「そうでもなかったかな。もう整理をしてあったんで」

「整理？」

結城が訊くと、広沢は頷く。

「墓所のね。墓穴を掘るところが更地《さらち》になっていたでしょう」

「ああ……」

「土葬ですから死人が一人出ると、棺ひとつぶんの土地がいる。けれども、こちらじゃ樅を植えますからね。弔い上げになると墓——角卒塔婆を倒して樅を植えるんです。新仏《にいぼとけ》が出て土地が必要になると、いちばん古い樅を倒して整地する。それを整理と言うんですが、整理が済んでないと本当に大変なんですよ。夏場のことだから整理がつくまで埋葬を待つわけにもいきませんからね」

「樅を倒すんですか？　ぼくらが？」

「することもありますよ。ほとんどは安森工務店に頼みますけどね。夏場はあそこに頼まないと、間に合いません」

「安森工務店——ああ、門前の。あそこはそういうこともやるんですか」

「村の中では普請《ふしん》が少ないですからね。あそこが村の中でやる仕事は、ほとんどが墓所の整理です。後藤田のお婆《ばあ》ちゃんが、ついこの春、工務店に頼んでやってもらったばかりらしいですね。まだ土も軟らかかったし、おかげで我々は大助かりですが、自分のための場所に息子が入るんじゃあ可哀想な話です」

「外場では、死ぬ前に整理をしておくんですか」

「そういうことをする人もいます。年老いた親が自分の死期を見て、残された者が慌《あわ》てずに済むよう、自らの墓所を整える。少なくはないことですが、誰もがそうするわけでもありません。後藤田のお婆ちゃんは心掛けの良い母親だ」

「……そうですね」

「本当に可哀想な話ですよ。どうも、かける言葉がなくてね。長患《ながわずら》いの年寄りが死んだのなら、遺族に対しても慰めようがありますし、遺族自身にしても心の準備のしようもあれば、諦《あきら》めようもあるでしょう。けれど、子供に急死された親を慰める言葉なんか、この世に存在するんでしょうかね」

広沢が言うと、感慨深気《げ》に長谷川が頷いた。武藤も何やらしみじみとした顔をする。

広沢はグラスを覗き込んだ。

「わたしにも四つになる娘がいますが、あの子が死んだ時のことを想像すると、慰めようと考えること自体、無意味な気がします」

結城は一人息子の顔を思い浮かべた。

「……たしかに、そうですね」

自分が老境にさしかかり、息子だけが残され、そして自分が死を覚悟した頃になって、息子に先立たれてしまったら。残された親の苦しみは想像に余りある。結城は、ふきの痛ましいほど頼りなげな姿を思い出した。葬儀の喧噪《けんそう》の中でただ一人、寄る辺を失ったかのように身を縮め、じっと悲嘆に耐えていた姿。誰もが、かける言葉を見つけられなかったのだろう、老母は衆人の中でぽつんと坐っていた。――いや。

結城は微《かす》かに眉根《まゆね》を寄せる。周囲の人間はむしろ、ふきのことなど念頭にないように見えた。誰も息子を亡くした老婆《ろうば》を顧みていなかった。その場にいた人々の興味は山入のほうに向いていたのだ。

「……あんなものなんですかね」

結城が呟《つぶや》くと、広沢が首を傾《かし》げる。いや、と結城は苦笑してみせた。

「秀司さんの葬儀が、どうも別のことで賑《にぎ》やかだったから。なんとなくこういう小さな地域社会では、ああいう場合、親身になって遺族を支えようとするものだという思い込みがあったんで」

長谷川と武藤が顔を見合わせた。広沢は困ったように微笑《ほほえ》む。

「たしかに――今日の葬儀じゃ、秀司くんも、ふきさんもそっちのけで山入の話ばかりでしたが」

それは、何かの祝祭のようだった。村人が話題に飢えているのは分かる。こういう事件が得てして周辺の者を喜ばせるものであることも。だが、なにも葬儀の席であああまで燥《はしや》がなくても、という気がしたのもたしかだった。

「しかも、起こったことは惨事でしょう。同じ村の老人が三人、非業《ひごう》の死を遂げたわけじゃないですか。それが大事件だということは分かるし、だから葬儀の席上でも口の端《は》に上らざるを得ないことは分かるのですけど、なにもあんな燥ぐような口振りでなくても、という気がするんです。同じ共同体の人間の上に悲劇が起こったのだという――そういう扱いにはならないものなのか、と」

「結城さんは虫送りを覚えてらっしゃいますかね」広沢は静かに言う。「別当を担《かつ》いで祠《ほこら》から祠へ練り歩いたでしょう」

「ああ――ええ」

「あれはそもそも道祖神の祠なんです」

結城は首を傾げた。広沢が唐突に何を言いだしたのか、一瞬、意図を摑《つか》みかねる。

「道祖神……というと、道の神様ですよね」

「境の神、と呼んだほうがいいんだと思いますが。外場では道祖神がよく残ってます。地蔵や庚申塚《こうしんづか》の形をしていても、必ず石でできていて、性質としては明らかに道祖神の役割を果たしているんだそうです。村のウチとソト、その間にある境の神なんですよ」

結城は瞬いた。

「済みません。わたしはそのへんは疎《うと》いもので……」

失礼、と広沢は笑む。

「道祖神というのは、本来的にはウチとソトの境の神なんです。我々は自分の家のことを『ウチ』というふうに称しますよね。これは自宅の建物そのものを示すだけではなく、もっと観念的なものを含んでいるものです。自分や自分の空間、家族やそれらにまつわる記憶、様々なものを包含するイメージとしての『ウチ』というものがあるんですね」

「ああ、たしかに」

「建物としての『ウチ』は境界線が明瞭《めいりょう》です。家の壁、あるいは敷地の境界線、だいたいは建物の壁や塀で囲まれた空間を指すのだと思うのですが、いずれにしても、ここからここまでが自分の家だ、という境界線があるものですね。ところがイメージとしての『ウチ』には、明瞭な境界線がないのです。『ウチ』の外側には、必ずウチともソトとも区別のつかないグレイゾーンがあります。それは場合によってウチになり、場合によってはソトになることもある」

「はあ……ええ」

「村の場合も同様です。外場は行政上は外場校区といいますが、こちらのほうは境界線がはっきりと決められていいます。けれどもイメージとしての村の境界線は曖昧《あいまい》です。いわば村自体が『ウチ』なんですね」

「ウチの会社、ウチの学校——」

「そう、それと同様です。我々は村を『ウチ』として認識するのですが、ウチがあればソトもある理屈で、結局のところ、これは世界をウチとソトに二分することなのですけど、そうすると、その境界線はウチなのかソトなのかという問題になる」

「はあ、それはたしかに……」

「観念に線を引くということは、そういうことなのでしょうね。白いものをこちらへ、白ではないものを黒としてあちらへ弾《はじ》いていく。すると最後には白黒どちらとも言えないグレイのものが曖昧なまま残されてしまいます。つまりはグレイゾーンでイメージを区切って二分する、ということです。このグレイは場合によって——比較するものによって白になったり、黒になったりする」

「ああ、そうなのかもしれないですね」

「我々がイメージする『ウチの村』というものの境界線は、『ウチ』と同様にはっきりとしません。曖昧なグレイゾーンに取り巻かれている。この曖昧なグレイゾーンが『境』で、『境』というのは結局のところ、ウチでもありソトでもあります。道祖神というのは、この境の神なんですね。ウチとソトの間に位置する、『境』そのものの神」

「へえ……」

「ですから道祖神は、ソトから侵入しようとする邪霊や悪鬼からウチを守り、豊穣《ほうじょう》をもたらしてくれると同時に、道祖神そのものは悪霊《あくりょう》だったりするわけです。この両義性が道祖神の特徴で、石というのは古来、生命のあるものとないものの境の物質だとされています。ですから道祖神として、石や石碑、石地蔵を村境に祀《まつ》ってあるんです」

「ああ、その道祖神を供養《くよう》してまわるわけですね、お供えをして。そうしながら、ベットを振って村の中の穢《けが》れや罪、害虫や疫病《えきびょう》を移して、境に捨てるわけだ。そう言えば、この手合いのお祭りでは、必ず村のはずれに捨てるんですね、不思議にソトじゃない」

広沢は破顔した。

「そうです。それこそが境の両義性なんでしょう。村にとって鬼は疫病の暗喩《あんゆ》です。ベットに従って鬼も一緒に村境へと出て行く。そうしながら、ウッポして境の内側を踏み清めていくんですね」

「なるほど、鬼はソト、福はウチだ」

結城が笑うと、広沢も笑った。

「未《いま》だにね」と、広沢は温厚に笑みを含んだまま言う。「そういう祭りを後生大事にしているところなんです、この村は。村の者にとって村はウチで、それ以外の場所はソトなんですよ。ものすごくウチという意識が強い。かえせばそれだけ、ソトから孤立している」

「ああ……それは分かるような気がします」

広沢は息を吐いて、コーヒーのグラスを見つめた。

「山入は、消滅寸前の集落でした。残っているのは三人だけ、それも地理的に孤立していたために、村の者からすると隔絶感があったのだと思うんです。山入が村のウチかソトかと問われると、過去の歴史や現在の行政上の区分けを考えても、ウチだとしか呼べない。けれども、意識のうえでは、どこかもうソトだという認識なのだと思うんです」

結城は、ああ、と頷《うなず》いた。

「ウチとしてのイメージから弾き出されて、境のものになっていたんですね、山入は」

「そうなんだと思います。山入で老人が死んだ、これはウチの人間からすると、純然たる悲劇です。三人もの老人が孤立したまま、誰にも看取《みと》られることなくひっそりと死んでしまったわけですから。けれども、ウチにとっては悲劇でも、いったんソトに出れば対岸の出来事にすぎないのです。とは言え、対岸の出来事であっても、悲劇は悲劇です。我々が外国の災害を目にして、悲惨だ、可哀想だと思うように、対岸の出来事も悲劇として認識される。そこにはリアリティや身に迫った感じが失われているのですけど、これは悲劇として受け止めるべきだ、という思慮が働いて、悲劇として認識されるのです」

「けれど、山入はソトでもなかった？」

「そうですね。山入は境でした。ウチでもなく、ソトでもない。粛然とするほどウチのことではないのです。かといって、無分別に燥いではならないという思慮を働かせることができるほどソトでもない」

「ああ……そうか。なるほど」

「山入に対する扱いがどうしても浮つくのは、そういうことなのでしょうね。そして葬儀というのは、祭祀《さいし》のひとつであり、祭祀というのは日常に対する非日常という意味で、祝祭の一種なんです。大勢の人が集まってひとつの儀式に参加する、という意味で祭りとなんの違いもない。そこにさらなる非日常が飛び込んでくる。それはまったく無関係ではなく、しかも安全なほど離れた非日常です。だから、相乗効果、と言うのですかね——どうしても賑々しくならざるを得ないのでしょう」

「そうですね……」

結城は頷いた。なるほど、そんなものか、と思う。納得しつつ、心のどこかで落胆していることも事実だった。

4

山入の三人の遺体が戻ってくる、という知らせが静信の許《もと》にもたらされたのは、八月八日、秀司の葬儀の翌日のことだった。人口の減った山入の世話役を兼ねる安森徳次郎から連絡があって、葬儀の日程を打ち合わせる。

「さほどに急がなくてもいい。なんだったら通夜《つや》は明日でも」

徳次郎が電話の向こうで言うのに、静信は首を傾げた。

「いいんですか」

「それが、酷《ひど》い話なんだよ。秀正さんとこの上の婿《むこ》さんがいろんな手続きをやったんだけどね、よく事情を知らないもんだから、茶毘《だび》にしちゃってね」

静信は受話器を握ったまま言葉に詰まった。

「それは――たしかに、秀正さんは――」

「遺体を返されたって仕様がないと言やあ、そうなのかもしれないがね。実際、大川の大将も義五郎さんを茶毘にしてもらったくらいだし。とは言え、三重子さんまで焼いちまったのは酷い話さ。婿さんがこっちじゃ土葬にするんだってのを知らなくて、手続きしちまったらしいんだがね。まったく、無神経の極みだよ」

静信は沈黙した。手続きをした婿が無神経だというより、未だに土葬にする外場のほうが特殊なのだろう。村の者でもない人物が風習にさして重きを置かず、軽々に対処してしまったのも仕方ないことなのかもしれなかった。

だが、村の者は火葬に対する抵抗が強い。遺体であっても遺骨であっても死者は死者に違いないのだけれども、村の者は遺骨に対して、損なわれた遺体だ、という気分を拭《ぬぐ》えないらしい。実際のところ、静信でさえ、荼毘に付された遺骨に対しては、どこか不憫《びん》な気分を抑えられなかった。

「そういうわけだから、急いで埋葬してやっても仕方ないからね。まあ、つい昨日、秀司くんの葬式が済んだところだし、余裕を見て明日のほうがいいんじゃないかと思ってね」

「そうですね」

「わしはとりあえず、警察に同行してお骨を引き取ってくるんで。戻って葬式の算段をしてから、今夜にでもゆっくり行きますわ」

お待ちしています、と静信は言って電話を切った。少し考え、黒板に目をやる。予定はいくつか入っていたが、どれも池辺か鶴見が行くことになっている。それを見て取って、静信は立ち上がる。黒板の隅にメモを残して寺務所を出た。

通い慣れた道を通って山を下り、尾崎医院の裏庭へ向かう。腕時計を見るとすでに休診時間に入っていた。往診がなければ敏夫は控え室か、母屋《おもや》の自室にいるだろう。庭沿いに歩いて控え室を覗《のぞ》き込むと、デスクに向かって書類を眺めている後ろ姿が見えた。静信が掃き出し窓のガラスを軽く叩《たた》くと振り返る。わざとらしく渋面を作ってから中を示したので、ガラス戸を開けて中に入り込んだ。クーラーの冷気が心地良い。

「さっそく死臭を嗅《か》ぎつけてきたな」

「——え？」

控え室に上がり込むなり言われて、静信は敏夫を見た。

「死体が戻ってくる話を聞きつけてきたんだろう。そういう件に関しちゃ、坊主《ぼうず》ってのは、ハゲタカ並みだな」

静信は苦笑した。

「ハゲタカでもハイエナでもいいけど。解剖の結果は出たのか？」

敏夫は目を通していた書類をデスクに投げ出した。

「ＳＵＤ」

「何だ、それは？」

「内因性急死、ってやつだ。とにかく状況が異常だったんで警察も徹底的にやったらしいが、とどのつまりは原因不明。まだ培養検査やなんかの結果が出揃《でそろ》ってないんで、本当の結論が出るまでには三週間ほどかかるだろうって話だが、とりあえずそれで決着がつきそうな按配《あんばい》だな」

「そんな」

そんな、と言われてもな、と敏夫は息を吐く。

「村迫の爺《じい》さんと義五郎爺さんは原因が分からないというより、原因を特定できるほど死体の状態が良くなかった、ということだ。そもそも病死の法医解剖で、明らかな死因が特定できるのは半数以下だ。そのうえこの陽気で遺体は腐敗が進んでいる。臓器は軟化融解して泥状《でいじょう》化する。それで死因を特定しろと言われてもな。しかも首都圏や大都市のように監察医制度があるわけじゃなし。このへんじゃ解剖してみるのだって、法医学の専門家じゃなしに一般臨床医だ。これで精一杯というところさ」

敏夫は溜息《ためいき》をつく。

「村迫の秀正さんは、とりあえず生前の外傷はなかったと思われる。腐敗と死後損傷――これは主に昆虫によるものだが――が激しくて、死因の特定はできなかった。義五郎さんのほうも腐敗が進んでいたものの、発見された部位にとりあえず生前の外傷は見当たらない。死後、野犬に襲われて損傷した、というところらしい。ただし、発見できなかった部位もあるわけだが、現場の状況から考えても、ともに内因性急死だろうということで決着がついた」

「三重子さんは」

「三重子婆《ばあ》さんにも、やはり外傷はない。内因死であることは確実だ。開けてみるとあちこちが悪かったらしい。冠動脈の硬化、心筋炎、肺および腹腔《ふくこう》内における血液就下、特に顕著だったのは肝臓組織の壊死《えし》だ。急性肝不全か、肝炎から来る劇症肝炎、そのあたりだろうという話だな」

「そう……」

静信は頷く。

「爺さん二人は、おそらく死後五日から六日ってところだろうという話だった。――ところが」敏夫は言葉を切って、マグカップを静信に向かって突きつけた。「三重子婆さんが死後三十時間程度」

「間違いないのか、やはり」

「間違いない。馬鹿《ばか》な話だろう？　爺さんが死んで、婆さんは数日、爺さんの死体と同居していたわけだ。誰にも連絡ひとつせずに。座敷には仲良く布団《ふとん》が並べてあった。婆さんのほうは布団から這《は》い出して、裏庭に出ようとして死んだ、という風情《ふぜい》だ」

静信は納得する。村では、三重子は夫のあとを追ったらしい、という噂《うわさ》が流れていた。

この状況では、そう解釈する者がいてもやむを得ない。

「婆さんのほうは、自然死だ。しかも爺さんを看取ったことが確実だから、爺さんは事故や何かで倒れたわけじゃないだろう。事故があれば、いくら何でも人を呼ぶなり救急車を呼ぶなりしたはずだ。秀正さんも義五郎さんも、布団の中で死んだらしい。三重子婆さんは死ぬ前にうちに来て、二人の具合が悪いと言っていた。義五郎さんの薬を取りに来たんだがね。あの人は高血圧の持病があったから。特にどこがどう悪い、というわけでもなさそうで、夏風邪だろうと言っていたが」

静信はふっと眉根《まゆね》を寄せた。夏風邪だろう——とは、最近、別の場所でも聞いた言葉だ。

「いずれにしても、それで寝かせてあった。おそらくはそのまま死んだ、ということだろう。少なくとも事故でもなければ事件でもない。婆さんは高齢にもかかわらず、病人二人を抱えて看病に追われた。寝食の暇もなかったというところだろう。それが爺さんが死んで、緊張の糸が切れて倒れた」

「つまり、三重子さんは秀正さんの死を看取ったけれども、本人はその心労で秀正さんの死を知らせることもできないほど、もう悪かった……？」

「としか考えようがないだろう？　だが、電話くらいしても良さそうなもんだ。横で亭主が死んでる、自分も電話の側《そば》に行くのが難儀なほど具合が悪い、そういう場合、人はかえって必死になって電話の側に行くものなんじゃないか？　ところが、必死になるまでもない。電話は枕許《まくらもと》にあったんだ。寝床から起きて立ち上がって電話台に手を伸ばせば良かった。立ち上がらなくても、身を起こして手を伸ばせばなんとか届く。だが、婆さんはなぜか、寝床からちょっと出て手を伸ばすことより、畳を二メートルほど這って外の空気を吸うことのほうを選んだってわけだ」

しかも、夫の死から四日も五日も経《た》って、と静信は心の中で添えた。一体三重子に何が起こったのだろう。

「義五郎爺さんのほうは高血圧で、ずっとうちから降圧剤を出してた。それで高血圧から来る脳出血または心疾患じゃないかということだ。だが、村迫の爺さんのほうは特にこれと言って命にかかわるような持病はなかった。原因が考えられるとしたら、婆さんが言っていた夏風邪だけだ」

「夏風邪で人が死ぬものなのか？」

敏夫は大きく息を吐いた。

「風邪だろうと、死ぬときは死ぬさ。特に夏風邪を起こすウイルスの中には怖いやつがあるんだ。インフルエンザは肺炎を起こすが、夏風邪は心炎を起こす」

「じゃあ——」

「可能性としてはあり得る」

「にしても、三人が三人」

死ぬものだろうか、と言いかけて、静信はなんとなく言葉を呑《の》み込んだ。

敏夫は手を振る。

「妙な気がすることはたしかだが、確率的にはあり得るさ。可能性だけで言うなら、火星人が舞い降りてきて、三人が恐怖のあまり死んだ可能性だってあるわけだからな」

静信は苦笑し、敏夫もまたくつくつと笑う。

「山入の三人は歳《とし》が歳だった。秀正さんはこれと言った慢性病はなかったものの、気管支が弱くて冬場、風邪を引くたびに気管支炎を起こしていた。今回も気管支炎を併発したのかもしれん。三重子婆さんだけは元気そうだったが、生まれたての身体のようにまっさら、とはいかんさ。しかも急性肝不全の場合、肝機能の低下から肝性脳炎を引き起こすことがある。肝性脳炎が起きると意識レベルは低下するし、異常行動を誘発することがあるんだ。おそらくはそれが原因で、亭主の死体と仲良く枕を並べていたんじゃないかという話だな。——もっとも、他に解釈のしようがない、ということなのかもしれんが」

「そう……」

「だが、警察が重視してるのは三人の人間の死体より、むしろあちこちに残ってた動物の死体のほうさ。村迫の台所と、義五郎爺さんの台所。何者かが食ったんだ。ふるってるじゃないか。台所でだぜ?」

「やはり野犬?」

敏夫は肩を竦《すく》める。

「さあね。野犬が台所でお食事あそばすかどうかはさておき、警察は狂犬病を疑ったみたいだったな。とりあえず三重子婆さんから狂犬病ウイルスは発見されなかったようだが、ワクチンとヒトグロブリンは置いてあるか、としつこく訊《き》かれたから。最初は精神異常者でも紛れ込んでと思ったようだが、人間のほうは自然死だとしか考えられないから、この線は完全に捨てたらしい」

「そうか……」

静信は呟《つぶや》く。自然に溜息になった。安堵《あんど》したせいなのか、あるいは他の理由によるものなのか、自分でも分からなかった。

敏夫もまた盛大な溜息をついてから静信を見た。

「――ところでお前、いつまでそうやって突っ立ってるんだ?」

やすよが休憩室で一服していると、律子と雪がお茶を運んできた。

「お茶でーす」

雪の燥《はしや》いだような声に、やすよは通信販売のカタログから目を上げ、軽く拝んでみせた。

「ありがと」

「どういたしまして」雪は子供っぽく胸を張って言ってから、背後のドアを振り返った。「先生、どうするって言ってました？　呼べばいいのかなあ。それとも、控え室に持っていったほうがいいですか」

「ああ、構わないでいいわよ。さっき覗いたら、若御院が来てたようだったから」

あら、と律子が声を上げた。

「いつの間に。若御院にお茶を持っていったほうがいいですよね」

「あたしが行っといたわ」

「変なの」と、雪は椅子《いす》に腰を下ろす。「若御院って、いっつもいつの間にか来てるんですよね。あんなふうに裏からこそこそ来ないで、堂々と来ればいいのに」

やすよは苦笑した。

「あの人たちは、昔からああなのさ。奥さんがいい顔をしないからね」

「いい顔をしないって」

「だからさ、何のかんの言っても若御院は、お寺の若さんなわけでしょう。この村じゃ、寺は偉いのよ。一番偉いのがお寺さん、次に偉いのが兼正、三番目が尾崎と昔から決まってるの」

「お医者なのに一番じゃないんですか」

「病気にかからない者はいても、死なない者はいないからね。病院はここじゃなくてもあるけど、みんなあそこの檀家《だんか》なんだから、寺はあそこでなきゃならない。御院に引導を渡してもらわなきゃ、あの世にも行けないいんだから。村にとっちゃ当たり前のことなんだけど、奥さんはそれが気に入らないんでしょ。そういうの、気にする人だからね」

「ふうん」

「小さい頃から、絶対に若先生を寺に遊びには行かせなかったからね。なにしろ寺のほうが偉いから、遊びに行ってお菓子でももらえば、あとで礼のひとつも言わないわけにはいかないでしょう。そうやって謙《へりくだ》って頭を下げるのが我慢ならないんでしょ。だからって、寺の若さんが相手のことだから、遊ぶなとも言えないし」

　雪は目を丸くする。

「そんなもんなんですか」

「まあね。——かといって、若さんのほうに表立って遊びに来られると、それなりにもてなさなきゃならないし、何かあったときには、やっぱり頭を下げないといけない。だから、本音じゃ来てほしくないのよ。でも、相手が相手だから来るなとも言えない。それで若先生の部屋に勝手に来て帰っていくぶんには構わないってことになってるんだわね。そうすれば、来たのが分かっってても気がつかないふりしてりゃいいんだし、何かあってても知らなかったで済むわけだから」

「複雑なんですねえ……」

雪がしみじみと言うのに、やすよは笑った。

「奥さんはね。寺のほうはさ、若御院はあんなふうだし、御院にしても奥さんにしても偉ぶらないからね。うちの奥さんが勝手に気にしてるだけなんだけどねえ」

やすよは苦笑した。気位が高い、と言えばいいのだろうか。敏夫の母親、尾崎孝江はそういう人物だった。実家はどこだかの羽振りの良い病院だったらしく、寺や村長を医者の上に置く村の流儀は、はなはだ自尊心を傷つけるらしかった。自分は病院の「奥さん」で——村では「奥さん」と呼ばれるのは、つい最近まで寺と兼正、尾崎の妻だけだった——村の者とは違うのだ、という態度を頑として崩そうとしない。

先代にもそういう面があったから、敏夫が戻ってきて院長に納まるまでは、やすよたちも苦労が絶えなかった。なにしろ、自宅のほうの食事の支度や掃除まで手伝わされることがあったから、体《てい》の良い使用人扱いだったのだ。休日に家で寛《くつろ》いでいても、いきなり電話がかかってきて、模様替えをするから手伝ってくれ、などと要求される。

「休みの日にお茶会の手伝いをさせられたりね」やすよは笑う。「そんなふうだったからねえ。まあ、大変だったわ」

「何ですか、それェ。あたし、そんなことさせられたら辞めちゃう」

「雪ちゃんは、若先生の代しか知らないからね。大先生の頃は、とてもじゃないけど村の者じゃなきゃ勤まらなかったわねえ。本当に代替わりして、がらっと病院の雰囲気が変わったからね。つい三年前までは、こんな休憩室みたいなものも満足になかったんだから。お昼なんて、裏口の水場の脇《わき》で食べててさ、お茶も備品じゃなくて、自分たちでお茶代持ち寄って買った葉っぱよ」

「……あたし、もうちょっと先生のことを尊敬することにします」

妙に力を込める雪に、やすよは声を上げて笑った。

病院のスタッフは使用人扱い、けれども病院には一切、係わりを持たない、それが孝江の流儀だった。どんなに忙しくても手伝うわけでなし（手伝おうにもなんの資格も持っていないのだが）、急患や往診を求める電話の対応さえしない。「尾崎の奥さん」と呼ばれ、求められて寄り合いに出るのでなければ、村の者とも付き合わない、お茶だ仕舞だと言って出ていく以外は、自宅に閉じ籠《こ》もったまま。

そんな孝江の息子、敏夫は孝江とも先代とも似つかない気性の持ち主だが、妻に選んだ恭子はやっぱり孝江のような女だというあたり、息子はかくも母親という存在から逃れられないものなのかもしれない。

尾崎恭子は同居してない。敏夫が村に戻ってきた最初の頃こそ家にいて、習い事だ何だと出かけていたのは孝江と同様だが、そのうちに家にいるのにうんざりしたらしく、溝辺町にアンティーク・ショップを開くと、マンションを借りて生活をしている。気が向けば帰ってくるが、それも徐々に間遠になっている。孝江はそういう嫁が腹に据えかねるらしく、戻ってくれば小競《こぜ》り合いが絶えないが（そして、それによって恭子の足はまた遠のく）、よく似た嫁 姑《しゅうとめ》だと、やすよなどは思う。

（……ま、若先生も大変だわ）

5

クラクションの音を聞いたような気がして、矢野妙は目を覚ました。歳のせいか、眠りが浅い。些細《ささい》なことでも目を覚ます。国道でブレーキ音がしても、トラックのエア・フォーンの音がしても目覚めることがあるが、今夜の場合は、もっとあからさまに誰かに起こされた、という気がした。

枕許の畳に置いた時計を見ると、深夜の二時だった。また、クラクションの音がする。家の前――ドライブインの駐車場のほうからだ、という気がして、妙は起きあがった。

妙の寝室は家の裏手にある。国道ではなく、裏の田圃《たんぼ》に接する庭に面していた。その寝室を出て廊下を抜け、仏間を兼ねた座敷に入る。入って妙は目を覆《おお》った。表の駐車場に車がいて、ヘッドライトが家を照らしている。ハイビームになったままなのか、夏場のこととて開け放した雨戸の間から強い照明がまともに射し込んでいて、思わず妙を狼《ろう》狽《ばい》させた。

「……なにごと？」

たたらを踏んだ妙の後ろから、娘の加奈美の声がした。振り返ると、片手で目庇を作った加奈美が、白々と照らされている。

「……さあ」

妙が答えるのと同時に、またクラクションの音がした。加奈美が座敷を通り抜け、縁側へと出る。真っ黒な長い影が座敷に落ちた。

「何の騒ぎなんです」

加奈美が雨戸の間から外に呼びかける。何やら人の声がしたが、妙にはその内容は聞き取れなかった。トラックでもいるらしく、声を掻《か》き消すほどのアイドリング音がしていた。

「ちょっと。ライトを消してください」

加奈美は駐車場に向けて声を張り上げた。「ちぐさ」の広い駐車場には、大型のトレーラーが一台、他にも乗用車らしき車が停まっている。細かいことは分からない。なにしろ目を灼《や》かれるほどのライトが注いできている。

加奈美の抗議が聞こえたのか、ライトが消えた。とたんに視力を奪われる。真っ暗なところにヘッドライトの残像が斑紋《はんもん》を描くのだけが見えた。軽い目眩《めまい》を感じて瞬いている間に、傍迷惑なアイドリング音もやむ。どうやらエンジンを切ることを、やっと思いついたらしい。

目が暗がりに慣れ、静寂が降ると、駐車場に三台の車が停まっているのが街灯に照らされて見えた。一台は大型のトレーラー、二台は乗用車でそのうちの一方はセダン、もう一台はワンボックス車だった。

「どうも、済みません」

恐縮したような若い声がした。ワンボックス車の側にいる、若い男が声の主のようだった。

「一体何の騒ぎなんです。何時だと思ってるの?」

「おそれいります。道に迷ってしまって」

加奈美は目を眇《すが》め、首を傾げた。若い男は加奈美のほうに近づいてくる。二十代の半ばだろうか、怪しげな風体には見えなかった。

「何度もこのあたりを走りまわっているんですが、道が分からなくて。すっかり進退窮《きわ》まってしまったもので」

「どちらへいらっしゃるの?」

若い男は、心底、申し訳なさそうに頭を下げた。

「外場、という集落なんですけど」

加奈美は溜息《ためいき》をついた。

「ここが外場よ」

え、と若者は周囲を見渡す。

「うちの左にある道を入るの。入ったところが外場の集落。点滅信号があって、その下に外場って書いてあるでしょ？」

若者はあたふたと後退《あとずさ》り、国道のほうを見やった。小声を上げて、小さくなって戻ってくる。

「済みません。見落としてました」

「見落としやすいみたいなんだけどね。まあ、お役に立てて良かったわ」

「本当に申し訳ありませんでした」

若者は深々と頭を下げる。

「外場に御用なの？　こんな時間に？」

ええ、と若者は微笑《ほほえ》んだ。

「本当は、もっと早く着くはずだったんですが。ぼくが迂闊《うかつ》で、とんでもないことになってしまいました。本当に失礼しました」

加奈美は素っ気なく頷き、そしてトレーラーに目をやった。街灯の光で「高砂運送」

と読みとれる。

「ひょっとして引越？　兼正の人かしら」

「兼正？」

「ああ、地名みたいなもの。外場の集落の北西にある高台のお屋敷じゃない？　古い洋館の」

そうです、と若者はまた頭を下げた。

「桐敷《きりしき》と申します。転居早々、とんだ御迷惑をおかけして申し訳ありませんでした」

まあ、と加奈美は思った。では、本当に兼正が越してきたのだ。——とは言え、なんという引越だろう。

「あの家なら、その道を入ったところよ。川沿いの道をまっすぐに上って、神社に続く橋の袂《たもと》の交叉点《こうさてん》を、神社とは反対方向に入るの。左へね」

「神社の前を左ですね」

「そう。それをまっすぐ行くと、山に突き当たるわ。その坂を登ったところだから」

「ありがとうございます」

若者は頭を下げ、改めて起こしたことに詫《わ》びを言ってから、トラックのほうへと駆け戻った。運転手に何事かを告げ、さらに加奈美に頭を下げて、ワンボックス車へと駆け戻る。再びエンジン音が響いた。トラックと二台の車が駐車場の中で切り返し、国道へと出ていく。最後に出ていったのは白い外車だった。運転席に男の姿が、後部座席には二人ぶんの人影がちらりと見えた。一方は女で、もう一方は子供のようだ。加奈美の前を通過する際、女が会釈《えしやく》したような気もしたが、単に光の加減でそう見えただけかもしれなかった。

「……まあ、驚いた」

加奈美の背後から妙が顔を突き出して、トラックを見送っている。

「まったくね。とんだお引越だわ」

「よほど方向音痴な人たちなのね」

みたいね、と加奈美は苦笑した。村への入口は見落としやすいとは言え、国道から集落に入る枝道はいくつもない。地図をちゃんと見ていれば、普通は分かりそうなものだが。第一、これから越してくる村を、一度も訪ねてみたことがなかったのだろうか。

加奈美は少し胸の中にわだかまるものを感じた。別に不審なふうではなかったけれども。にしても、今の連中の振る舞いはどこか妙ではないだろうか。まるでわざと、加奈美たちを叩《たた》き起こしたように見える。そのために道を訊いたような気が。

（……まさかね）

加奈美は村道のほうに曲がっていく車を見送った。白いセダンはかなりの高級車に見える。若者はいかにもあの屋敷にはそぐわない。主人というふうではなかった。むしろあのセダンに乗っていたのが主人ではないだろうか。だとしたら、主人がとうとう車を降りてこなかったのも気になるが。

「やっぱり、か」

加奈美が呟《つぶや》くと、妙が首を傾げた。

「なあに?」

「かなり変わった人たちみたい、って話」

そうねえ、と妙は未《いま》だに村道のほうを見送っている。

五章

I

「それじゃあ、山入の三人はやっぱり病死だったんですか」

控えの部屋で衣に着替えながら、角《すみ》が言った。角は山入関係者の通夜《つや》と葬儀のために一泊の予定で駆けつけてきている。光男は角を手伝いながら、頷《うなず》いてみせた。

「らしいよ。若御院がそう言ってた」

角は溝辺町に住んでいる。家は同宗派の寺で、角はその次男だった。檀家《だんか》数もさほどに多くなく、住職である父親も副住職である長男も教師との兼業で、とりたてて角の手は必要ない。それでこうして非常勤の役僧として通ってきていた。

「まあ、三人が三人とも歳《とし》だったからなあ」

「おいくつです？」

「いくつになったんだかねえ。たしか、義五郎さんはもうじき八十じゃなかったかな」

「それじゃあ、長寿だ」角は嘆息する。「うちの祖父が死んだのが、六十一でしたよ。親父《おやじ》は今年で五十六だけど、もうあちこちが悪いって始終零《こぼ》してますしね」

「そう、充分長生きしたんだけどねえ」光男は苦笑する。「八十近くまで生きりゃ、大往生の域なんだけど、なにしろああいう状況だったからさ。なんだか大往生という気がしないね。不慮の死、って感じでさ」

「そうですね、どっちかというと非業《ひごう》の急死って印象ですもんね」

「まあ、三人が三人、ばたばたと片付いたってのは珍しいが、そういうこともあるからね」

そうですね、と角は袈裟《けさ》をかけながら頷く。

「うちの檀家でも、一月《ひとつき》の間に、ばたばたと一家のうち四人が片付いたことがありましたよ」

「四人。そりゃ珍しい」

「そのうち一人は、もう九十過ぎで、病院に入ったきりの爺《じい》さんだったんですけどね。四十過ぎの息子さんが心筋梗塞《こうそく》で倒れたのを皮切りに、ばたばたと親父さん、爺さん、お袋さんと四人。そう言えば、あれも夏だったなあ」

「やだねえ」光男は頭を振る。「死人ってのは、どうも続くからね。こっちも秀司さんに続いて三人だろう。このまま勢いづいて続かなきゃいいんだけどね」

「後藤田秀司さんのほうが、あとなんじゃないですか」

角の指摘に、光男は目を見開いた。

「そうか。実際に亡《な》くなったのは、山入の三人のほうが先か。秀正さんが甥《おい》を引いていったのかね」

「引く、ねえ」

角が言ったとき、池辺が顔を出した。

「鶴見さん、法事から戻ってきましたよ」

良かった、と光男は笑う。

「なんとか間に合ったな。きっと引き留められてたんだろう。和田の爺さんは話好きだからね」

「そうらしいです」池辺は笑って、衣桁《いこう》にかけておいた自分の袈裟を取る。「──とう越してきたんだそうですよ」

「越して？」

光男が瞬くと、池辺は何やら得意気に笑う。

「兼正。昨日の──ああ、今朝か。とにかく夜中にトラックが入ったそうです」

「おやまあ」

夜中にですか、と角は目を丸くした。

「ずいぶん変わった人たちなんですね」

光男もまた呆《あき》れ半分に頷いた。

「まったくだ。——それで結局、どういう人たちなんだって？」

「住人はまだ誰も見てないようですよ。下外場の誰かが、使用人だかアルバイトらしい若いのに会ったそうですけどね。夜に叩《たた》き起こされたんですって。道を訊《き》くのに」

「へえ」

「なんでも、大きなトラックと、車が二台だったそうで。グレイの四駆と白のビーエムだそうです」

光男は息を吐いて頭を振った。未《いま》だに村人の間では、前田茂樹を引っかけて逃げたのは、兼正の住人だという説が濃厚だった。

「なんだ。じゃあ、やっぱり例の外車は兼正とは関係ないんじゃないか」

「分かりませんよ、光男さん。あのあと、車を替えたのかもしれませんからね」

「そういうことを気軽に言うもんじゃない」

光男は池辺をねめつける。

「にしても」角は笑った。「今日の通夜は、その噂《うわさ》でお経どころじゃないでしょうね」

「まったくです。なんか、すごい勢いで弔問客が増えてますすよ」

やれやれ、と角と光男は顔を見合わせた。これでもう、村人は山入どころではないだろう。これから執り行なわれる通夜と明日の葬儀と、それらが厳粛に進むはずはないことは確定したと言えるだろう。

二人の心中を読んだように、池辺が笑う。

「まあ、いいんじゃないですか。ほら、兼正の屋敷についちゃあ、妙な噂が流れてましたもんね。近辺で人の気配がしたとか、塀の中から唸《うな》り声がしたとか。これで怪談じみた噂話も立ち消えになるでしょう」

そうだねえ、と光男が苦笑したときに、重い足音を響かせて鶴見がやって来た。

「鶴見さん、お疲れさまです」

光男の声に、鶴見は軽く頭を下げ、部屋の様子を見まわして池辺を睨《にら》む。

「なんだ池辺、お前もう広めたのかい」

「そりゃあもう。右から左に」

「お前さんは坊主《ぼうず》のくせに口が軽くていけない」

「坊主が無口じゃ、商売にならないじゃないですか」

「それもそうか」と、鶴見は声を上げて笑った。「ときに、若御院は」

「ふきさんと話をしてるのを見ましたよ」

池辺が言う。

「ふきさんを慰めてるんでしょう。ふきさんも災難ですよね。息子と兄さんと、立て続けですから」

「まったくなあ。しかし、若御院も寝なくて大丈夫なのかね。寺を出る前に顔を見たときは、目を真っ赤にしてたが」

角が嘆息とも感嘆ともつかない息を吐いた。

「また徹夜ですか」

みたいだね、と光男は苦笑した。

「朝、勤行《ごんぎょう》だけでも鶴見さんと池辺くんに頼んで一休みしてきたら、と勧めたんだけどね。今日は法事もあるし通夜もあるしで、大変なのが分かってたんだから」

本当に、と池辺も頷く。

「若御院は真面目《まじめ》だからなあ。せめて勤行ぐらい休めばいいのに」

鶴見は顔を蹙《しか》める。

「ぐらい、ってことがあるかい」

「言葉の綾《あや》ってやつですよ。昨日も寝不足みたいだったでしょう。予定が立て込んでいたのに」

「盆を過ぎるまでは忙しいからなあ。せめてこの時期くらい副業を休めばいいんだが。まあ、あの商売も坊主と同じで、暇はあっても休みはない商売のようだから」

「そうですねえ」

鶴見と池辺の会話を聞くともなく聞きながら、光男は鶴見が着替えた衣を衣桁に広げる。鶴見も池辺も、正確には住職である信明の弟子にあたる。池辺は静信が大学の四年の頃、本山の斡旋《あっせん》で入門した。鶴見などは光男が出入りを始める前から寺にいる。どちらも副住職である静信よりも僧侶《そうりょ》としての経験が長く、鶴見は静信よりもはるかに年上だ。他寺の噂を聞く限り、そういう場合には色々と軋轢《あつれき》があるものだが、当の静信が万事に控えめで鶴見や池辺をよく立てるし、対する鶴見らも真面目な副住職に一目を置いているから、特に揉《も》め事が起こったことがなかった。

しょせんは寺男にすぎない光男に丁寧に頭を下げ、いちいちに「光男さん」と言って立ててくれるのもいい。静信の書いた小説は、実を言えばどこが面白いのかよく分からなかったが、副業を鼻にかけることもなく、小説を書く間も寺務所に詰めて、本分をおろそかにしないところに好感が持てた。

結局のところ、鶴見や池辺の師となり、静信を育てた信明の為人《ひととなり》のおかげなのかもしれない。——手足に不自由があって寝たきりだとはいえ、未だに檀家の住職に対する尊崇は深かった。光男自身も例外ではない。

「もう少し気を抜いても良さそうなもんなんですけどね、若御院の場合」池辺は溜息《ためいき》めいた息を吐く。「今だって、少しでも休んでおけばいいのに、ふきさんにずーっとついてるんですから」

「ふきさんが心配なんでしょう」角が微笑《わら》った。「若御院は優しいから」

鶴見も頷く。

「あの人は、根っからの坊さんだからなあ」

光男は衣を始末しながら、内心で頷いた。

光男は十五の歳から寺に通い、陰から寺を支えてきた。光男自身は宗教法人としての寺にどんな役職を持つわけでもないが、自分は寺の一部だと思っているし、寺に対する愛着も深い。有り体に言うなら、この寺が自分のものであるかのように感じている。その光男の目から見ても、静信は寺を任せるに足る跡継ぎだった。穏やかで、礼儀正しく、きちんとした性格だ。淡々とした物腰は、衣を着ているとぴたりとはまる。尾崎医院の跡取りのように、不謹慎なところはない。家業を馬鹿《ばか》にしている様子もなかった。根っからの坊さんという言い方は正しいと思う。跡継ぎとしては、なんの不足もない。——たったひとつ、古い傷を除いては。

「本当にねえ」言って、池辺は少し口許《くちもと》を歪《ゆが》めた。「なのになんだって、妙なことを言う連中がいるんだか」

光男は池辺の、本気で気分を害しているような声に首を傾《かし》げた。

「妙なこと?」

池辺は失言に気づいたように声を上げ、光男らの顔を見まわす。

「いや……ええと」

「妙なこと、っていうのは何なんだい」

「さっき、誰かが立ち話してるのが聞こえて」池辺は言い淀《よど》み、「ほら、ちょっと前の、外車が子供を引っかけた事件。あれで、本当にそんな車がいたのか、って」

「いたもなにも」鶴見が目を見開いた。「現に子供が怪我《けが》をしたんだろう」

「そうなんですけどね。でも、若御院がその場にいて、子供を病院に運んだじゃないですか。だから……」

言いにくそうに口ごもる池辺の先を察して、光男は頷いた。

「ああ。実は若御院が引っかけたのを、口裏を合わせてどうこう、という話かい」

その噂なら小耳に挟んだことがあった。光男は檀家衆を取りまとめているから、檀家の噂には耳ざとい。

「なんだい、そりゃあ」

鶴見は心外そうに声を上げた。

「そういうことを言う連中もいるんだよ。別に悪意があって言ってるわけじゃない、単に無責任に想像を逞《たくま》しくしてるだけなんだろうけどね。なにしろほら、肝心の犯人が捕まらないまんまだから。実は兼正の車で、敷地の中に隠れてたんだとか色々と噂が出まわってたろ。あの類《たぐい》だよ」

「それにしても、言うに事欠いて」

「だから、悪意はないんだよ。不慮の事故でそういうことになって、周りが若御院を庇《かば》ったんじゃないか、って話なんだから」

「それのどこに悪意がないんです」池辺は憤然としたふうだった。「悪意そのまんまじゃないですか。若御院がそういう人でないことぐらい――」

「今じゃもう、村の全部がうちの檀家ってわけじゃないからな」

光男は低く言った。檀家ならたとえ無責任な噂話ででも、そういう言い方はしない。少なくとも、寺の耳に入るような場所では。実際、この噂を光男の耳に入れた檀家衆も気分を害しているようだった。

「人の噂でしか若御院を知らない連中もいるってことだよ」光男はことさら丁寧に、鶴見の衣の埃《ほこり》を払う。「しかも若御院は、ちょっとばかり繊細すぎるところがあるから。副業も変わってるし、それで色々と妙な想像をする連中がいるんだろう」

光男の言わんとしたことを悟ったように、鶴見が微《かす》かに唸るような声を上げた。池辺と角はそれに気づかなかったようだった。

「それにしてもね、光男さん」

「昔は、村の全部が檀家だったんだよ。単に檀家だってだけじゃない、大昔にゃ田圃《たんぼ》も山も何もかも寺から借りてたんだからね。だからこそ村の連中は寺には一目も二目も置くんだが、あとから入ってきた連中にはそんなことは関係ないからね。特に、檀家でないのは、それこそ戦後に入ってきたような新しい家ばっかりだ。そういう連中にしたら、寺が意味もなく偉そうにしてるように見えるんだろう」

光男は言って、顔を上げた。笑みを作って池辺らを促す。

「それより、行かないでいいのかい。通夜が始まるよ」

2

「律子さん、お昼、一緒にどうです？」

上着を羽織った井崎聡子が、処置室に顔を出した。

「今日はわたし、お弁当だから。いってらっしゃい」

じゃあ、お先に、と聡子は汐見雪と手を振った。いってらっしゃい」

ドの周囲をざっと片付ける。物品の残量を確認していたとき、ふと、今日は水曜日か、
と思い出した。

パーティションひとつを隔てた隣の処置室では、やすよが片付けをしている。律子は、
やすよに声をかけた。

「やすよさん、前原のお婆《ばあ》ちゃん、見かけました？」

やすよは脱衣籠《かご》を所定の位置に戻しながら、「前原セツさん？　見てないわね」

「ですよね」

律子は溜息をついた。

「セツさんがどうかしたの」

「土曜日に薬をもらいに来たんですよ。先生の診察がないと出せないから、必ず月曜には来てくださいね、って言ったのに、月曜も火曜も、とうとう来なかったなと思って」

やすよは、声を上げて笑った。

「あの人は注射嫌いだからねえ。まあ、首に縄つけて連れてくるわけにもいかないからさ」

そうですね、と溜息をつく律子を軽く叩いて、やすよは一足先に処置室を出た。中待合から廊下に出たところで、通用口から静信が顔を覗《のぞ》かせているのが目に入った。

「あら、若御院」

間仕切りのドアを開けると、静信は丁寧に頭を下げる。

「お昼休みのところ申し訳ないんですが、軟膏《なんこう》が切れたのでいただきに来たんです。いいですか」

やすよは笑った。

「構いませんよ、どうぞ。――御院はいかがです？　この暑さで、ずいぶん参ってらっしゃるでしょう」

「暑さのわりに良いようです。特に食欲も落ちずに済んだようですし」

「あら、そりゃあ良かったですねえ。奥さんが本当によくお世話をなさるから」

やすよは控え室のほうに向かう。

「どうぞ。お茶でもお持ちしますんで」

「お構いなく。——ああ、被服剤も残りが少ないいんですが」

はいはい、と頷いて、やすよは控え室のドアをノックした。

「先生、若御院ですよ」

おう、と中からぞんざいな声がする。やすよがドアを開けると、敏夫は机に向かって本の山に埋もれていた。

「ちょっとお待ちになってくださいね。ついでに、先生を宥《なだ》めといてくださいよ。今日はずっと、御機嫌が斜めでね」

苦笑する静信を残して、やすよが廊下を戻っていく。敏夫が煙草《たばこ》を啣《くわ》えたまま本から顔を上げた。

「真に受けるなよ。うちの看護婦は、ああやって何かと言うとおれをくさすんだ」

静信は笑ってコメントは避けた。

「で？　言っておくが、いよいよ越してきたって話なら間に合ってるぞ」

控え室に入るなり、敏夫に言われて、静信はきょとんとした。

「なんだ、その話じゃないのか。——例の家だよ。引越のトラックが来たらしいじゃないか」

「ああ——らしいな」

「おかげで今日は、無駄話をしに来る連中で千客万来だ。いや、今日も、と言うべきかな」デスクの上、敏夫の前には厚い大判の本が開かれている。「誰がトラックを見ただの、車がどうだの、雨戸が開いてカーテンが見えただの。きっと今日は朝から、坂のあたりは見物人で鈴なりだったんだろうさ」

静信は、なるほど、と軽く笑う。

「おれが信じられんのは、その見物席を抜け出して、わざわざ知らせに来る奴《やつ》が少なからずいたってことだ。見物したいなら、そのまま住人が出てきてカーテンコールをやらかすまで見てりゃいいだろうが。なんだっていちいちやって来て、御注進に及ぶわけだ？　おれがそんなことに興味があるとでも思ってるのかね、連中は」

静信は特に何も言わなかった。敏夫も別段、返答を期待しているわけではないことを、静信は長年の付き合いで知っている。

「家の主はまだ姿を見せんそうだ。住人の詳細も不明。名字は桐敷というそうだが、門柱に表札が上げられる気配はない。車は白の外車と使用人のワゴンっぽい車が一台ずつ。あいにく、それを報告に来た婆さんは車種までは分からなかったらしい。カーテンは二重で、窓際《まどぎわ》にスタンドが見えて、それから——ええと？」

「分かったから」

静信は苦笑してやめさせる。こういう場合の村人の物見高さなら充分に知っている。

「止めるってことは、そういう話が聞きたくて来たわけじゃないってことだな。——するとと何だ？」

「父さんの軟膏が切れたんだよ。それと、被服剤」

敏夫は大仰に煙草の煙を吐くと、深く椅子《いす》にもたれて天井を見上げた。

「素晴らしい。すでに日常に回帰せり、というわけだ」

「何を拗《す》ねているんだ？」

「拗ねてなんかいるもんか」

静信は笑って首を振る。

「山入のその後の報告は入ったか？」

先日、訊《き》きにきた時には、まだ結果待ちの部分もあると敏夫は言っていたはずだ。

「実に正常な反応でおれは嬉《うれ》しいよ」敏夫は笑う。「まだ全部じゃないが、どうやらあれで本当に決着がつきそうな具合だな」

「急性肝不全？」

「三重子婆さんに関してはな。警察も、外因死じゃないようだし、さりとて伝染病だのという話ではなさそうだから適当なところで切り上げたいんだろう」

「そうか……」

「まったく、村の連中はどうかしてる。山入でいきなり三人もの人間が死んだんだぞ？　転居者の生活に首を突っ込んでる場合かね。連中があれこれ聞きたがったのも昨日まで、トラックが来たら、そういうことはどうでも良くなったらしい」

「みんな、他人事だと思ってるんだよ」

「その通りだ。だが、人間は誰だって死ぬんだ。他人事の死なんてあるもんか」

言って敏夫は息をつく。

「死体が発見されたと聞けば、祭りか何かのように騒ぐ。こっちがいくら内因死だと説明しても、無理心中だの変質者だのと言うわけだ。伊藤の郁美さんのように祟《たた》りだの呪《のろ》いだのまで引っぱり出す。一大事だ一大事だと言って、さもこれが自分たちの運命を決する重大事のような顔をするわけだが、その重大事はたった一軒、引越があったら忘れられる程度のものらしい」

静信は苦笑した。

「みんな退屈なんだよ。変化は歓迎するところなんだろう。本人たちも分かっているんだ、別にこれは何でもないことだって。反対に、分かっているからこそ、退屈しのぎの娯楽にできるわけで」

やれやれ、と敏夫は溜息をつく。もちろん、静信が指摘したようなことは、敏夫だって分かっているのだ。

　薬をもらって静信が辞去しようとすると、敏夫もまた診察鞄《かばん》を提げて病院を出た。怪訝《けげん》に思って見た静信に、敏夫は裏口を抜けながら咎《とが》めるような目を向ける。

「後藤田の婆さんの様子を診にゃならんだろう。なにしろあの人は、これからまた葬式だからな。歳《とし》のせいもあるだろうし、この暑さのせいもあるだろうし、相当に参った顔をしてたんでね」言って、敏夫は静信に指を突きつける。「だからって、おれがボランティア精神にあふれた医者だなんて誤解をするなよ。おれは治療する余地のあるうちに患者を診ておきたいだけだからな」

　静信は苦笑を零《こぼ》した。丸安製材の材木置き場を抜けて行こうと足を踏み入れたとき、敏夫は、おや、と声を上げた。その視線を追って振り返ると、病院脇《わき》の土手道を歩いてくる人影がある。歳の頃は二十代の半ばだろうか、彼は静信らに目を留め、ぱっと笑って頭を下げた。

「やっと人に会った。——済みません、ここ、どこですか」

　青年は明るく言う。敏夫が、歩いてくる彼を呆《あき》れたように待ち受けた。

「察するに、君は桐敷家の誰かだと思うんだが」

「そうです。初めまして」

「だったら、これをこのまま歩くと通りに出る。右に曲がってさらに角を右に行けば坂の下だ」

ああ、なんだ、と彼は呟《つぶや》いた。

「どうもお手数をかけました。——尾崎さんですよね」

敏夫が眉《まゆ》を上げると、彼は小道脇の建物を見る。

「お二人が、ここから出てくるのが向こうから見えました。ここは尾崎医院でしょう？　でもって、一方は白衣に診察鞄を提げてらっしゃる」

敏夫は静信を見る。

「名探偵が越してきたらしいぜ、おい」言って、彼に、「御明察の通り、尾崎です。いちおう医者の端くれなんで、何かあったらどうぞ。できたらおれのする仕事があるうちに呼んでもらえると、ありがたいな。おれの出る幕がない場合は、こいつが行くことになってるんでね」

彼は首を傾けた。

「——こちらもお医者さまですか？」

静信は軽口を叩く敏夫を睨《にら》んだが、敏夫は平然と笑う。

「いや、坊主《ぼうず》だ」

ああ、と彼は声を上げて笑った。

「なるほど、あの山の上のお寺の方ですね。ぼくは辰巳《たつみ》と言います」

「室井です」

敏夫は辰巳を招いて、たった今出てきたばかりの枝折《しお》り戸を開く。

「まあ、お茶ぐらいどうだい？　こんなところで藪蚊《やぶか》に刺されながら立ち話でもないだろう」

「でも、往診の途中では？」

「なあに。別に呼ばれたわけじゃない。ここの連中はおれより坊主のほうが好きみたいなんで、坊主の出番の前に割り込んでみようと思っただけだ。まだ時間はある」それに、と敏夫は笑った。「おれは引越を見物に行くほど物見高くはないが、せっかく会った住人を黙って見送れるほど好奇心がないわけじゃないんだ」

なんだか、坂の下に人が大勢いて気後れしてしまって、と辰巳は言った。

「別に嫌だってわけじゃないんですが、どうにも対応に困ってしまって」

控え室の掃き出し窓を開け、そこに静信と辰巳は腰を下ろしている。敏夫は床の上に胡座《あぐら》をかき、その前に置いたトレイの上には、さっき看護婦の律子が驚きながら運んできた麦茶のグラスが三つ、並んでいた。

「他に娯楽がないんだよ、この村じゃ。君たちはしばらく珍獣扱いだ。それは覚えておいたほうがいいぜ」

なるほど、と辰巳は笑う。

「ちょっと村に何があって何がないのか調べておこうと思って。それで勝手口のほうから出て細い道を人気《ひとけ》のないほうへ歩いて。大まわりして村に出られるんじゃないかと思ったんですけど」

「出られなくはないな。実際、君がこうして出てきた通りさ」

「ああ、じゃあ、あの道で良かったわけですね」

「君んちの前を通ってる道、ありゃあ、そもそも山を登る林道だからね。どこに行くってわけでもない、山の中で消えてるんだ。脇道を下りると、製材所の裏手の田圃《たんぼ》に出る。ぶちあたるのは畦道《あぜみち》だが、道には違いない」

辰巳は笑いを噛《か》み殺すようにする。

「たしかに、そうです」

「田舎の道は林道やら農道やら畦道やらが入り混じっててね。まあ、じきに慣れるさ。尾根を越えない限りは、どこをどう歩いたって村の中だ」

「良いところですね」

辰巳が言うと、敏夫は手を振った。

「そういうお愛想は、なしにしておこう。別に良くも悪くもない、どこにでもある田舎だ。その田舎になんだってわざわざ越してきたんだい、君たちは。――これはこの先、相当あちこちで訊かれることになるから、答えを準備しておいたほうがいいぞ」

辰巳はくつくつと笑う。

「ぼくが決めたわけじゃないので、よくは知りませんと言うべきなんでしょうね」

「そりゃあ、通らない。君だって桐敷家の一員じゃないのかい」

「家に住んでいる、という意味では。でもぼくは、単なる下働きですから」

へえ、と敏夫は瞬いた。

「君は家族じゃないのかい？　おれはてっきり、辰巳が名前だと思ったんだが」

辰巳は軽く笑った。

「桐敷辰巳か――悪くないな。でも、辰巳は名字です。ぼくは住み込みの使用人なんです。力仕事担当の雑用係というか」

「家族構成を聞いてもいいかね」

「旦那《だんな》さまと奥さんと、娘さんが一人です。旦那さまは隠居中と言えばいいのかな。もともとは会社の社長さんだったんですけど、つい昨年、退陣なすって」

「あとは悠々自適かい？　羨《うらや》ましい話だな。桐敷氏は、いくつ？」

さあ、と辰巳は首を傾《かし》げる。

「改めて訊いたことはないですけど、四十半ばじゃないかな」

「そりゃあ、若い。その歳で引退とはね」

「そうですねえ。ぼくなんかじゃ深い事情まで窺《うかが》い知ることはできないですけど、ひょっとしたら、いまどき代々株主だってだけじゃ、会社は動かせないってことなのかもしれないです。ただ、早々に踏ん切りをつけちゃったのは、奥さんとお嬢さんのためだと思いますよ。これは引越した理由とも関係あるんですけど、お二人とも身体《からだ》が弱くて」

「病気かね?」

「ええ。それでどこか静かなところに越そうと場所を探してたらしいんです。で、懇意の方が、こちらの土地なら住み手もないので言い値でいいと」

「なるほどな。——これは、好奇心というよりも、医者としての義務感で訊くんだが、奥さんとお嬢さんはどこが悪いんだい?」

「SLEと言ったら分かりますか?」

辰巳が言うと、敏夫は珍しく深刻な顔をした。

「分かる。……そうか、それは大変だな」

静信が内心で首を傾げたのが分かったのか、敏夫は解説する。

「いわゆる難病の一種にそういうのがあるんだ。皮膚疾患、関節痛、あとは腎臓《じんぞう》や心臓の機能低下があるんだったか。たしか、光線過敏症もあったたんじゃなかったかな」

「そうです」と、辰巳は頷《うなず》く。「ですから、たまにお出かけになるときは、帽子やら上着やら手袋やらで重装備です。特にこういう真夏日はね。でも、都会にいてそれって辛《つら》いじゃないですか。出かける場所はいくらでもあるのに、思うように出かけられないなんて。それよりいっそ何もないところに引っ込んで、家の中で静かに暮らしたほうが……って、これ、失礼ですね」

　敏夫は笑う。

「その通りだからな」

「それでずいぶん前から、引っ込みたいという気はおありだったみたいですね。そこにたまたま、いろんな事情が重なって、踏ん切りがついたってことなんじゃないかな。会社を譲って事業を整理して。ただ、家には愛着がおありでしたので」

「それで移築か。なるほど、そういう事情でもなけりゃ、こんな田舎には越して来んだろうな」

　でも、と辰巳は言う。

「たしかに小さなところですけど、みなさんお気に召したようですよ。奥さんも病院がある、と喜んでましたから。とは言え医者はいるんですけど」

「医者が？　家に？」

「ええ、江渕《えぶち》さんというお年を召した方が。病院を息子さんに譲られてとっくに引退なさってるんですけど。その方が、奥さんとお嬢さんの面倒を見ているんです。お嬢さんの家庭教師も兼ねてる感じですけどね」

「お嬢さんはいくつだい？」

「十三です。本当なら中学校の一年生ですけど、発病してからは、ほとんど学校には」

そう、と敏夫は呟く。

「でも、医者はいても設備があるわけじゃありませんから。がくっと悪くなると一命にかかわる病気なんで、病院がすぐ近くにあるのが心強いみたいです。実際、病院もあると竹村さんから聞いて、引越す決心をなさったらしいですし」

「それは責任重大だな」と、敏夫は苦笑する。「心して勉強しておくよ」

「よろしくお願いします」

「じゃあ、家族三人と、使用人の君と医者とで、合計五人？」

「家政婦が一人います。合計で六人」

ふうん、と敏夫が呟いたのを期に、静信は時計を見て立ち上がった。

「じゃあ、ぼくはこれで。仕事があるので」

問うように静信を見上げた辰巳に、敏夫が説明をする。

「村に死人が出てね。それで奴《やつ》はこれから葬式をやらないといけないんだ。悔やみを言いに行くついでに、おれも残された妹さんの様子を診に行こうと思ってね。なにしろ年寄りで、がっくりきてるだろうから」

それは、と辰巳は慌《あわ》てて立ち上がる。

「済みません。話し込んでしまって」

「いいんだ。こういう粗茶でも良かったら、また飲みに寄ってくれ」

どうも、と辰巳は頭を下げた。気持ちの良い笑顔を見せて言う。

「ぼくも戻らないと。どうも、お邪魔しました」

3

「なあ、タツさん。昨日、尾崎医院に兼正の若いのが現れたって話、聞いたかい」

やって来るなり、佐藤笈太郎が言った。

タツは十年一日のごとく店先に坐《すわ》って村道を眺めていた。相変わらずの陽気だ。路面の照り返しで眩《まぶ》しい。

「兼正の若いの。……それは、『ちぐさ』で道を訊いた若いのかしらね」

「じゃないのかね。噂《うわさ》からすると、若い男はそいつ一人みたいだからね」

そう、とタツは素っ気なく答えて、村道に目をやる。転居者に興味がないわけではない。あからさまに興味を示すと、笈太郎のようなタイプは情報を出し惜しむ。むしろ冷ややかに構えていれば、勝手に知る限りのことを吐き出すものだと、経験から理解していた。

案の定、笈太郎は床几《しょうぎ》の、いちばんタツに近いところに陣取り、身を乗り出した。

「どうもね、主人と女房と娘と、三人家族らしいね。女房と娘は身体が弱いんだってさ。それで田舎に引っ込むことにしたんだそうだ。若いのと、手伝いの女の他に、医者もいるらしいよ。お抱えの医者ってわけだ」

「へえ……」

それはなんとも豪勢な話だ。なるほど、あれだけの家を移築するだけのことはある。だが、タツは気に入らなかった。何よりもまず、深夜の引越というのが気になる。それもトラックと乗用車が二台だと聞いた。それは虫送りの時に引き返した、あの連中ではないのだろうか。

(でも、だったらなんで引き返したのかね)

釈然としない。それだけではない。引越してきたきり、住人が現れない、それも気に入らなかった。見かけたという噂は聞くが、タツもここに集まる老人たちも、誰一人実際に見かけたわけではない。深夜の転居といい、まるで自分たちの目を避けているようなのが面白くなかった。真っ当に昼間、家移りをすれば、村の入口に陣取るタケムラの前を通らないわけにはいかない。しかも、ごく当たり前に家を出てくれれば、暇を持て余した老人たちの誰かと出会っただろう。そうすればその誰かは、真っ先にここにやって来て情報を落としていったに違いないのに。タツはこれまでずっとそうやって、ここに坐ったまま村のすべてを熟知してきた。なのに兼正のあの家の住人に関することに限って、自分たちの目の届かないところを掠《かす》めていく。

（気に入らないね……）

笈太郎も同じような気分がするのだろう、どことなく面白くなさそうな顔だった。

「なんだって、あの家の連中は、こそこそするのかね」

「別にこそこそしてるわけじゃないんだろうけどさ」

「そうかい？　そういう感じじゃないか。声はすれども姿は見えず、って気分がしないかい、タツさん」

その通りだ、とタツは思ったが返答はしなかった。笈太郎はふくれっ面《つら》に浮いた汗をハンドタオルで拭《ぬぐ》う。そうして、人の悪い笑みを浮かべた。

「まあ、これで郁美さんの妙な予言は外れたことが分かったわけだ。あの人は、住人に不幸があって越してこれなくなったんだ、なんて言ってたからね。今頃は面目をなくして悔しがってるだろうよ」

タツは顔を蹙《しか》める。

「当てずっぽうで言いたい放題、言ってるだけさ。そもそも口から出任せで、最初から脈絡もなにもありゃしないんだから」

「ははあ」

「外れたら外れたで、ばつの悪いのを誤魔化すために、妙な屁理屈《へりくつ》を考えつくんだよ、あの人の頭は」

違いない、と笈太郎は笑った。

夏野が冷蔵庫を漁《あさ》っていると、工房のほうから父親と母親が戻ってきた。一服する時間か、と夏野は台所の時計を見る。

「なあに、おやつ？」

台所に顔を出して、梓が訊く。別に、と夏野は麦茶のボトルを引っぱり出した。

「あたしたちのぶんも」

はいはい、と心の中で呟いて、夏野は頷く。グラスを三つ食器棚から取り出して麦茶を注いだ。

「ついでに葡萄《ぶどう》も出してよ。――ねえ、夏野くんは引越があったって話、聞いた？」

「いや。越してきたって？」

「みたいよ。さっき、前を通りかかった近所の人が、そう御注進に来たわ」

ふうん、と呟きながら、葡萄を洗って皿に盛る。ダイニングテーブルの上にそれを出した。椅子《いす》に坐って待っていた母親は、氷を入れてくれ、と麦茶のグラスを差し戻した。

「自分でやれよな」

「ついででしょ。お願い」

息をひとつ吐いて、氷を出す夏野の脇で父親が手を洗っている。

「村は大騒ぎだな。引越があったってだけなのに、それほど大騒ぎするようなことなのかな」

梓は笑った。

「なんだか可愛《かわい》らしいじゃない、子供っぽくて。きっとあたしたちが越してきたときも、こんなふうだったんでしょうねえ」

「だろうな」と、結城は溜息《ためいき》をついた。「にしても、ついこの間まで、山入の事件で騒いでいたのに。引越があったってだけで、もうこれだ」

「それだけ無邪気なのよ。微笑《ほほえ》ましくていいじゃない。山入の話よりも罪がないわ」

まあな、と結城は椅子に腰を下ろした。

「変質者だの無理心中だの、憶測が飛び交って、一体どんな大事件が起こったのかと思ったよ」

「結局病死だったのよね、山入」

「尾崎の先生はそう言っているらしいな。あの人が検屍《けんし》に立ち会ったんだけどね」

「だったら間違いないわよねえ。いっぺんに三人もの死体が見つかって、みんなが驚くのは分かるけど、あそこまで騒ぐほどのことじゃないわよねえ」

「大事件であるとは思うがね。別に三人の人間が死んだのがどうこうということじゃないが。山入は山の中に孤立していた。住人は三人で、老人ばかりだ。その老人が体調を崩しても誰も気づかなかった。こういうことになるまで死体すら発見されなかったんだ。それも、たまたま縁者に死人が出て訃報《ふほう》を伝えようと村の人が山入に行ってみたからこそ死体が発見されたわけだが、それすらなかったら、一体いつ発見されたんだろうね」

「そうねえ……」

「これだけ老人の多い村でも、その程度の体制しか布《し》かれていない。これは問題だと思うね。もっと老人たちを見守るネットワークがあってもいいように思うが。老人ばかりの村の中であっても、老人は孤立しているんだね。不要物とみなされ、周囲の人間関係が次第に希薄になってくると孤立してしまう。社会の中に組み込んでおかないと、社会の庇護《ひご》も届かないんだ」

「それなりの組織はあるみたいよ。老人会とか、独居老人のネットワークとか」

「不充分だったってことだろう」

そうね、と梓は頷く。

「山入の事件は、色々と考えさせられるところのある事件だったと思うがね。まあ、村の人たちにしちゃ、もう済んだことなんだろう。こういう共同体でも、意外にあっさりしたもんだね」

「そうね。もう少し——密というか、親身な人間関係があるのかな、と思ってたんだけどなあ」

「まあ、山入という地理的な条件もあったんだろうが。にしても、転居者が来たぐらいで済んだことになるのはどうだろうな」

「転居者によりけりなんじゃない？　なにしろあれだけの家を移築したり、夜中に越してきたり、華やかなんだもの。話題性はあるわよね」

「そのわりに、姿を現したという話は聞かないが」

「見かけた人はいるみたいよ。見た人がいる、って話なら小耳に挟んだわ」

「そういうのもどうだろうな」結城はさらに溜息をついた。「せっかく越してきたんだから、近所の人間に挨拶《あいさつ》ぐらいしても良さそうだがね。わざわざこんな小さな共同体の中に越してきたわけだからね。あんなふうに閉じ籠《こ》もって周囲を無視するかのように振る舞うのはどうかと思うね」

「そうねえ……」

　梓が呟くのを聞きながら、夏野は使ったグラスを洗って片付けた。黙って台所を出ようとすると、出かけるのか、と父親の声がする。うん、と夏野は振り返らないまま答えた。

「武藤に行ってくる」

外は相変わらず、うんざりするような上天気だった。陽射《ひざ》しを浴びて歩きながら、何だろうな、と夏野は辟易《へきえき》した気分で思う。

山入の老人たちは孤立していた。ネットワークから外れていたというのも事実だろう。もはや頻繁に連絡を取る者もなく、訪ねる者もいなかった。だからこそ、三人が三人、死んでしまうまで発見されなかった。

だが、老人たちも孤立は了解していたはずだ。自分たちが寂しい境遇に置かれていたことは分かっていたはずだし、そのうえ地理的にも孤立していたことなんて百も承知だったはずだ。自分たちが高齢で、何が起こるか分かったものではないことも了解していたはず。それでもなお、山入に踏み止《とど》まっていた。

孤立を恐れるなら、それなりに孤立せずに済むよう、行動したはずだ。梓が言っていたように、村には老人のための組織もあるし、独居老人たちが互いに互いの生活を見守るためのネットワークもある。孤立が怖いなら、そのどこかに積極的に所属すれば良かったのだし、それをしていなかった以上、山入の老人たちは孤立を承知でそうすることを選んだのだ。本人たちが孤立を望んでおらず、なんとか社会と接触しようとしているにもかかわらず、それができないのだったら問題だろう。だが、それは可能だった。あとは山入の老人たちの意思ひとつのことだったのだ。

父親の理想は分かるが、孤立を避ける意思を持たなかった人間を他者が抱え込んで心配してやらねばならない理由が分からない。おおむね、父親の主張というのはそうだった。本人が選んで寂しい生活をしているのだから、その結果、不都合が起こっても承知のうえだろう。承知しているべきなのじゃないかと、夏野には思える。老人たちが孤立を自覚しておらず、あるいは孤立に危機感を持っていたにもかかわらず、それを払拭《ふっしょく》するための行動を起こしていなかったのだとしたら、――あるいは、万が一の場合を想定していなかったのだとしたら、そんなものは本人たちが愚かだったというだけのことだ。どうして他者が先まわりして心配してやらねばならないのかが分からない。

「……余計なお世話って言うんだよな」

夏野にはそういう気がする。愚かに生き、愚かに死にたいのならそうさせればいい。それも本人の選択の自由のうちだ。ましてや老人たちは、すべてを承知したうえで、あえて孤立していたのかもしれないじゃないか、と思う。三人の孤立した老人が体調を崩し、救済を他者に求めなかったことが不思議がられているようだが、不思議に老人たちがあえて助けを求めなかった――なぜなら、すでに外場という村もそこに住む住人たちも、老人たちにとっては赤の他人だったからだ――という意見は耳にしたことがなかった。

（あの家だって）

夏野は足を止めた。振り返ると、緑の斜面の中程に、兼正の屋敷の威容が見えた。挨拶をするもしないも、そんなのは住人の勝手じゃないか、という気がする。田舎に地縁を求めて越してきて、積極的に村人と交わろうとするのも本人の自由なら、閑静な環境だけを求めて越してきて、煩《わずら》わしい地縁を拒絶するのも本人の自由だ。

(なんだかな……)

自分は正義と良識の側にいるのだ、という確信を、夏野は常に父親から感じる。自由と人権と善なるものの庇護者を自任していながら、父親は息子の自由意思には無頓着だ。夏野には、父親が「愚行」だと思うところの行為を選ぶ権利がない。問答無用に夏野の自由を侵害している自分を、父親は果たして理解しているのだろうかと思う。

深い溜息をついて武藤家の地所に入った。縁側から中を覗《のぞ》く前に、上から声が降ってきた。

「よう」

二階の窓から武藤保が手を振っている。頷いて勝手に家に上がり込み、階段を上った。保の部屋は茹《う》だるような熱気が立ち込めており、しかも徹と村迫正雄までがいて、人口密度が高い。その誰もが上半身を脱いで汗みずくになっている様子は、いかにも暑苦しかった。

「サウナか、ここは」

夏野の苦情に保は笑う。

「健康的だろ？　ありがたいと思えよ、お前。都会じゃ金払ってサウナに行くんだろうが」

「こんな泥臭いサウナに金払う奴《やつ》、いるかよ。あっちじゃ生存競争、厳しいの」

こいつ、と保は軽く夏野を蹴《け》飛《と》ばした。

「それよか、聞いたか？」

保が勢い込んだので、夏野は呆《あき》れて息を吐いた。

「兼正だろ。引越してきたらしいな」

いつの話だよ、と保は笑う。

「そんなの、一昨日《おととい》の話じゃないか。ニュースとしちゃ鮮度に欠けるぜ。——そうじゃなく、昨日、正雄んちに来たんだってさ」

「来たって？」

正雄はどこか得意気に笑った。

「兼正の若いの。店に顔を出してったんだよ。配達はするのか、とか訊《き》いてった」

夏野は軽く息を吐く。正雄の家は米屋だ。転居者がそういうことを訊きにきてもおかしくない。

「そんなのが、自慢そうに言うほどありがたいのかよ」

正雄はむっとしたように表情を変えた。

「別に自慢なんかしてねえだろ」

「そうか？」と、夏野は窓際《まどぎわ》に陣取って窓敷居に頬杖《ほおづえ》をつく。「よっぽど話題に飢えてんだな。山入の騒ぎといい。年寄りがくたばったり、転入者が顔を出したりしたのが、そんなに珍しいのかね」

呆れ果てた、というような夏野の声に、正雄は口許《くちもと》を歪《ゆが》めた。

「悪かったな。田舎者なもんで」

正雄の言葉に夏野は振り返った。

「そういうとこにコンプレックス持つのが、田舎者の証拠」

　正雄はさらにむっとしたが、保は違いない、と手を叩《たた》いて笑っている。何を笑っているんだ、馬鹿《ばか》にされているのになぜ怒らないんだ、と正雄は保の太平楽な顔を窺《うかが》った。徹も保も常にこうだ。だから夏野が増長する。こいつはもう外場の人間なのだから、外場の流儀を仕込んでやればいいのに。

「お前って、おれより年上みたいだよな」

年下のくせに生意気だ、と正雄は言外に含ませたつもりだったが、対する夏野は素っ気なかった。

「正雄が餓鬼くさいだけだろ」

正雄は夏野をねめつけた。怒鳴りたい気分をなんとか押さえ込む。これだから、こいつは不愉快だ、とひそかに拳《こぶし》を握って立ち上がった。保は依然として太平楽に正雄を見上げる。

「なんだ？　便所か？」

「帰るんだよ。空気が悪いから」

正雄は夏野を一瞥《いちべつ》した。シャツを取って足音高く保の部屋を出る。その背を夏野が見送った。

「何なんだろうな、あいつは」

徹は苦笑した。

「お前が正雄の自慢話に乗ってやらないからだよ」

「転入者を見たって話なんか、なんだってありがたく聞いてやらなきゃなんないんだよ」

「それが付き合いってもんなんだよ。興味がなくても、あるふりぐらいはするもんだ。今からそんなだと、お前、社会に出てから苦労するぞ」

「おれの苦労なんだから、ほっとけっての。んで？　自慢話に乗ってもらえないからって、相手を睨《にら》みつけて退場する奴は、苦労せずに済むわけか？」

徹は軽く額を押さえて失笑した。

「まあ、あいつも問題あるけどさ。正雄はちょいと我が儘《まま》なとこがあるからなあ。面白くないことがあると、いつもああなんだよ」

「……ふうん」

「あいつって兄弟のいちばん下だろ。しかも兄貴とは歳《とし》が離れてるんだよな。いわゆる恥かきっ子ってやつで」

「いくつ離れてんの」

「宗貴《むねたか》さん、いくつだったかなあ。もう三十の半ばじゃないか？　二番目の兄貴も大差ないはずだし、十五くらい離れてんだよな」

「十七だよ」と、保が口を挟んだ。「だからあいつ、母親に猫っ可愛がりされてさ。もうお袋さんは死んでんだけど。だから自分の思うようにならないと、気に入らないんだ」

「馬鹿か」

「まあな」徹は苦笑する。「そもそも屈折したところがあるしな。兄貴二人は出来がいいんだよ、あそこの家は。比べられるから卑屈になるんだよな。おまけに正雄は甘やかされて育ってるから、それを正面から受けて立つだけの度量がない」

「そうじゃなく。徹ちゃんたちの言い分が馬鹿くさいってこと」

「おいおい」

「一人っ子だから我が儘だとか、歳の離れたいちばん下だから甘やかされてるとかさ、そういうのって通説だろ。同じ環境に育ったら、必ず同じ人間ができんのかよ。人間には個性ってもんがあるだろうが。それを適当に約《つづ》めて本人無視して、イメージに振りまわされてるのが馬鹿くさいって言ってんの」

お前なあ、と保は息を吐く。

「おれたちはお前の肩もってやってんだろ。さりげなく正雄のフォローをしつつ、お前を立ててやってる、と。こういうのを気配りって言うんだよ」

「陰口の間違いだろ。そういうセコい味方なんて、いらねえよ」

「……お前、そういう態度ばっか取ってると、そのうち誰かに刺されるぞ」

「刺すほど度胸のある奴がいたら受けて立ってやるよ」

まったく、と徹は笑った。夏野の言い分が正しいかどうかはともかくも、こうやってあっさりと言って放つところが夏野の夏野たる所以《ゆえん》だ。

夏野は興味なさそうに窓の外に目をやる。視線の先に兼正の屋敷が見えた。

「なんだってこんなとこに越してくるんだかな。……物好き」

ひとりごちる口調でそう言う。

「なんか、奥さんと娘が身体、弱いらしいぜ。そんで田舎に引っ込むことにしたって、さっき正雄が言ってた」

なるほどな、と夏野は溜息をついた。

「そんなことでもなけりゃ、越してこねえよなあ」

納得する一方で、一抹の虚《むな》しさを感じた。夏野にはそういう理由があったわけではない。地縁もなく血縁もなく、村社会の中に入らなければならない事情は何もなかった。ただ、親がそう決めた、ただそれだけのことだ。ここに夏野がいる理由なんて何ひとつない。なのに外場に捕らえられ、時とともに呪縛《じゆばく》は強くなる。どこかでこれを振り切らなければ、永遠に外場を出られないのじゃないかと思う。

「残念だったな、仲間じゃなくて」

見透かしたように徹が言って、夏野は盛大に顔を蹙《しか》めた。

「別に仲間なんてほしかねえよ。――徹ちゃんは冷静だな。さすがにオトナって感じ?」

「別にそういうわけじゃねえけど。だって関係ないだろ、あんな家」

「ふうん?」

「あんな家に住むくらいだしさ、変わり者ではあるんだろう。気安く付き合えるお隣さんになるとも思えんし、そもそもこっちだって付き合ってほしいとは思わないしな。年頃の女の子がいるんならともかく、娘は十三かそこらだって話だしなあ」

「それが本音だろ」

徹は笑った。

「向こうだってこっちとは付き合う気がなさそうだし、こっちだって付き合ってほしいわけじゃない。この先、係わり合いになることもないだろ。だったらぜんぜん無関係じゃないか」

夏野も笑う。

「そりゃそうだ」


「ねえ、兼正の人を最初に見たの、加奈美さんなんだって？」

店に入ってきた客が、開口一番にそう言って、矢野加奈美は何度目か、溜息をついた。入ってきた田中佐知子は、清水寛子とカウンターに陣取り、期待を込めた目で加奈美を見ている。期待は分かるが、一昨日以来、何度同じ話をさせられただろう。いい加減、加奈美もうんざりしていた。

佐知子と寛子の視線に負けて、加奈美はかいつまんで兼正の住人に道を訊かれた話をした。話をする加奈美の脇《わき》で、黙って洗い物をしている元子が硬くなるのが分かる。元子は不安なのだ。余所者《よそもの》がやって来た、という思いに身が竦《すく》んでいる。

元子が子供に対して、神経症じみた不安を見せるようになったのはいつからだっただろう。最初からこうではなかった、という気がする。少なくとも自分が村を離れていて、町で結婚生活を送っている間は、こんなふうではなかった。たまに電話をするだけで、今ほど始終、顔を合わせていたわけではないから、表に出さなかっただけなのかもしれないけれども。ただ、自分が離婚して村に戻ってきた当初も、こうではなかった、という気がしてならない。それはいつの間にか始まり、そして年々、深刻になっているように思われた。

佐知子と寛子が、さらに詳しい話をねだるのを適当にいなしていると、元子は洗い物を終えて時計を見上げる。そそくさとエプロンを外して畳んだ。

「じゃあ……、あたしは夕飯の支度があるから」

加奈美は笑って頷《うなず》き、またね、と声をかける。元子はどこか強張《こわば》った顔で、ただ頷いて返した。

元子が店を出るのを見送って、加奈美は佐知子と寛子に向き直る。

「あんまり、兼正の話はしないでやってよ。元子、ちょっと気に病んでるから」

あら、と寛子は目を見開く。

「気に病むって——何を?」

加奈美は少し言い淀《よど》む。元子の不安について説明するのはいかにも骨が折れそうだった。

「だから」加奈美は笑む。「この間、元子の子供が車に当て逃げされちゃってね。大事なかったんだけど、その車が兼正の車だって噂《うわさ》があったのよ」

「あらまあ」

「もちろん単なる噂で、その頃には兼正は越してきてなかったんだけど。でも、当たり所が悪かったら、おおごとになってたかもしれないじゃない。兼正のはずはないんだけど、そうでないって保証もないしね。犯人は逃げちゃっただけに、元子は気になってしょうがないみたいなの」

「それは初耳だわ。大変だったわねえ」

まあね、と加奈美は言葉を濁した。

「兼正が良くないわよ」佐知子は言う。「そういう噂があるんなら余計に出てこなくちゃいけないわ」

「そんな噂があるなんて、兼正の人たちは夢にも思ってないでしょ」

「にしてもよ。越してきておいて、挨拶《あいさつ》もなしに引っ込んだままだって言うじゃない。それってどうかと思うわよ。得体が知れないから、不安に思う人がいるのよ。誰かが一言、それじゃあ良くない、って言ってやるといいんだわ」

寛子は笑った。

「誰が言うのよ、そんなこと。よしみがあればともかく、面識もないのに家を訪ねて、そう言ってやるわけ？」

「表敬訪問ってことにすればいいのよ。町内会の連絡とか、ちょっとした用を作って。

ついでに、よろしくって出向いたんだってことにすれば、角も立たないでしょ」

寛子は好奇心を刺激されたような顔をした。

「悪くないかもね、それ」

そこまでしなくても、と加奈美は思ったが、特に口は挟まなかった。佐知子たちの好奇心は分かる。そもそも妙な家を建てて、煽《あお》ったのは本人たちだから、この程度の干渉は我慢してもらうしかないだろう。

「娘さんがいるっていうじゃない。中外場の父兄会の人に声をかけてみたらどうかしらね。村の小学校だか中学校だかに通うことになるわけでしょ？」

「あら、身体が弱くて学校には行けないかも、って聞いたわよ」

へえ、と加奈美は寛子の顔を見た。

「そうなの？」

「うん。村迫米穀店にね、若い使用人みたいな男の人が現れたんだって。その人がそう言ってたみたいよ。ついさっき、買い物に行ったら智寿子《ちずこ》さんがそう言ってたわ。何とか言う病気で、お医者が家にいて面倒を見てるんだって。難病指定されてる病気みたいよ。母親と娘と、両方とも」

「あら……それは大変ね。それでこんな田舎に越してきたんだ」

「そうみたいね」

少し考え込むようにしていた佐知子は、軽く手を打つ。

「それこそ、そういうふうに聞いたけど、いかがですかって、訊けばいいのよね。父兄会で娘さんができるだけ登校できるよう、お手伝いしますけどって」

「ああ、そうね」寛子は頷く。「それ、本当に訊いたほうがいいかもね。登校するのに、誰かの手が必要なのかもしれないし」

「でしょ？　あたし、中外場の小池さんあたりに声をかけてみようかしら」

頷く寛子を見ながら、加奈美は心中で溜息をつく。本当に、自ら煽ってしまったこととは言え、転居者には同情したくなる。さぞかし、しばらく暮らしにくい思いをすることだろう。

4

清水恵は蟬時雨《せみしぐれ》の降る小道を急いだ。

西の山際《やまぎわ》に沿って下外場から中外場を経て門前へと向かう細い道。そちらのほうが顔見知りが少なくて、声をかけられることもないだろうと思ったのに、やっぱり知り合いに会って、もう少しで捕まるところだった。暇を持て余した年寄りの相手なんか御免だ。何を言われるかぐらいは分かっている。いつの間にか引越があったらしい、という話、そうでなければ山入で人が死んだという話を聞かされるだけ、それも最後には訓戒めいたおせっかいで終わる。

(どうだっていいじゃない)

人間は誰だって死ぬのだ。村には老人だって多い。人が死ぬなんてことは、毎日ひっきりなしに起こっているのだ。——大部分が目の届かないところで起こっているというだけのことで。

大人たちはこれで山入集落はなくなったんだ、とさも重大そうに騒いでいたけれど、山入なんて本当はもう、とっくになくなっていたのだ。誰だって今にも忘れそうになっていた。いまさら騒ぐようなことじゃない、と思う。

恵だって最初は、山入で死人が出たとき、大変なことが起こった、という気がした。新聞やテレビに出て、何かとてつもない変化が起こりそうな気がしたのだけど、そんなものは起こらなかったし、よく考えれば新聞だってテレビだって地方版やローカル・ニュースで、最初からそんなたいそうなことではなかったのだった。

(結局、物珍しいことが起こって嬉《うれ》しいだけじゃない)

さも一大事のように目を輝かせて噂をしながら、口先では可哀想《かわいそう》だとか不憫《ふびん》だとか。誰も本当は可哀想だなんて思ってないくせに。なのに恵が興味ないと正直に言えば、見下げ果てたような顔をする。

(くだらない町)

すごく、とてもくだらない。自分に係わりのないことは、無関係だと言わないだろうか。それをまるで自分が、死人の旧来の知り合いだったかのような顔をする。大騒ぎする連中に言ってやりたい。あんたは関係ないじゃないの、と。

(あたしには関係ないわ)

恵には関係ない。自分に関係のあるのは、むしろ——。

恵は曲がり角まで来て坂を見上げた。一昨日の夜中、トラックが入ったのを見た者がいる、という噂は、すでに村を駆けめぐっている。しかしながら、住人の姿を見かけた者はいなかった。少なくとも、恵は見た人がいるという噂を聞くばかりで、実際に会ったという者を知らなかった。近所への挨拶はもちろん、とりあえず村の様子を見に下りてくる、そういうこともないらしい。単に引越の後始末で慌《あわ》ただしく過ごしているのかもしれなかったが、住人があまり積極的に村に溶け込もうという気でいないことはたしかなのかもしれない。そんなわけで、恵はまだ住人についての詳しい話を聞いてなかった。

くだらないことばかりの村の中で、この家だけが恵にとって意味のあることだ。結局のところ、恵はこの家にとって無関係なその他大勢にすぎないことを分かってはいるけれども、そうと決まって落胆するまでは、期待することをやめられない。

落胆はしたくない。およそ恵には興味の持てないような人たちが越してきて、向こうだって恵にはなんの興味も抱かなくて、閉め出されてしまうことなんて想像もしたくない。

（そんなことは起こらないはず……）

食い入るように坂の上を見ながら、恵は自分に言い聞かせる。こんなにあの家が好きなのだから、その家の住人だって、好きになれるはず。こんな恵を、住人だって決して悪くは思わないはずだ。

（そうだよね？）

思い入れを込めて家を見上げていたので、恵は突然、声をかけられて飛び上がった。

「恵ちゃん」

振り返ると、かおりが犬を連れてやって来るところだった。恵の視線を受けてかおりは大きく手を振る。かおりの連れた犬は間延びした顔の雑種だ。ラブなどというお笑いな名前がついている。

（あの家で飼うなら、きっと洋犬だわ。精悍《せいかん》な感じの）

恵は名残惜しく家を一瞥《いちべつ》した。

「今日も暑いね。——散歩？」かおりは言って、恵の目線を追うように坂の上を見上げる。「どうしたの、あの家に何か用事？」

「そんなはずないでしょ」

なんだか気恥ずかしくて、恵は足早に坂を離れた。慌てたようについてくるかおりを、恵は横目で見やる。

(野暮ったいお下げ。せめてゴムだけじゃなく、リボンくらい付ければいいのに。しかもTシャツに突っ掛け履きだなんて)

かおりは恵のひとつ下で、家も近い。母親同士も仲が良かった。去年までは同じ中学に一緒に通っていた。今年になって恵は高校に進み、かおりは中学校の最高学年に残されたが、それでも毎朝、学校へ行こうと誘いに来る。別に恵が一緒に行こうと言ったわけでも何でもないのに、それが当たり前のことのような顔で毎朝律儀《りちぎ》にやって来るのだ。恵がぐずぐずと用意をしていると、「置いて行っちゃうぞ」などと言いながら、待っている。そういう時のかおりの顔は、飼い犬の顔によく似ていた。

恵が一緒に登校したがっていると決めてかかっている。高校まではバスを使っても三十分、村の中学校に通うかおりは、そんなに早く家を出る必要などないはずだ。それを「いいんだよ、気にしなくて。予習ができてちょうどいいから」などと言って恩に着せるのだから呆《あき》れ返る。

「引越してきたらしいって噂、聞いた?」

かおりが言うので、恵は頷いた。かおりは歩きながら坂の上を振り返る。二人が歩いている位置からは、もう門は見えなかった。見えるのは二階と屋根だけだ。それでも恵は少し、何かが汚されたような気分がした。

「娘さんがいるんだってね」

かおりが言って、恵は足を止めた。

「娘さん？　いるの？」

うん、とかおりは頷く。

「そう聞いたよ。でも、あたしたちより年下。小学校の六年生か中学生──そのくらい」

恵は複雑な気分がした。娘がいたのは嬉しいけれども、年下だというのはあてが外れた気がした。それを自分が知らなくて、かおりが知っていたのも面白くなかった。

「……そう」

「旦那《だんな》さんと、奥さんと、娘さん。三人家族なんだって。近所の小母《おば》さんたちが立ち話してたよ」

「ふうん……それで？」

「それで、って？」

「だから、どういう人たちなの？」

知らない、とかおりは首を振った。

「だって、立ち話してるのを、小耳に挟んだだけだもん。別に興味もなかったし、通り過ぎちゃった」

「興味ないの？」

恵が驚いて訊《き》くと、かおりも驚いたようにする。

「恵ちゃんは興味あるの？」

「そりゃあ……当たり前でしょ」

「変な人たちなのになあ」

「変？　どうしてよ」

かおりは、恵の詰問《きつもん》口調に驚いて首を傾けた。ひとつ年上の恵は幼稚園の頃からの友達だが、時にとてもよそよそしい。今のように。

「だって……、夜中に越してきたんでしょ？　普通はそんな時間に引越なんてしないいんじゃないかな」

「そんなの、事情があったのかもしれないじゃない」

そうかなあ、と、かおりは呟《つぶや》いた。

「……変な家だし」

「だから、どうして」

「似合わないでしょ、場所に家が」

「単に外場が田舎だからでしょ」

その田舎に、あんな家が建つこと自体そぐわなくて、かおりには変に思えるのだが、恵はそうは思わないのだろうか。

「なんか、重苦しくて暗そうだし……」かおりが言うと、恵はひどく険のある、それでいてどこか軽蔑《けいべつ》したような視線を向けてきた。「……ああいう家に住んだら、気が重そう」

「別にあんたの家じゃないんだから、いいじゃない」

恵の声は突き放すようで、踵《きびす》を返した足取りまでもがつけつけとしている。

「どうしたの？　またお母さんと喧嘩《けんか》？」

かおりの声に、恵は一瞥をくれただけで答えない。さっさと坂のほうへ戻り、かおりをちらりと振り返ってから、坂を登っていった。かおりはぽかんとそれを見送る。本当に長い付き合いだけれど、ときどき理解に困ってしまう。

かおりと一緒に足を止めたラブに、かおりは溜息《ためいき》まじりに声をかけた。

「恵、何かあったのかな」

犬は興味なさそうに欠伸《あくび》をする。

恵は憤然と坂を登った。あんな田舎者に、という言葉が胸の中で渦を巻いている。くだらない、くだらない、くだらない。

野暮ったい住人、野暮ったい村。それを少しも恥ずかしいと思っていない。それどころか、それでいいと思っているのだ。

この村に、あの家は立派すぎる。それを前にして恥じ入るのじゃなく、あの家のほうが変だと言う。ちょっと村の中の店にお使いに行く、その時に恵が着替えて出るのを、笑うみたいに。

(あの家が変なんじゃないわ、あんたたちのほうが変なのよ)

犬を連れて普段着のまま突っ掛け履きで散歩に出る。身なりを構わないのは、外も家の延長だからだ。村ぐるみ、庭先のような意識で、親戚《しんせき》のような感覚でいる。当然のことのように他人の家に上がり込み、家族のような顔をして他人の生活に指図する。

(こんな村、大っ嫌い)

けれども恵は、その村に囚《とら》われているのだ。出たくても出られない。このままこの村で就職して、村の誰かと結婚して、村の一部になるのだろうか。——それだけは御免だった。

大学に行きたい、都会で就職したい。けれども家族も、近所の連中も、女の子は家にいるのがいちばんだと口を揃《そろ》えて説教する。

(最低)

怒りに任せて前屈《かが》みに坂を登り、恵は顔を上げた。家を見上げようとして、はっと息をつく。

（……門が）

坂道はその家の前で屈曲し、カーブに面した門は、ちょうど道を塞《ふさ》ぐようにして立っている。白い塀、煉瓦《れんが》を積んだ門柱、飴色《あめいろ》の板に黒い金具の門扉《もんぴ》、道の先に立ち塞がり、視野を遮ってきたそれが少しだけ開いている。

隙間《すきま》はわずかに五センチほど。そこから細く、夕陽に照らされた敷地の中が見えた。門から続いている石畳と枝先だけが覗《のぞ》いている庭木、その先に建った暗い石組の壁。

恵は、そろそろと坂を登った。少しだけ胸の鼓動が高鳴っている。門扉の間を覗き込みながら、そっと近づいていった。外界に向かって開かれた間隙《かんげき》は、もどかしくなるくらい細い。石壁に開いた一階の窓の、板戸が開かれ、白いカーテンも開いているのが、かろうじて見て取れた。家の中にはすでに明かりが点《とも》っている。内壁か家具か、何か家の中のものが見えているのが分かる。

我知らず、恵は息を潜めた。門のほんの手前まで来たとき、夕風でも吹いたのか、門扉が揺れるように動いた。片方の扉が内側に向かい、ゆらりと開く。それで弾みがついたのか、石畳に穿《うが》たれ弧を描くレールに沿い、音もなく滑って開ききった。

恵は息を詰め、開く動きに引かれるように、その門へと近づいていった。

六章

I

かおりの家の電話が鳴ったのは、夕飯も済んで九時のテレビ番組が始まって少しした頃だった。

電話を取った母親は、少しの間電話の相手と話をしてから、茶の間でテレビを見ていたかおりに硬い調子の声をかけてきた。

「かおり、あんた今日、恵ちゃんに会わなかった？」

かおりは首を振った。

「ラブの散歩に行ったとき、会ったよ」

「恵ちゃんがまだ帰ってきてないんだって。あんた、何か聞いてない？」

かおりは首を振った。

「別に……」

「おかしいわね。溝辺町にでも行ったのかしら」

恵はお洒落《しゃれ》していたけれども、あれはいつものことだから、出かけるつもりだったかどうかは分からない。いや、どこか村の外に出かけるという様子ではなかった。かおりと話したあと、坂を登っていったから……。

かおりは、軽く空気を呑《の》み込んだ。

「門前で会った、けど」

そして坂を登っていった。かおりは先を言い淀《よど》む。あの坂には恵の秘密があり、かおりだけがそれを知っていた。坂の途中から林に入って斜面を下ると、中外場の山際《やまぎわ》にある家の裏手に出られるのだ。恵は今年に入ってから、頻繁に中外場にある一軒の家を訪ねていた。裏手からそっと、ひとつの窓を見守るために。

かおりは言葉を呑み下す。それを母親に言うわけにはいかない。——誰にも。

母親は、そう、とだけ言って、受話器に向かった。茶の間でテレビを見ていた弟が、かおりのほうに身を寄せてきた。

「なに？　恵、行方不明？」

弟の昭は、中学校の一年生のくせに、かおりはおろか、恵まで呼び捨てにする。

「馬鹿《ばか》なこと言わないで。ちょっと遅くなってるだけでしょ」

「こんな時間まで？」

昭に言われ、改めて茶の間の時計に目をやった。九時十七分。

いつものように結城夏野の家を見に行ったのだとしても遅い。恵に会ったのは五時過ぎのこと、それから四時間、夕飯も摂《と》らず、あの草叢《くさむら》の中で藪蚊《やぶか》に刺されながら窓を見ているとは思えなかった。

「なんかあったんじゃないの」

昭の含みのある口調に、そろりと不安が首を擡《もた》げた。山入で悲惨な死体が発見されたのは、つい先日のことだ。あれは年寄りが具合が悪くて死んだだけだ、とは聞いているけれども――。

かおりは声を上げた。

「お母さん、……兼正の下を通る坂を登っていったよ、恵ちゃん」

母親が、ちらりと振り向いて目線で頷き、それを電話の相手に伝えた。

2

電話が鳴って、大川はカウンターで酒を飲んでいる連中の話を遮り、受話器を取った。

電話の相手は消防団の団長である安森徳次郎だった。

「ああ――大川さん。あんた、下外場の清水さんとこの娘を知ってるかい」

ああ、と大川は頷いた。清水とは特別な付き合いはないが、娘のほうは大川の次男と同い年だから、まんざら知らなくもなかった。

「あの子がまだ戻ってこないっていうんだけどね」

「へえ」と、大川は眉根《まゆね》を寄せて店の時計を見上げた。九時半になろうとしている。とっくに看板にする時間だが、飲兵衛《のんべえ》たちが居据わっていて、ずるずると店を閉めそびれていた。「そりゃあ、変だ。この時間に」

「うん。そうなんだよ。どうも西山に登ったらしいんだがね。なにしろ近頃、色々と物騒なんで両親が心配してね。ちっと山を捜そうかと思うんだが」

大川は顔を蹙《しか》めた。大川は消防団の一員だが、外場集落の班長だった。下外場の娘のために駆り出されるのは、ありがたいとは思えない。飲兵衛たちのおかげで夕飯も摂りそびれていればなおのこと。

「どっかに遊びに行ってるんじゃないんですかね。デートでもしてて時間を忘れてるとかさ。いや、別に嫌だってわけじゃあないんだが。あの子はそういう浮ついたところのある子だと思うんだがねえ」

「松尾《まつお》の大将もそう言ってたがね」と、徳次郎は苦笑するふうだった。松尾誠二《せいじ》は下外場の班長だ。「まあ、親御さんの気持ちを考えて、ひとつ頼むよ。ついでに、詰め所にビールを三ケースほど届けといてもらえるかね。わしの奢《おご》りってことで」

大川は苦笑した。徳次郎らしい気の遣い方だった。

「分かりましたよ。——じゃあ、詰め所で」

電話を切ると、カウンターの客たちは、興味津々《しんしん》という様子で大川を見守っている。

「誰かいなくなったの？　誰？」

勢い込んで聞いてきたのは、伊藤郁美だった。常連と言ってもいいが、他の客の奢りで飲むばかりで金を払ったことはなかった。

「下外場の清水さんの娘だとさ。恵とか言う子」

あらあ、と郁美は聞きようによっては歓声とも聞こえる声を上げた。大川は軽く鼻を鳴らし、二階に向かって声を張り上げた。

「おい、篤！　ちょっと来い」

苛《いら》つくほどの時間をかけて、うっそりと息子が降りてきた。

「ぐずぐずすんな。山狩りだ」

「おれも行くのかよ」

つべこべ言うな、と大川は怒鳴る。次男や娘に比べ、出来の悪い息子だが長男には違いない。ゆくゆくは店を継ぎ、たぶん消防団の仕事も継ぐことになる。そう思うから大川は、こういった人手のいる場合には必ず息子も同行させることにしていた。

どうしたの、と娘の瑞恵《みずえ》が茶の間から顔を出した。恵がいなくなったと言うと、複雑そうな顔をした。次男の豊《ゆたか》も顔を出して、心配そうにする。

「おれも行こうか？」

その必要はない、と言いかけて、大川は思い直した。山狩りになるとしたら人手は多いほうがいいだろう。

「そうだな。支度してこい。長袖《ながそで》を着て軍手を履いてろよ。山に入ることになるからな」

うん、と豊は二階に駆け上がっていく。ふてくされたように突っ立っている篤を、大川は怒鳴りつけた。

「お前も行くんだ、さっさと支度しろ。ついでにビールを三ケースだ。詰め所まで運ぶからな」

3

長谷川がスイッチをひねると、ドアの上にあるランタンふうの電灯が消えた。もう看板か、と結城はポケットの財布を探る。それに目を留めたのか、「ごゆっくり」と長谷川は言ってCDをリズム・アンド・ブルースに換え、水割りのグラスを抱えてカウンターに坐《すわ》り込んだ。

「ここからが本番なんです、わたしにとっちゃあね」

グラスを掲げてみせる長谷川を、妻のちよみが笑った。

「あたしは先に帰るわよ。広沢さん、度を過ごさないように見張っててくださいね」

ちよみは広沢に言い、結城たちに笑いかけてエプロンを外す。厨房《ちゅうぼう》の脇《わき》の小部屋で帰り支度をすると、手を振って店を出ていった。長谷川の家は渓流の対岸、水口にある。

店に残ったのは広沢と結城、そして近所にある田代書店の田代正紀だった。結城はこのクレオールに後藤田秀司の葬儀以来、頻繁に足を運んでおり、それなりに顔馴染《かおなじ》みができつつあった。クレオールを根城にしている常連客の間には、微妙に共通するトーンがある。結城にはそれが、至極、居心地がいい。

長谷川がカウンターに落ち着いていくらも経《た》たない頃、ちよみが戻ってきた。

「どうした？　忘れ物か」

長谷川の声に、ちよみは首を振る。

「誰か清水さんとこの恵ちゃんを見た人はいない？」

長谷川は、いや、と言って結城たちを見た。田代も広沢も首を横に振った。結城はそもそも清水恵という人物を知らなかった。結城はちよみを見る。

「清水――というと、よくここに来られる清水さんですか。ＪＡの」

「ええ。恵ちゃんは清水さんとこのお嬢さんなんです。高校の一年で。――ああ、結城さんとこの息子さんと同級生じゃなかったかしら」

そう、と頷いたのは広沢だった。

「同じ学校ですよ。たしかクラスメイトじゃなかったかな。——その恵ちゃんがどうしたんです。まさか?」

ちよみは頷く。

「帰ってこないんですって。交番に清水さんと奥さんがいて、人が集まってるわ」

「山狩り?」

田代が硬い口調で言った。

「そうみたいね。なにしろこの時間でしょう。最後に西山に登っていくのを見た人があって、山の中で立ち往生してるんじゃないかって」

結城は広沢たちを見た。

「そんなに危険なんですか、このあたりの山は」

「いや——山自体に危険はありません。山入のほうから北に迷い込むと難儀ですけどね。あとは神社の裏手のほうか。地獄穴に落ち込むと危険ですが」

「地獄穴?」

広沢は東のほうを示した。

「川の対岸に神社があるでしょう。あの裏手から登った崖《がけ》に、地獄穴と呼ばれている横穴があるんです」

「へえ……」

「岩というか岩盤というか、その間にできた細長い亀裂《きれつ》なんですけどね。奥行きはどのくらいあるのかな。入口に祠《ほこら》が建っていて入れないんで分からないんですけど、枝道がいくつもあって、かなり長いものらしいです。地の底に下っていくように見えるから地獄穴と名前がついているんでしょうね」

「入れないんですね？」

「ええ。けれどもその穴の上がね。地獄穴はどうも神社の裏手から東山を斜めに横断しているようなんですけど、それの浅いところで落盤が起きて穴が開くときがあるんですよ。あのへんは鎮守の森になるんで、木を切りに入る者もいません。始終、人が入るわけじゃないから、穴が開いてても分からない」

「でも、それは関係ないわ。西山の——兼正の坂を登っていくのを見かけたのが最後なんですって」

「だったら、迷うようなことはないはずなんだがな。西山は尾根を林道が通っているし、林道を横切って尾根を越えない限りは村の中だ」

田代が言うと、長谷川が首を傾《かし》げた。

「勘違いして林道を渡って、尾根を越えてしまうようなことはないんですか」

広沢は首を振った。

「林道に平行して鉄塔の高圧線も通ってますからね。方角を見失っても、尾根道に出ればすぐに分かる。村の者なら、間違うことはないでしょう。どこかで怪我《けが》でもして立ち往生しているのかな。最近、野犬が出るって話も聞きますからね」

「高見さんたちもそう言ってたわ。それで消防団に召集をかけたんですって」

「そりゃあ、清水さん、生きた心地がしてないだろう」言ってから、長谷川は立ち上がった。「飲んでる場合じゃないな。行って手伝ってこよう」

「わたしも行きます」と広沢が言い、結城も田代も立ち上がった。清水とは面識がある。そのうえ息子のクラスメイトだと聞くと、他人事の気がしなかった。

4

敏夫が往診から帰ると、駐車場に見慣れた車が停まっていた。診察鞄《かばん》を控え室に置き、自宅のほうに戻ると、案の定、妻の恭子が戻ってきていた。

「なんだ。戻ってきてたのか」

敏夫の声に、居間でテレビを見ていた恭子は投げ遣《や》りに手を振った。

「明後日《あさって》からお盆でしょ。戻ってこいって」

敏夫は思わず周囲を窺《うかが》った。

「……お袋が？」

「他に誰がいるの。十三日に戻るって言ったら、準備があるんだから、当日に帰ってくればいいってものじゃない、って怒鳴られちゃったわ。――ところで、お盆の準備って何？」

「おれに訊《き》かれても知るもんか。単に近頃、足が遠のいてたから、お前の顔が見たかったんだろう」

「それは光栄な話ねぇ」と、恭子は嘆息する。「でも、ちっとも嬉《うれ》しくないわ」

おれもだ、と敏夫は内心で答えた。

「なんだか、いつにも増して機嫌が悪かった感じよ」

「悪いんだよ。兼正が越してきて以来」

あら、と恭子は身を乗り出す。

「やっと越してきたの？」

「ああ。ほんの一昨日《おととい》な。お袋としちゃ、あのまま越してきてほしくなかったんだろ。以来、あちこちに当たり散らしてるよ」

やだ、と恭子はソファに身体《からだ》を投げ出して白い喉《のど》を反らした。天井に向かって溜息《ためいき》を零《こぼ》す。

「溝辺に帰りたくなっちゃった」

「帰ってもいいぞ」

「そんなことしたら、電話攻撃だわね」

だろうな、と敏夫は呟《つぶや》く。孝江が恭子を気に入ってないのは、嫌というほど聞いているから分かっている。だったら、溝辺町に出したまま放っておけば良さそうなものなのに、それも気に入らないらしい。冗談まじりに、それじゃあ実家に帰そうか、と敏夫が言うと、そんな外聞が悪いこと、と孝江は顔を歪《ゆが》めた。絶対に離婚なんてみっともない真似《まね》はさせないと言う。とどのつまり、何をしても気に入らないのだ。

夫婦で深い溜息をついたとき、当の孝江が居間に入ってきた。湯上がりらしく、寝間着に着替えている。

「あら、おかえり」

ああ、と敏夫は視線を逸《そ》らした。しどけなくミニスカートの足を投げ出した恭子を肘《ひじ》で小突く。恭子がうんざりしたように息を吐いて居住まいを正した。

「お風呂《ふろ》、先にもらいましたよ」

うん、と敏夫は生返事をした。孝江は澄ました顔でソファの一郭に陣取る。逃げ出そうか、という気がしていたので、チャイムの音に救われた気がした。

「誰かしら、こんな時間に」

眉を顰《ひそ》めた孝江を制し、敏夫は立ち上がる。

「いいよ、おれが出る。急患かもしれないから」

言って、そそくさと玄関に逃げ出した。

玄関に出てみると、駐在の高見が深刻な顔をして佇《たたず》んでいた。敏夫の顔を見るなり、清水恵を見なかったか、と言う。

敏夫は首を傾げた。恵は何かと言うと大騒ぎをして医者にかかりたがる少女だが、夏休みに入ったせいなのか、ここしばらく顔を見ていなかった。

「どうしたんだ？　恵ちゃんがまさか？」

「姿が見えないんです。昼間に出たきり、まだ戻ってこないそうで」

敏夫は腕時計に目を落とした。十時半。

「……この時間まで？　連絡は」

「ないそうです。夕方に兼正の坂を登っていくのを見た者がいるきりで」

「そりゃあ、心配だな」

都会ならいくらでもあることだろうが、村ではこんな時間まで娘が出歩くことはない。近所に遊びに行くことはあっても、夕飯にも戻らないまま、連絡もなしに、ということはあり得なかった。

「事故じゃなければいいんだがな。消防団に連絡は？」

「しました。近頃は野犬も出るし、色々と妙なことも多いんで、清水さんが顔色をなくしちゃいましてね。ちょっと山を捜そうかという話になってるんです」

「おれも行こう」

敏夫が言って、玄関に下りたとき、背後から一喝する声がした。

「冗談じゃありませんよ」

振り返ると、夏羽織をはおった孝江が険しい目で高見を見ていた。

「あなたがそんなことをする必要はないでしょう。——高見さん、あなたも何を考えてるんですか」

高見は、悪戯《いたずら》を見とがめられた子供のように背筋を伸ばした。

「敏夫は尾崎医院の院長ですよ。気安く病院を空けるわけにはいかないんです。なにしろ、いつ急患が入るか分からないんですからね。みなさんの命を預かってるんですから」

「はあ……、どうも」

高見は腰を低くする。

「敏夫に指示を仰ぎに来るのならともかく、山狩りを手伝えとは何事です。そういうことで尾崎を気安く使ってもらっては困ります」

「いや、そんなつもりではなかったんですが。ちょっとお伺いしただけで。どうも夜分に、失礼しました」

高見は首を竦《すく》め、慌《あわ》てて頭を下げた。顔を上げると、敏夫が苦笑している。孝江には見えないように身体の陰で軽く手を挙げ、拝むようにする。高見は心得て、敏夫にちょっと笑ってみせた。

「いや、本当に御無礼を。——では、失礼します」

改めて孝江に頭を下げ、高見はそそくさと尾崎家を辞去した。

5

神託の通り、彼は丘を追われ、荒野を漂泊《さまよ》う。

彼の傍らに置かれた屍鬼は、少なくとも彼自身の主観において、呪《のろ》いに他ならなかった。弟の屍《しかばね》は、彼の罪の最も端的な象徴だった。それと彼は連れだって、この不毛の凍土を放浪せねばならなかった。

悪霊《あくりょう》の跋扈《ばっこ》する濃密な夜を、彼はただ俯《うつむ》き、鬼火を従えてひたすらに歩く。視野の端に屍鬼と化した弟を意識しながら、足許《あしもと》の凍った土と閉塞《へいそく》して過ごした。

やがて、遠巻きに揶揄《やゆ》を盛んにする悪霊の喧噪《けんそう》が消えゆくと、大地は白く光を帯びる。凍った土の微細な粒子が、暁光《ぎょうこう》に輝いて肌理《きめ》を露《あら》わにするころ、彼はようやく傍らにある気配が薄れ、消えたことを察して顔を上げた。

彼は壮大な天地の間に独りだった。

つきまとう悪霊の姿もなく、弟の姿もまたない。

見渡す限りの凍土と曇天、赤黒い頑《かたく》なな起伏が地平線にまで続き、その上方を泥水を吸った綿羊のような雲が低く垂れ込め覆《おお》っている。曙光《しょこう》はその陰鬱《いんうつ》な雲のどんよりとした起伏を赤く照らし、禍々《まがまが》しい陰影をつける。

無機的に連なる大地の起伏と、有機的に堆積《たいせき》し蠢《うごめ》く曇雲と、その両者に挟まれたわずかな間隙《かんげき》に残された者は、彼がただ一人だった。振り返れば、一夜を経てなおはるかに緑の丘が見える。風に押し流され、どよもす雲はその丘の上空で渦を描いて途切れ、小さく丸く穿《うが》たれたそこからまっすぐに光が注いでいた。

その光のせいで、これほどに離れても、緑のゆるやかな丘と、その裾《すそ》野を丸く囲った城壁、丘の頂上に白く聳《そび》えた街が明らかだった。それは暗澹《あんたん》たる世界の中で浮き上がり、文字通り輝いて見えた。眩《まぶ》しいほどの緑、目に痛いほどに白い石、街の上空には接するようにして光輝がひとつ、淡く点《とも》っている。

あれこそが帰還かなわぬ彼の故郷、屍鬼と化した弟の眠る慈愛の土地、彼は荒野に取り残され、大地の起伏が作る影のように佇んでそれをただ望んでいる。

雲と大地と光と丘と。それは彼に神殿の裁きの間を思い起こさせる。

なぜ、と賢者は訊いた。

灰色の石に封じ込められた広間は、端々に

「若御院」

　声をかけられて、静信は振り返る。湯上がりらしい池辺が、首にタオルを引っかけたまま、寺務所の中を覗《のぞ》き込んでいた。

「済みません、ちょっといいですか」

　池辺は申し訳なさそうに言う。静信は鉛筆を置いた。

「何ですか？」

「若御院、清水さんとこの恵ちゃんを見かけたりしてませんよねぇ」

「いや」静信は首を傾げた。清水家は檀家《だんか》だが、娘の恵に会うことはほとんどないし、最後に顔を合わせたのがいつのことで、どこのことだったかも記憶になかった。「もう長いこと会ってません。——どうしたんです？」

「それが、帰ってこないんだそうです。今、駐在の高見さんが」

　静信は立ち上がって寺務所を出た。廊下を曲がると、庫裡《くり》の玄関の土間に高見が懐中電灯を片手に立っており、気遣わしげな顔をした美和子が上がり框《がまち》に膝《ひざ》をついていた。

「こんばんは。恵ちゃんが、どうかしたんですか？」

「ああ——済みません、若御院。お仕事中じゃなかったですか」

「お気になさらず。恵ちゃんが帰ってこない？」

　そうなんです、と高見は事情を説明する。そうしながら盛んに汗で濡《ぬ》れた首筋を掻《か》いていた。藪蚊《やぶか》に刺されたのだろう、陽に灼《や》けた首筋のあちこちが赤くなっていた。

「なにしろほら、色々とあったでしょう。だからみんな心配してましてね」

「山入のあれは」

静信が言いかけると、高見は手を振った。

「なに、変質者がどうのこうのという話じゃないですよ。そういうふうに思っている者もいるかもしれないですけど。ただ、そういう噂《うわさ》もあったから不安だってことと、あと、野犬がね。最近、頻繁に山の中で野犬を見たって話を聞くんで」

ああ、と静信は呟いた。

「そうですね、たしかに」

「やっぱり若御院は、恵ちゃんを見てないですか」

ええ、と静信は頷《うなず》いた。美和子は眉根《まゆね》を寄せて手を頬に当てる。

「お手伝いに行ったほうがいいんじゃないかしら」

「そうですね。——ちょっと行ってきます」

静信が踵《きびす》を返そうとしたとき、高見は慌てたように声を上げた。

「いや、そんな。若御院に来ていただくようなことじゃないです。どこかで立ち往生しているかもしれないから、ちょっと様子を見に行こうってだけのことなんで」

高見は意外なほど狼狽《うろた》えた。

「いえ、本当に。若御院の手を煩《わずら》わせたんじゃ、年寄りに叱《しか》られます」

言って、高見は苦笑してみせる。

「実を言うと、ついさっき、尾崎の奥さんに叱られたばっかりで。不用意に若先生に相談をしたもんだから」

なるほど、と静信は苦笑した。

「ですから、気にせんでおいてください」

「じゃあ、ぼくが行ってきます」

池辺が声を上げた。

「いや、池辺くん、しかし」

高見の制する声に、池辺は笑う。

「檀家さんがお困りなんですから。人手は多いほうがいいでしょう」

「そうね」美和子は微笑《ほほえ》んだ。「池辺くん、そうしてあげてくれるかしら。お風呂も済ませたところなのに、ごめんなさいね」

「いいえ。若いお嬢さんですからね、清水さんは生きた心地がしないでしょう。どうせぼくは、あとはもう寝るだけだったんで。若御院は仕事をしててください」

「済みません」

「でも」

いいえ、と池辺は快活に言う。

「大急ぎで着替えてきますんで、高見さん、待っててください」

「いやあ、申し訳ないな」高見は、小走りに庫裡の奥にある自室へと引き返す池辺を見送って頭を掻いた。「友達の家にでも行って、時間を忘れてるんならいいんですけどね」

「そうですねえ」美和子は息を吐いた。「でも、時間が時間ですもの。清水さんは、さぞ御心配でしょう」

「そうなんですよ。連絡もなしにこの時間まで帰ってこないとなるとねえ」

美和子は小首を傾げた。

「兼正はどうです?」

は、と高見は口を開けた。静信もまた、美和子の思考を摑《つか》みかねて母親の顔を見た。

「あら、わたし妙なことを言ったかしら」美和子は困惑したように軽く口許を押さえる。「兼正のお家《うち》に人が越してきたと聞いたから。ひょっとしたら、同じ年頃のお子さんがいるかもしれないし。恵ちゃん、坂を登っていったんでしょう? 兼正の人と会って、話し込んでいるうちに時間を忘れたってことはないかしら」

「ああ──そうですねえ」

「けれど、お母さん。それだったら、恵ちゃんから家に電話なりがありそうなものじゃないですか? 兼正のお宅だって電話するよう促すでしょう」

「あら、電話するなんてこと、念頭にも浮かばないからこそ、時間を忘れた、って言うんですよ。それに、村じゃそういうことは当たり前だけど、あの家の方は都会の人だって噂だもの、特に家に電話をしたほうがいいんじゃないかとか、そういうことは思いつかないかもしれないじゃないですか」

「けれど、いくら何でも……」

「そうね。それにしても、お夕飯にも連絡なし、っていうのは変だわね」美和子は言って、照れたように笑った。「ごめんなさい。単に坂を登った、ってそれから思いついただけなんです。忘れてください」

いやいや、と高見は笑いつつ、どこか釈然としない様子だった。

「あるかもしれませんよ、意外にね。――しかし」

高見は首を傾げる。

「越してきたらしい、という噂は聞きましたけど、どういう人たちなんだか……」

「あら、見かけた人ぐらい、いるんでしょう?」

それが、と高見は声を低める。

「誰もおらんのですよ。まったく家の外には出てこないみたいで」

「そうなんですか?」

美和子は驚いたように目を丸くした。

「使用人の若いのを見かけたって話はあるんですけどね、肝心の家族はまったく。少なくとも、近所付き合いをする気はなさそうですな。そういう按配《あんばい》なんで、恵ちゃんと会ってどうこうというのは、どうも考えにくいなあ」

静信は内心で首を傾げた。桐敷家が越してきたのは、一昨日のことだったか。辰巳に会ったのが昨日の話だ。住人についての噂を聞かないと思っていたが、肝心の住人はまだ村人の前に姿を現していなかったのだ。

越してきてわずかに二日のことだから、引越の後片付けもあるだろう、村を出歩く余裕がないのかもしれないが、まったく姿を現さないというのは、どこか意表を衝《つ》かれる種類の事柄だった。自分たちが越してきた村がどういうところなのか、興味がないのだろうか。辰巳のように少し歩いて家の周囲の地理を確認したいとは思わないのだろうか——。

静信が首をひねっていると、長袖《ながそで》のシャツとジーンズに着替えた池辺が、懐中電灯を片手に戻ってきた。

「どうも、お待たせしました」

6

西山のあちこちに光点が点されていた。おおい、と呼ぶ声が交錯する。

「こりゃあ、道沿いにはいないな」

田代が言って、結城は汗を拭《ぬぐ》った。山の夜は涼しいが、さすがに斜面を上り下りすると暑い。

ハンドライトの明かりで林の中を見通すには限界がある。林道に沿い、道の周辺に分け入っては戻ることを繰り返していたが、充分に捜すことができているのか心許なかった。

おおい、とすぐ間近の斜面から声がして、結城は一瞬、朗報を期待したが、返答に対して返ってきた声は落胆の色が深かった。

「こりゃあ、本格的に山狩りせんと駄目だ。一回、丸安の材木置き場に集まろうってよ」

広沢が溜息《ためいき》をついて林道に上がり、結城らもそれに倣《なら》った。こんなに小さな村を囲む山の一郭、なのにそこでひと一人を見つけるとなると、山はいかにも広大だった。

疲労もあって、とぼとぼと林道を下っているうち、田代と並んでいた若者が足を止めた。山寺の役僧だ。池辺と言ったと思う。ちょうど兼正の家の前にさしかかっていた。

「どうしました、池辺くん」

広沢が訊《き》くと、池辺は複雑そうな表情で振り返る。

「こちらのお宅の方は、恵ちゃんを見てないですかね。声をかけてみたほうがいいんじゃないでしょうか」

広沢は意外な言葉に怯《ひる》んだようだった。

「この時間にかい?」

「いや」と池辺は照れたように笑う。「寺の奥さんが高見さんにそう言ってたらしいんです。ひょっとしたらこの家の人と会って、時間を忘れてるんじゃないかって」

「しかし」

「この時間じゃそれもないでしょうが、恵ちゃんは坂を登ってきたんでしょう? だったら、姿を見てるかもしれないです」

そうだね、と広沢もまた複雑そうな表情で暗い家を見上げた。結城にも広沢の困惑は理解できた。越してきて以来、姿を現すことのない住人。住人は村の者と積極的に交わる気がないように見える。高い塀は内部を窺《うかが》わせず、閉鎖的な家の佇《たたず》まいと相まって、新しい住人は村の者との間に一線を引こうとしているように思われた。そういう相手をこの時間に訪問して、少女の行方を尋ねることは、妥当だとは思えても躊躇《ちゅうちょ》される。

「行ってみましょう」言ったのは長谷川だった。「たしかにそうだ。姿を見てるかもしれないわけだし。ひょっとしたら、どちらの方角へ向かったか、それくらいは分かるかもしれません。もしも恵ちゃんが怪我《けが》をして立ち往生してるなら、少しでも早く見つけないと、おおごとになってしまう」

そうですね、と広沢が頷いた。結城たちは固く閉ざされた門に近づく。門柱の脇《わき》には潜《くぐ》り戸があって、その脇にインターフォンが見える。——そう、寝入りばなを起こすことになっても、とりあえずインターフォンを通じて話をするだけだし、その程度のことなら緊急時だ、許されてもいいだろう。

広沢が代表してボタンに指をかけた。周囲の顔を見渡してから、おずおずと呼び鈴を押す。二度、三度と押すと、四度目に応答があった。

「はい」

「あの——夜分遅くに済みません。ちょっとお尋ねしたいのですが」

広沢は、高校生の女の子が行方不明になったのだが、姿を見かけていないだろうか、と手短に伝えた。

「ちょっとお待ちください」

インターフォンの向こうから聞こえる声は若い。何人かの村人が二十代半ばの若い男を見かけた、と言っていたが、それだろうか、と広沢は思った。

ややあって、潜り戸が開いて、広沢はたじろいだ。ハンドライトを手に姿を現したのは、噂の人物のようだった。

「お待たせしました」

「どうも済みません。こんな時間に」

「いえいえ。——ただ、家中の者に訊いてみたんですが、誰もそのお嬢さんを見かけてはいないそうです」

そうですか、と広沢は息を吐いた。

「こちらに登ってこられたのはたしかなんですか?」

「ええ。最後に姿を見かけたのが、この坂を登るところだったそうで」

そうですか、と言って彼は門の外に出てきて潜り戸を閉めた。驚いたように見守る広沢に笑む。

「旦那《だんな》さまにお手伝いするように言われました。御心配だろうから、って」

「いや——それは」広沢は狼狽《ろうばい》する。「そこまでしてもらっては」

「いえ。こういうことは、お互いさまですから。ああ、ぼくは辰巳と言います」

「広沢です。それは恐縮です。ありがとうございます」

辰巳は笑う。

「ぼくでは足手まといになるだけかもしれませんけどね。こういうことにも地理にも不慣れなんで、どうすればいいか指示してください」

人々は幾手にも分かれ、山に分け入っていった。結城はひたすらに広沢たちのあとをついていく。いつの間にか辰巳と池辺と並ぶ恰好《かっこう》になったのは、明らかに彼らだけ山に不慣れだからだ。

「ああ、あのお寺の方ですか」辰巳はライトで周囲を照らしながら、池辺に言う。「つい先日、室井さんという方にお会いしましたよ。尾崎医院から出てこられたところで」

「若御院ですか？ へえ」

「お聞きじゃなかったんですか？」

「ええ。若御院は、そういう噂話って、ぜんぜんしない人なんで」

辰巳は笑った。

「いかにも物静かな方でした」

「そうなんです。ぼくなら、すぐさま広めちゃいますけどね。なにしろ八五郎《はちごろう》みたいな性分なんで」

「広めるほどのニュース・バリューはないでしょう」

「とんでもない。村の人はみんな、興味津々《しんしん》なんですよ。ほら、お宅の建物も変わっているし、引越して以来、ぜんぜん出ておいでじゃなかったでしょう。それで、どういう人なのか、ってそれはもう」

「ぜんぜん出てないわけじゃないんですが。そうか、そういうことになるかな」

「正直言って、村の者を避けているのかと思ってたんですよ。なんで、こうして辰巳さんが出てこられてびっくりしました」

「避ける？　なんでです？」

「いや、引越して以来、出てこられないから。高い塀があって、門もずっとぴったり閉じてて」

辰巳は一拍を置いて、そうか、と呟《つぶや》いた。

「ひょっとしたら、引越の御挨拶《あいさつ》をどこかにしないといけなかったのかな。これまであまり隣近所と付き合いをする習慣がなかったので、ぜんぜん意識してませんでした」

「おやまあ」

声を上げる池辺を、結城は笑った。

「都会に住んでるとそんなもんですからね。回覧板を廻すときぐらいしか隣の人の顔を見ることもないし、マンションなんかじゃそれさえしない。門だって閉じておくし、昼間だってドアには鍵《かぎ》をかけておく。こっちじゃ夜中だって、全部開け放したままです。最初はちょっと抵抗がありましたね、わたしも」

「結城さんも都会から越してらっしゃったんですか？」

「そうなんです。それで、最初はそんなもんだと分かってても心細くてね。どうも気分的に落ち着かないんで、玄関だけは戸締まりをしてましたよ。もっとも、うちはそもそも裏口に鍵がないんですけどね」

「へえ」

「なんだか——ガスの火を点《つ》けたままにしてるような、そんな感じがしてね。半年ぐらいかかりました、慣れるのに」

「なるほどなあ」と辰巳は頷く。「それは帰って報告しないといけないなあ。みんな、そういうこと、ぜんぜん念頭にないんだと思うんで」

池辺が低く笑った。

「別に無理をなさることはないと思いますけどね。でも、つまらないでしょう。家の中に閉じ籠《こ》もったままじゃあ」

結城も頷く。

「せっかく越していらっしゃったんですからね。鍵をかけなくても家を留守にできる、隣近所とはみんな顔見知りで、気軽に往《ゆ》き来して助け合って。——そういうのが、こういう小さな社会の醍醐味《だいごみ》ですからね」

「そうですね」

頷いた辰巳に微笑《ほほえ》んで、結城は捜索に専念する。あまり無駄口を叩《たた》いているのも気がひけるし、そうしている間に前を行く広沢たちと距離ができていた。足を急がせながら、そんなに難しい転入者でも奇矯な一家でもないじゃないか、と独白していた。——こんなものだろう、世の中というものは。

揃《そろ》って口を噤《つぐ》み、先を急いでいたせいで、近くを捜す別のグループの会話が聞こえてきた。

「こりゃあ、ひょっとしたら時間がかかるんじゃないかなあ」

「見つかればいいがね。仏さんを見つけることになったらかなわんな」

結城は思わず林の向こうを見た。濃い下生えと茂みに遮られ、ハンドライトの明かりしか見えない。二、三人がいるようだが、どういう人物たちなのか分からなかった。

「なら、いいけどな。どっかに遊びに行ってるんじゃないのかい。明日になって、しらっとした顔で戻ってきたりしてな」

「あるかもなあ。清水んとこの娘だろう。ちゃらちゃらした娘だからな。男でも作ってしけこんでるんじゃないのかねえ」

「しけこんでるぐらいのことならいいけどよ。ほら、こないだ山入で年寄りが殺されたっていうじゃないか。妙なのが、うろうろしてるんじゃないといいけどな」

「ありゃあ、病死だろう」

「どうだか分かったもんか。その前にも――前田のとこの息子だったか。轢《ひ》き逃げに遭ったことがあっただろう。最近はそう平和でもないからね、この村も」

「大きな声じゃ言えないけどな、おれも山を捜すより、大川の息子でも捕まえて行方を訊いたほうが話は早いんじゃないかって気がするよ」

「それより兼正だよ。なんでもあそこに若いのがいるそうじゃないか。そいつにそのへんの草叢《くさむら》に引きずり込まれたんじゃないのかい」

結城はとっさに足を止め、辰巳を振り返った。辰巳は無言で自分を指さし、おどけたように瞬いてみせる。

「そうそう。前田んとこの轢き逃げだって、兼正の車だって噂だからな」

「ありゃあ、お前、寺の若御院だって話もあるじゃないか」

「いくら何でも、そりゃあないだろう」

「どうだかな。だいたい村の連中は、いつまでも寺を別格に扱いすぎるんだよ。清水の娘だって、どうだか分からねえぞ。なにせあの若さん、三十過ぎて未《いま》だに独り者だからな」

「寺には何とか言う若いのもいるだろう。そっちじゃないのかい」

結城はなぜだか、恥じ入る思いで佇立《ちょりつ》した。声が遠《か》ざかっていくのを待つ。辰巳と池辺は、結城を待つように足を止めていた。下草を掻き分ける音が遠ざかり、結城はひそかに息を吐く。

「……あんな連中ばかりだと思わないでください」

「結城さんがそんな顔をなさることはないです。余所者《よそもの》なんて、そんなものでしょう」

辰巳が苦笑するように言う。「妙に引き籠もっていたからなおさらだ。ちゃんと挨拶まわりしてれば良かったですね」

「挨拶しても、余所者だってのはついてまわるんですよね……」池辺はごく軽く溜息《ためいき》をつく。「なにしろ村は、ほとんどが親戚《しんせき》みたいなもんですから」

「そういうものでしょうねえ」

ことさらのように軽い調子で言う二人に対し、頭が下がった。村が異物を排除しようとする性質を本来的に備えていることは、結城自身、身に滲《し》みて知っている。

池辺は笑う。

「恵ちゃんが見つかれば、御両親も安心できるし、ぼくらも身の証《あかし》が立つってもんです。——行きましょう」


おおい、と怒鳴り声が聞こえたのは、午前三時を廻ってからのことだった。いたぞ、という声に、草叢を掻き分けていた結城たちは顔を上げた。声の所在を探して周囲を見渡していると、少し離れた斜面を登りかけていた広沢たちが駆け戻ってくる。

「あっちのほうです」

示されたほうに、結城たちは急いだ。結城自身は、完全に現在地を見失っていたが、広沢によると結城たちがいるのは、西山のかなり北のほうらしい。

「このずっと先に細い沢があって、それを越えると北山です。寺の地所になるんで」

ちょうど北山と西山が交わるあたりだという。斜面を下っていくと、棚田を隔てて丸安の材木置き場などがある入り江のような場所に出るらしい。

林の中をライトが交錯し、人の声が交錯していた。あちらからもこちらからも下草を搔き分ける音がし、人々が集まってくる。先頭に立つ広沢と田代のあとをついて走っていくと、やがてライトが一箇所に集まっているのが見て取れた。斜面の途中に人の背丈ほどの段差があって、その下のえぐれたような場所に人が集まっている。

「見つかりましたか」

広沢が駆けつけると、消防団の法被《はっぴ》を着た男が振り返った。

「いた。——ここだ」

「怪我は」という広沢の問いに、男は首を傾《かし》げる。

「見たところ怪我はなさそうなんだがね」

駆けつけた結城にも、人垣の間から助け起こされた少女の姿が見えた。怪我はないように見えるが、ぐったりとしている。

「おい、あんた恵ちゃんだな？　大丈夫か」

助け起こした初老の男が、少女を揺する。誰かが「あまり揺らさないほうが」と声をかけた。

「尾崎の先生を呼んだほうがいいんじゃないのかい。頭を打ってるかもしれねえ」

「ああ……そうだな」

初老の男が答えたところで、恵が目を開けた。集まったライトに眩《まぶ》しそうに瞬き、目《め》許《もと》を軽く手で覆《おお》う。

「気がついたかい。大丈夫か?」

周囲の問いかけに、恵は頷いた。どこか呆然《ぼうぜん》としてるふうではあったが、苦痛がある様子ではなかった。

「気分はどうだ? 立てるかい」

言われると、どこか間延びした動作で頷く。左右から差し出された手に縋《すが》って、なんとか立ち上がった。

「良かった」と安堵《あんど》の声がする。恵は男たちに支えられて、よろめきながら斜面を下り始めた。

「自分で歩けるようなら心配はないか」

これまた安堵したように長谷川が言い、結城も深い息を吐く。何はともあれ、無事で良かった。

「段差から落ちたのかな。見つかって良かったよ、まったく」

田代が破顔し、結城らも頷く。さざめくように安堵の息と笑い声が林の中を流れ、人々は斜面を三々五々下っていった。

池辺が寺に戻ったのは四時過ぎ、庫裡《くり》の玄関脇、寺務所の明かりがまだ点いていた。そっと玄関の戸を開け、土間でジーンズについた泥や草の切れ端を払い落としていると、その物音を聞きつけたのか静信が出てくる。

「おかえりなさい。申し訳ありませんでした」

副住職はそう言って、年下の池辺に頭を下げた。池辺は静信のそういうところが嫌いではなかった。いつまで経《た》っても他人行儀な気がして気詰まりに思うこともあるが、居丈高に振る舞われるより、よほどいい。

「いかがでしたか」

静信は心配そうに訊いた。副住職の夜更《よふ》かしはいつものことだが、今日は池辺を待って起きていたのかもしれない。

「見つかりましたよ」

「ああ、それは良かった。やっぱり山で？」

「ええ。ちょうど丸安の裏手を登ったあたりです。斜面を落ちたかどうかしたみたいで、気を失ってるのが見つかったんですよ」

「大丈夫なんですか？」

「みたいでしたよ」池辺は言って、上がり框《がまち》に腰を下ろした。長靴を脱ぎながら、「呼んだら目を覚ましましたし。なんだかぐったりしてるふうでしたけど、とりあえず怪我というほどの怪我はないみたいだったし、交代で支えたら自分で歩いて山を下りましたから」

「ああ……それは良かった」

良かった、と言えるのだろうか、と池辺は恵の様子を思い出した。恵は放心しているように見えた。まるで視点が定まらず、支えられて歩く足取りも怪しかった。その様子は何か恐ろしいことに遭って、心がその衝撃から醒《さ》めてない、そんなふうに見えた。

「何があったんでしょうね」

静信の心底、気遣わしげな声を複雑な思いで聞きながら、池辺は長靴の泥を落として揃えた。

「それが、肝心の恵ちゃんが何も言わないもので、よく分からないんですよ。声をかけても上の空っていうか、ぼうっとしたふうでしたから。家に帰って寝れば落ち着いて、何があったのか聞けるんじゃないですか」

「そうですね。——とにかく、大事《だいじ》でなくて良かったです」

本当に、と池辺は答えるにとどめた。

村は狭い。いずれあの会話も噂となって寺に舞い戻ってくるのだろう。都会から外場に来た池辺は、村の「世間」の狭さを嫌というほど知っていた。

（いい人なのに……）

池辺はそう思う。この副住職に対して、池辺は無条件の好意を抱いていた。なのに妙なことを言う者がいる。以前、子供が撥《は》ねられた時といい、どうして、という気がしてならなかった。

まったく、と思い、ふと池辺は以前、小耳に挟んだ噂話を思い出した。ほんのわずか、静信の横顔を盗み見る。

とても光男や鶴見には訊けない種類の噂。あれは本当なのだろうか。ひょっとしたら、村の者が妙な目で見るのは――あれのせいなのだろうか。

7

清水から敏夫の許に電話があったのは、恵が発見された翌日――カレンダーの上では当日の夜のことだった。

敏夫が受話器を取ると、清水のどこかおずおずとした声が、恵の様子がおかしいので診てほしい、と告げた。

「おかしい？　どういう様子ですか」

それが、と清水は口ごもった。

「どこがどう悪い、というふうではないんですが。どう言えばいいんだろう、とにかく呆然としているふうなんです。家内に訊くと、今朝、山で見つかって以来、一日ずっとその有様だったようで」

　敏夫は首を傾げる。

「それだけじゃ、よく分からないな。もう少し具体的に言ってもらわないと」

「ですから、ちょっと来て診てもらえませんか」

「往診に行くのを渋っていると思わないでもらいたいんですけどね」敏夫が言うと、居間のソファに坐《すわ》ってテレビを眺めていた孝江と恭子が振り返った。「とりあえずどんな様子か聞かないと、おれも用意のしように困るんですよ。最低限の処置をするのに、何が必要か見当をつけないと、病院ごと担《かつ》いで行くわけにはいかないもんでね。――熱は？」

「ないようです」

「食事はどうです」

「まったく、朝から何も手をつけてないらしい」

「どこか痛みがあるふうですか」

「いいえ。特にそんな様子には見えません。具体的にどう悪い、というふうではないんです。ただ、話しかけても生返事しかしませんし、上の空というか」言って、清水は歯切れの悪い口調で続けた。「こちらから連れて行くなり、一晩様子を見たほうがいいんじゃないかとは思うんですが。その——昨日の今日なんで家内が心配しましてね。申し訳ないんですが、とにかく様子を診てもらえませんか」

敏夫は溜息をついた。

「分かりました。とりあえず、これから準備をして出ますから」

受話器を置くと、孝江は険のある表情でこちらを見て、これ見よがしに壁の時計を見上げた。恭子はそっと肩を竦《すく》めて、同情したような視線を敏夫に投げて寄越し、そっぽを向いた。

「往診なの？　この時間に」

敏夫も時計に目をやる。すでに十一時を過ぎている。

「まったく、もう少し時間を考えてほしいものね」

こんな時間であるにもかかわらず、敏夫を呼ぶほど清水は娘が心配なのだろう、と思ったが、敏夫は特に異論は唱えなかった。こういう場合、母親に何を言っても無駄だと承知している。敏夫は特に返事もせずに居間を出ると、孝江はあとをついてきた。

「お前も気安く出て行くから。だから安易に扱《こ》き使われるんですよ。——誰なの」

「清水さんとこ」

答えながら病院に向かう。

「清水——そう言えば、娘さんを捜してたんじゃないの。見つかったの？」

「らしいな」

言って渡り廊下のドアを潜《くぐ》った。敏夫はひそかに、この廊下を緩衝地帯と呼んでいる。待合室に出るドアが国境線だ。孝江は滅多なことでは緩衝地帯に足を踏み入れず、ましてや国境線を越えることはない。だが、今夜の孝江は珍しく、自ら国境を越える気になったらしかった。

「らしいな、って。高見さんはどうしたんです。報告に来てないの」

「来る必要もないだろう」

「必要ないはずがないじゃないの。昨日、わざわざ女の子がいなくなったと言って報告に来たんじゃないの。まるで一緒に捜せって言わんばかりの口調で。そうやって来た以上、その後どうなったか、一言、報告に来るのが筋じゃないですか。第一、お前は防犯委員なんですからね。何かあったのなら、耳に入れてもらわないと」

「一緒に捜したわけじゃないし、別に何かの事件があったわけじゃない」

「何かあったに決まってますよ、あんな時間まで若い女の子が行方知れずだなんて。それとも、親に黙って外泊でもしていたの？」

「母さん」

敏夫は深い息を吐きながら振り返った。孝江が待合室にまで出てくることは希有《けう》なことだと言っていい。だが、もちろんそれを喜ぶ気にはなれなかった。

「おれは、恵ちゃんはどうやら山の中で具合を悪くして身動きができなかったようだ、と聞いている。そうして実際に具合が悪いらしい。清水さんが診てくれ、と言ってきているんだ。おれは医者で、患者が待ってる。急いで出かけないといけないんだ。そういう話は帰ってきてからにしてくれ」

孝江は明らかに鼻白んだ様子だった。

「別に興味本位で言っているわけじゃありませんよ。あなたがそうも気安く扱き使われているのは、どうか、と言っているんです」

「母さん」

「清水さんのところのお嬢さんは、こんな時間にお前が出て行かなきゃならないほどの容態なんですか。そうやって気軽に引っぱり出されて、お前が出ている間に、本当に一刻を争う患者さんが来たらどうするの？」

「一刻を争うようなら、おれを呼ぶ前に救急車を呼ぶさ。そのくらいの分別は、みんなあるだろう」

「敏夫」

「とにかく行ってくるから」

敏夫は控え室に入る。さすがの孝江も、控え室にまで追ってくる気にはなれないようだった。孝江は控え室を嫌っている。仮にも尾崎医院の院長室がこんな有様だなんて、と言う。あまりにも情けなくて足を踏み入れるのも嫌らしい。

ドアの向こうに孝江を置き去りにして、敏夫は息を吐いた。

院長と奉《たてまつ》られ、一目も二目も置かれることで地位や権勢を確認したいなら、誰がこんな村に帰ってくるものか。本当にそれを望むなら、山奥の小さな病院の院長以上に望む値打ちのあるものが、世間にはいくらでも存在するのだということを、孝江は理解できないらしい。

いや、孝江だけではない、と敏夫は病院を出ながら思う。敏夫の父親もまた、それを理解できない男だった。地位や名誉に価値を置くことは敏夫も否定しない。だが、たかだか外場の、ほとんど診療所に近い小さな病院の院長に納まって、なんの地位だろう。そもそも医者が一名しかいないというのに、「長」を名乗るところから笑わせる。個人商店の親父《おやじ》と同じじゃないか、という気がしてならなかった。院長ではなく、村の商店の主人と同じように「大将」と呼べばいいのだ。——敏夫はずっと、そう思ってきた。

たしかに、尾崎医院はかつて、付近一帯に唯一《ゆいいつ》の医者だった。まだ溝辺町にさえ医者がいなかった時代に病院を構え、はるばる旅をしてまで診てもらおうという患者のために、門前には宿屋まであったらしい。だが、そんな時代はとっくに過ぎ去っている。患者は緊急の事態になれば救急車を呼ぶ。溝辺町に出れば、設備の整った総合病院もあれば、国立病院もある。高速に乗れば、都市の大学病院まで三時間もかからない。

外場村という狭い地域の中で、尾崎と祀《まつ》り上げられ、村政に口を出してお大尽気分に浸っている間に尾崎は取り残されてしまった。本当に権勢を望むなら、さっさと地の利の良い場所に移転して、病院を拡大していけば良かったのだ。村の連中から崇《あが》め奉られる生活を捨てられず、狭い村にしがみついた結果がこれだ。

文字通り井の中の蛙《かわず》だ。敏夫は父親の、こけおどしに満ちた院長室に足を踏み入れるたびにそう思っていた。すでにありもしない権威を信じ、自分の周囲の人々も自分と同じ種類の信仰を堅持しているものと信じていた男。もはや一介の医者にすぎなかったにもかかわらず、一介の医者であることを拒み通した男と、未《いま》だに拒み続けているその妻。

(不様な話だ……)

そんな生き方だけはしたくない。——断じて。

清水の家の前に車を寄せると、エンジン音を聞きつけたように玄関のドアが開いた。にもかかわらず門灯は消され、雨戸が引きまわされ、カーテンもぴったり閉められている。一見して寝静まった家という有様だった。

「先生——どうも」

迎えに出てきた清水寛子は、どこかあたりを憚《はばか》るふうで、声も押し殺したように低かった。手を引かんばかりにして家の中へと促し、敏夫がやって来たことを近所の者に見られはしなかったかと確認するように周囲を見まわしてから素早く——けれども音を立てずにドアを閉めた。

「こんな時間に済みません」

玄関まで出てきた清水もまた、声を潜めるふうだった。

「恵ちゃんは」

「二階です」

敏夫は玄関に上がり込み、まっすぐ二階に向かおうと、正面にある階段に足を載せたが、それを清水が止めた。

「あの」

「どうしました」

実は、と清水は目を逸《そ》らす。

「とにかく恵は様子が変で……その、昨日何があったのかと訊いても、要領を得んのです。ろくすっぽ返事もしないし、怒鳴っても聞こえているのかいないのか」

清水は二階を窺《うかが》うようにして声を低める。

「ひょっとしたら、具合が悪いんじゃなく、……何と言うか、精神的なものじゃないかと思ったりもするんですが」

敏夫は意を得て頷《うなず》いた。つまり清水は、孝江と同種の心配をしているわけだ。娘の身に何かがあったのかもしれない。娘の精神に衝撃を与えるような種類のこと。だからこそ、周囲の目を憚り、病院に連れ出すでもなく、あえて夜遅くにひっそりと敏夫を呼んだのに違いない。

「とにかく診てみます」敏夫は頓着なげに笑ってみせた。「診察してみれば、何か分かるかもしれませんしね」

「ええ、……そうですね。どうぞ。二階に上がってすぐの部屋です」

失礼します、と言い置いて、敏夫は二階に上がる。息を殺すようにして清水と寛子があとをついてきた。

恵の部屋には、若い女の子らしい名札が下がっている。「めぐみ」という丸みを帯びた文字を見ながら、敏夫は軽くノックしてドアを開ける。ぬいぐるみや小物があふれた部屋の中の、窓際《まどぎわ》のベッドの上に恵は横たわっていた。

「恵ちゃん」敏夫はその恵が目を開いているのを見て取って声をかける。「どうした。具合が悪いんだって？」

枕許《まくらもと》のスタンドだけが恵の顔に光を投げかけている。悪いけども明かりを点《つ》けるよ、と断って、敏夫は部屋の明かりを点けた。蛍光灯の明かりが満ちてみると、どこか虚《うつ》ろな恵の表情と、色味を失った顔色が明らかだった。

「顔色が悪いな。――気分はどうだい？」

ベッドの脇《わき》に敏夫が膝《ひざ》をつくと、恵は眩《まぶ》しそうに盛んに瞬いている。にもかかわらず、特にそれ以外の反応は見られない。

「食事をしてないんだって？　食欲がないのかい」

敏夫が声をかけても反応がなかった。半ば寝ぼけてでもいるように、敏夫に視線は注いでいるが、なんの感興も誘われていないように見える。

さて、と敏夫は内心で独白した。これは実際に感情が鈍麻しているのだろうか、それとも——演技だろうか。

恵は頻繁に病院に来る患者だった。胸が痛いだの、胃が痛いだのと言って騒ぎ立てるが、実際に治療を必要とするほどの不具合が発見されることはほとんどない。客観的には不具合は存在しないのに、患者の主観的には何かしらの不具合があって、それは恵が清水らと喧嘩《けんか》をしたり、学校で嫌な行事があると、唐突に起こるものらしかった。たまに不具合があっても、治療を必要とするほどのものではなく、にもかかわらず恵はさも重大な病に冒されたかのように振る舞う。まるでそれを望んでいるかのように。そのたびに敏夫は、適当な病名に「ごく軽い」という接頭辞をつけて、ビタミン剤などの無害な薬を処方してきた。果たして今回はどうだろう。

「寒いかい？」

敏夫は恵が、しっかりと夏布団《ぶとん》を被《かぶ》っているのを見てそう訊いた。恵は特に返答を寄越さない。脈を診るために手を取ったが、熱はない。むしろひんやりとして感じられる。

「熱はないな。少しクーラーが強いかな」

言いながら脈拍を数える。やや速い。血圧を測ると、かなり低かった。瞼《まぶた》を持ち上げて眼瞼《がんけん》粘膜の色を確認する。顔色と同様にこれも色味を失っていた。

「口を開けてごらん」

軽く顎《あご》に手を添えて口を開かせると、とりあえずされるまま口を開いた。特に扁桃腺《へんとうせん》や口腔《こうこう》に異常は見られないが、やはりこれも健康な赤味を失っている。

「貧血があるようだな。——生理中?」

目を覗《のぞ》き込みながら訊いても返答がない。違います、とこれは寛子が答えた。

「ちょっと前を開いて」

敏夫は聴診器を出して言う。恵の反応はやはりなく、寛子が慌《あわ》てて寄ってきて、恵のパジャマの前に手をかけた。敏夫は聴診器を当てながら、それとなく恵の身体を検分する。虫さされの痕《あと》、細かな傷や痣《あざ》は山で倒れたときのものだろう。特に暴行の痕跡《こんせき》を示すようなものは見られない。念のために下腹部まで触診してみたが、特にこれといって異常はなく、色味を失って白い肌には傷も痣も見られなかった。

「生理中ではない、と言いましたね。不正出血や、おりものに異常は?」

敏夫は寛子を振り返る。寛子は困惑したように首を振った。

「いえ、……ないと思います」

「そう」敏夫は笑う。「貧血だろうな。念のために血液検査をするから。ちょっと血をもらうよ」

これにはようやく反応があった。いかにも億劫《おつくう》そうに、恵は頷く。

「どこか痛いところはあるかい？」

「いえ……」

「眠い？」

「とても、眠いんです……」

そう、と頷きながら敏夫は注射器とスピッツを取り出し、末梢《まつしよう》血を採取する。

「検査結果を見てみないことには分からないが、たぶん貧血だと思いますよ」

敏夫は清水を振り返った。

「貧血、ですか」

「かなり強い貧血は出ていますね。若い女の子には多くてね。――恵ちゃんはダイエット中かな？」

これには寛子が、苦笑するようにして頷いた。

「この子は、始終ダイエットしていますもので……」

「そんなところだろうね。おまけにこの暑さだ。ジュースやアイスクリームなんかを摂《と》って、肝心の食事が入らない、ということもあるしね。そういうことで貧血が出てるんだろうな。詳しいことは検査結果が出れば分かるけど、とりあえずまあ、さほど心配はないでしょう」

「そうでしょうか……」

「それ以外には、特に異常はないようだからね。昨日のことにしても、それでなくても貧血を起こしているところで、この暑さにやられて脳貧血を起こしたか、そんなところでしょう」言って敏夫は、清水の目を見て言葉に力を込めた。「何も心配はないです」

清水は目に見えてホッとした様子だった。

「そうですか……」

「貧血が酷《ひど》くなると、どうしても倦怠感《けんたいかん》が強くなるし、嗜眠《しみん》の傾向が出ます。眠っても眠ってもまだ眠いという。頭に瘤《こぶ》はないから、倒れた際に頭を強く打ったというわけでもなさそうだし、ぼうっとしているのも貧血のせいでしょう」

敏夫は笑った。

「とりあえずビタミン剤と鉄剤を出しておきますから、明日にでも取りに来てください。それで一週間、様子を見ましょう。もしも、その間に様子が変わったら、連れてきてください」

清水は、やれやれ、と声を上げて、苦笑じみた笑みを零《こぼ》した。

「まったく、人騒がせな娘で。済みませんね、こんな夜遅くに」

「構いません。何でもなくて良かったじゃないですか」

「いや、恐縮です」

敏夫は恵を振り返った。

「乙女心は分からないじゃないが、ダイエットをやるんなら、健康を損なわない程度にするように。何でもいいから食べなきゃ痩《や》せるってものでもないんだから。ちゃんとカロリー計算をしながら計画的にやらないと、身体を壊すだけで効果がないぞ」

恵は眩しそうに瞬いて、小さく頷いた。

「そんなことで身体を壊すようなら、入院させて栄養剤責めにするからな。そうすりゃ、あっという間に十キロ増だ」

恵は、酷い、と小声で笑いながら呟《つぶや》いた。敏夫も笑って、立ち上がる。明らかに安堵《あんど》したふうの清水と寛子に頷いた。

「お大事に」

七章

I

「ねえ、なんで火をたくの？」

加藤裕介は家の前の路上に屈《かが》み込んだ祖母に訊《き》いてみた。すでに周囲は暮れなずんでいこうとしている。渓流に沿った道のあちこちに黄色い明かりが見えた。焚《た》き火の明かりだ。祖母のゆきえも、近所の人々と同様に道端に屈み込み、アスファルトの上に積んだ木屑《きくず》に火を点《つ》けている。

「こうやって御先祖さまをお迎えするんだよ。今日はお盆だからね。みんなお山にいるんだから、目印になるものがなかったら、戻ってこれないでしょう」

「ごせんぞさまって？」

「ばあちゃんのお父さんやお母さんや、その前のお母さんやお父さんや、そういう人たちのことだよ」

裕介は少し目を丸くした。

「おばあちゃんにも、おとうさんや、おかあさんがいたの？」

ゆきえは軽く声を上げて笑った。

「そりゃあ、いるとも。木の股《また》から生まれる人間なんていやしないんだから」

「きのまた？」

「そこに人間がいるってことは、必ずお父さんとお母さんがいるってことさ。そうやってみんな生まれてくる。ずっと昔のお父さんやお母さんを御先祖さんって言うんだよ」

「その人たち、どこにいるの？」

「お山さ。みーんなもう死んでいるから、山のお墓にいるんだよ」

裕介は身体《からだ》を起こした。

「死んでるひと？　もどってくるの？」

「そう。お盆には地獄の釜《かま》の蓋《ふた》が開くのさ。それで家に帰ってくる」言って、ゆきえは孫に笑った。「裕ちゃんのお母さんも戻ってくるよ」

明るく朗らかだった嫁。ずいぶんとあけすけにものを言って、ゆきえを困惑もさせたが、思い返してみれば良くできた嫁だったと思う。商売を嫌がらず、働くことを厭《いと》わなかった。ゆきえの倍の速度で動き、てきぱきと何でもこなし、時にそれで失敗もしたが、どこか憎めないところがあった。元気を絵に描いたような女だったから、まさか先に逝《い》こうとは思わなかった。逞《たくま》しく、ふっくらとした腕をしていた。その腕がいつの間にか細くなって、痩《や》せたんじゃない、と声をかけると、得意そうに笑った。喜んでいる場合じゃない、これでは痩せすぎだ——そう思った時には、もう手遅れだった。

ゆきえは、じっと迎え火を見つめている裕介を見守る。裕介は小学校に入った。標準より小さいけれど、健康な良い子だ。

(帰ってきて、御覧なさいよ……)

やっと伝い歩きをするようになったばかりだった子供は、こんなに大きくなった。

裕介は迎え火と周囲を見比べた。暗闇《くらやみ》に母親を捜しているのかもしれない。それが不憫《ふびん》に思えて切なく微笑《ほほえ》んだとき、裕介がいきなりバケツに駆け寄った。

「おばあちゃん、消そうよ」

「——裕介」

何を言い出したのか、と驚いて、バケツを抱えようとする手を止める。

「火を消してよ。ねえ」

「火を消したら、お母さんが家に帰ってこれないじゃないか」

「だって」

裕介は、ゆきえに向かって声を張りあげ、息を呑《の》んだ。小さな焚き火に屈み込んだ祖母の肩越し、闇の中に白い影が見えたからだ。

(火を、消さないと)

それはゆらめいて、少し大きくなった。バケツの取手を握る間もなく、さらに大きくなった。それは道の向こうから、焚き火を目指して近づいてきた。裕介は祖母の背後に隠れ、しがみつく。褪《あ》せた色の縞《しま》が裕介の手の中で歪《ゆが》んだ。

——死んだ者が現れたら、それは幽霊だ。

裕介は近づいてくる影を凝視する。忍ぶような足音が近づき、やがて上背のあるその姿が足が焚き火の光を受けて浮かびあがった。

(鬼は、山をおりてくる)

裕介は祖母の背に小さくなり、それでも目を離すことができずに近づいてくるものを背中越しに見守った。

白っぽい服、白っぽいズボン、すらりとした身体の上に、白い首が載っている。

「……こんばんは」

それは言って、笑った。裕介には悪魔の笑いのように見えた。祖母の服を摑《つか》んだまま一歩退《さが》ったが、当の祖母は逃げる様子もなくそれを見上げて頭を下げた。

「こんばんは」言って、ゆきえは裕介を振り返る。「裕介、こんばんは、は」

裕介は男を見上げたまま頭を振った。

「ちゃんと挨拶《あいさつ》をしなさい」ゆきえは軽く窘《たしな》めて、立ち上がった。裕介を前に引き出しながら、軽く男に会釈《えしゃく》をする。「良いお晩ですねえ」

本当に、と男は笑む。ゆきえはその姿を検分した。四十半ばというところだろうか。

すらりと、それでも重みのある男らしい線を描く身体、その線によく合ったスーツ。麻だろうか、良い仕立てだ。見かけない顔だが、それが誰なのかはすぐに分かった。ネクタイこそはないものの、濃淡の生成で色を揃《そろ》えた麻のスーツ、それに合わせた茶色の革靴。村の夜を歩くのに、こんな姿をして歩く者はいない。——これまでは、いなかった。

「ひょっとして、兼正の」ゆきえは西の山を見上げた。「あそこに越してきたお方ですかね」

「ええ」と男は笑って軽く頷《うなず》く。

「お散歩ですか」

「あちこちで焚き火が見えると思ったら、お盆だったんですね。すっかり忘れていました」

男は言って、周囲を見渡す。すぐに、ゆきえに視線を戻して頭を下げた。

「桐敷正志郎《せいしろう》と申します。今後ともよろしくお願いします」

「あら、こちらこそ」

「お孫さんでらっしゃいますか」

正志郎は、ゆきえの背後に隠れた裕介を、軽く屈み込むようにして見る。裕介が視線から逃げるように、ゆきえの腕と脇腹《わきばら》の間に潜り込んだ。

「裕介、御挨拶は？」

こんばんは、という子供の声は、かろうじて聞き取れる程度、それも、ゆきえの陰から出てこようとしない。

「済みませんね。人見知りの激しい子で」

　正志郎は微笑んだ。

「いいえ。子供はそういうものでしょう」

「桐敷さんには子供さんは」

「十三になる娘がおります。娘もそれは、人見知りをしますから。——裕介くん？　よろしく」

　男に見つめられて、裕介はさらに力を込めて、ゆきえの服を握りしめた。白い秀《ひい》でた額、その下の濃い眉《まゆ》と、深い眼窩《がんか》の奥の目許《めもと》は少しも笑わないまま、薄い唇の両端だけが上がる。良くない笑い方だ、裕介にはそう思えた。

（たきびなんてするからだ）

　幽霊に家を教えるために、火を焚くなんて。

（山からやってくるのなんて鬼に決まってるのに……）

「お母さん、恵ちゃんちに行ってくる」

かおりは台所の母親に声をかけた。

「あら、お見舞い？」

うん、とかおりは頷く。

「借りてた本もあるし」

「そう。冷蔵庫に葡萄《ぶどう》があるから、持っていきなさい」

「いいよ」

「手ぶらってわけにはいかないわよ。お供えに買ったのがあるから」

母親に言われ、かおりは冷蔵庫を開ける。箱に入ったマスカットが冷えていた。それを引っぱり出し、本と一緒に抱えて、かおりは勝手口の突っ掛けを履いて表に出た。涼しい夕風が立ち、迎え火を焚いたあと、立ち話をする人たちの姿が、あちこちに見える。

垣根越し、小屋から顔を出して一緒に行きたいと主張するラブに首を振って、かおりは夜道を歩く。ぺたぺたとサンダルの音が虫の音に混じってあとをついてきた。

村の夜は総じて暗いが、かおりの家の近辺はさほどでもない。家を出てすぐ、大塚製材の材木置き場があり、その広い敷地の向こうは国道に面している。国道を挟んだ向かいは楠《くすのき》スタンドだ。ガソリンスタンドの煌々《こうこう》とした光が遮るものもなく周囲を照らしていて、電柱についた街灯の明かりよりもずっと頼もしかった。

気温が下がって夜の空気は、そのぶんさらりと軽やかになった気がする。気分まで軽く、材木置き場の前を通り過ぎようとしたとき、スタンドの明かりに照らされて、その材木を指している大塚康幸《やすゆき》の姿が見えた。

康幸はすでに三十過ぎで、かおりよりもずっと年上だったが、近所のお兄さん、という感じがする。弟の昭が小さい頃、頻繁に遊んでもらったせいかもしれない。その康幸が、材木の山を示して、隣にいる人影に何かを話していた。お盆なのに、こんな時間まで仕事かしら、とかおりは歩みを緩め、そして康幸の隣にいるのが見慣れない女であるのを見て取った。

康幸はまだ結婚していない。気立ては良いのだけど、内気だから、と大塚製材の小母《おば》さんが言っていたのを聞いていた。良い見合いの口を探しているのだけど、と言っていたが、ではあれが見合いの相手だろうか。歳《とし》の頃は二十代の終わりか、そういう感じだった。

見合いと結びつけてしまったのは、その話が印象に残っていたせい、そして女が余所《よそ》行きの恰好《かっこう》をしていたからだ。白っぽいサマーニットのワンピース、そこに透けたふうの上着、白いハイヒールと白いバッグ、ゆるくまとめ上げられた髪。イヤリングが照明に、きらりと光った。

(綺麗《きれい》なひと……)

かおりは足を止めた。顔立ちが綺麗なのはもちろん、何と言うか――とても垢抜《あかぬ》けた感じがする。まるでテレビに出てくる女優さんみたい。

思わずまじまじと見守っていると、康幸が気がついたのか、かおりのほうを向いた。含羞《はにか》んだように笑う。

「やあ、かおりちゃん。お使いかい?」

「恵ちゃんち」

そうか、と言って、照れたように横の女を示した。

「こちらはね、桐敷の奥さん。千鶴《ちづる》さんって言うんだって。ええと、兼正の」

かおりは、へえ、と呟《つぶや》いた。この人が。では、康幸に縁談というわけではなかったのだ。康幸がすっかりどぎまぎしているふうで、なんだか可哀想《かわいそう》な――残念な気がした。縁談だったら良かったのに。

こんばんは、と千鶴は会釈をした。どことなく品があって、やっぱりテレビに出てくるタレントのようだった。

「ついさっき、そこで会ってさ。桐敷の奥さん、製材所を見るの、初めてらしいんで」

ふうん、とかおりは口の中で呟く。千鶴の笑みを浮かべた視線を受け、急に自分が突っ掛け履きであることや、子供じみたTシャツにゴムウエストのキュロット姿であることが意識された。なんだか、とても恥ずかしい。

「この子、近所の子で、田中かおりって言うんです。今、中学で」

「可愛《かわい》らしいお嬢さん」

千鶴が目を細めて言ったので、かおりはますます恥ずかしくなった。気後れがしたと言ってもいい。せめてちゃんと髪ぐらい括《くく》ってくるんだった。こんな、洗いっぱなしで櫛《くし》を通しただけだなんて。

「本当にいい子なんですよ。——奥さんのところは、お子さんは?」

「娘がおります。中学の一年なんですけど、あいにく身体が弱くて学校には……」

「おや。それは大変ですねえ」

「おかげで、とても人見知りしまして。こちらで少しは丈夫になって、お友達ができると良いんですけど」

千鶴は言って、かおりに向かって微笑んだ。

「良かったら、遊んでやってくださいね」

「あ……はい。こちらこそ。どうも」

かおりは口の中で、もごもごと答え、慌《あわ》てて頭を下げると、逃げ出すようにその場を離れた。

(……驚いた)

ぺたぺたと走りながら、材木置き場を振り返る。康幸は顔を赤くしながら、千鶴と何かを喋《しゃべ》っている。

あんな人が本当にいるんだ、という気がした。まるでドラマの中の奥さんみたい。しかも。

（身体が弱い……）

中学一年の女の子。昭と同い年だ。学校に行けないのだろうか。本当にドラマの主人公みたいだ。

どぎまぎしながら、小走りに夜道を歩き、もう少しで恵の家を通り過ぎるところだった。慌てて足を止め、玄関に駆け寄る。いつもの習慣で勝手口に廻ろうとして、なんとなく今夜は玄関から訪ねる気になった。ほとんど初めて、玄関のドアの前に立ち、チャイムを押す。

すぐに返事があって、ドアが開いた。恵の母親は、驚いたように目を丸くした。

「あら、かおりちゃん。お客さんかと思ったわ」

かおりは赤くなるのを感じた。いつもは勝手口のドアを開けて、声をかけるのだ。どうかすると声だけかけて、勝手に上がっていくこともある。なのに自分でも、なぜチャイムなんて鳴らしてみる気になったのか、よく分からなかった。

「あの……恵ちゃんの具合、どうですか？　これ、お見舞いです。あの、お母さんから」

かおりは葡萄の箱を差し出した。恵の母親は、それを受け取り、あらまあ、と困惑したように呟く。

「ありがとう。……どうしたの、かおりちゃん、すっかり改まって」

「ええと……お見舞いだから」

「まあ。そんなたいそうなことじゃないのよ。ちょっと貧血だってだけで。とにかく、上がってちょうだい」

「お邪魔します」

言って、かおりは玄関に踏み込んだ。突っ掛けを脱いで、上よ、と示されたのに頷き、二階へ上がる。階段を上りながら、こんな家だったたっけ、と思っていた。

恵の家は、かおりの家に比べれば、うんと新しい。壁だって塗り壁ではなくて壁紙が貼《は》ってあって、床だってちゃんとした洋間の床になっている。恵の母親は、きれい好きな人で、家の中はきちんと掃除してあるし、玄関には花を活《い》けてあったり、棚の上にはちょっとした小物が飾ってあったりする。ずっと、かおりはそういう恵の家の様子を、お洒落《しゃれ》な感じがする、と思ってきたのだった。

なのに、今夜はそれが違うふうに見えた。恵の母親は、かおりの母親みたいに寝間着みたいな部屋着こそ着てないけれども、やっぱり普段着然とした恰好だし、化粧だってしていない。家の中だって、よく見れば、すでにもう古びた色が浮かんでいるし、花や小物が飾ってあるのも、なんだかゴチャゴチャして見えた。

複雑な感じで階段を上がると恵の部屋で、部屋のドアにはネーム・プレートが下げてあり、プレートに下がったぬいぐるみは、ドライフラワーを一輪抱えているけれども、どれもうっすらと埃《ほこり》がついていて、ひどくうらびれた感じがする。

ノックしてドアを開けた。ちゃんとした洋間で、女の子らしい小物があふれた恵の部屋に、実を言うと、かおりはずっと憧《あこが》れてきたのだけれども、今夜は蛍光灯の明かりの下、ひどく色あせて見えた。単なる普通の部屋だ。かおりの部屋が古い殺風景な部屋なのに対して、ちょっと新しくて物がいっぱいあるにすぎない――。

「恵ちゃん、具合どう？」

部屋に入って枕許《まくらもと》に寄る。恵は眠っていなかったらしい、鬱陶《うっとう》しそうに目を開けた。

「顔色、悪いね。大丈夫？」

恵は怠《だる》そうに頷いたけれども、単に寝ぼけているようでもあった。

ぬいぐるみが坐《すわ》った小さな椅子《いす》を引き寄せ、かおりはぬいぐるみをどけて腰を下ろす。妙に生彩を欠いた部屋の様子、恵の様子を見ながら、恵がずっと見ていたのはこれだったんだ、と思った。かおりは恵の部屋をステキだと思ってきたけれども、恵にはこんなふうに色あせて見えていたのだろう。だから、あんなに頻繁に坂に通い、あの家を見上げていた。たしかに、この家や、かおりの家に比べると、兼正のあの家はまったく違う。

こんなふうにまがいものめいた「何か」ではない本物の「何か」が、あの家にはあるのに違いない。

虫の声が開いた窓から風に乗って流れてきていた。かおりは恵のどこか茫洋《ぼうよう》とした横顔を覗《のぞ》き込む。

「あのね、凄《すご》いの。さっき、誰に会ったと思う?」

恵の返答はない。それでも視線だけは寄越した。

「桐敷って言うんだって。あのお屋敷の人。奥さんに会ったの。千鶴さんっていうの。すごく綺麗な人だったんだよ」

ぴくりと恵の肩が動いた。

「村をちょっと歩くのに、お化粧をしたりイヤリングをつける人なんて初めて。でも、似合ってた。派手って感じじゃなくて、品がいいって言うのかしら」

「知ってるわ……」

え、とかおりは恵の顔を見る。恵はどこか険のある表情をしている。

「知ってるわよ……そんな、ことぐらい」

かおりが思わず身を引くと、恵は薄く笑む。どこか、かおりを嘲《あざけ》るような表情だった。

「綺麗な人よ……とても、素敵な人……」

かおりは首を傾けて、恵の横顔を見守った。

3

美和子は迎え火の前に蹲《うずくま》って、じっと火が燃えつきるのを見守っていた。静信は母親のその姿を同様にして見つめている。

寺であっても、祖霊はある。美和子は毎年それを丁寧に迎えた。外場では麻の代わりに樅《もみ》を燃やす。樅の木っ端《こっぱ》を燃やして樅の中から死者を迎えた。美和子が見守る迎え火の側《そば》に、胡瓜《きゅうり》で作った馬と、茄子《なす》の牛が小さく佇《たたず》んで、母屋《おもや》の明かりを見つめている。

毎年、その小さな乗り物を見るたびに、迎える時には戸外に向けてやればいいのにと思う。背に乗せるために家のほうに向けると言うが、それよりは帰りを待ちかねるように墓所のほうを向かせてやれば良かろうに。

美和子は蹲ったまま、言葉もない。毎年、何を思って黙り込んでいるのかは知らない。ひょっとしたら実家の死んだ父母のことかもしれなかったし、早世した長兄のことだったかもしれない。信明がまだ一緒に迎え火を焚《た》いていた頃から、美和子はそうして黙り込んでいるのが常だった。炎だけを見て蹲っている姿は閉塞《へいそく》を思わせた。それでなんとなく、この家の死者ではなく、どこか別の場所の死者を思っているのだろうという気がしている。家に迎える霊ではなく、別の場所に迎えられる死者のことを、この家には招く権利のない死者のことを思っている。——そういうふうに感じる時、静信は自分が室井美和子をよく知っていても、山村美和子のことは何も知らないのだと、そう思う。

樅が燃えつきていくのを黙って見ている美和子を見守り、静信は顔を上げる。少し歩くと山門から参道が見えた。暗い参道にもいくつか光が点《とも》っていた。

静信は村の盆が気に入っていた。あちこちの家々、角口に点される火、よしず越しに透けて見える夜の仏間、そこに点った蠟燭《ろうそく》と走馬灯のような盆提灯《ちょうちん》の明かり。村では十三迎えの十四回向《えこう》、十五踊りの十六送り、と言う。迎え、弔い、慰め、送る。——死者は目覚める。仕事に生活に忙殺される日常、この夜、迎え火とともに忘れられた死者は人々の脳裏で息を吹き返し、かつて生者と送った日々はか細い炎の中に、あるいは盆提灯の明かりの中に甦《よみがえ》る。

背後で小さく、息を吐く音が聞こえた。振り返ると、美和子が手桶《ておけ》から水を掬《すく》って零《こぼ》しているところだった。彼女は小さな牛馬を腕に抱えて立ち上がる。

「先に戻ってますよ」

いつもの母親の顔がそこにあった。母性ではない、ただ「母親」という生き物であるだけの顔。

静信は頷き、母親を見送ってから、参道を見下ろした。明かりはひとつに減っている。夜風に惹《ひ》かれて、ぶらぶらと歩いて山門を潜《くぐ》った。石段を中程まで降りて腰を下ろす。

遠くに見えていた明かりが、細くなって消えた。

死者は甦って懐《なつ》かしい家に戻った。あるべき場所に戻ったのだ。あとには空疎《くうそ》な墓穴が残された。それは黒々とした暗黒を抱いて、死者を待ちわびる。我が褥《しとね》に戻れ、と土は嘆いた。定められた摂理を裏切り、何故《なにゆえ》にその罪深き土地をそれほど慕うか。

静信は軽く笑って首を振る。家に戻ろうと立ち上がりかけて、夜道の彼方《かなた》に白い影を見た。

やがて前方に、白く淡く人影が見えた。

それがまた、今夜も墓から
静信はそれを見守った。すぐにそれは小柄な人影を顕《あらわ》した。あてもなげな足取りで近づいてくる人影は、それが少女だと読みとれるほどに近づくと、静信に気づいたように足を止めた。すぐに少女は、はっきりとした目標を目指して、歩みを進める。石段の下に辿《たど》り着いて、静信を見上げた。

小首を傾《かし》げた様子が幼かった。紫陽花《あじさい》色のワンピースはいかにも軽やかな線を描いている。歳の頃は十二、三だろうか。長い髪がさらさらと音を立てるように小さな肩を滑って落ちる。

「――室井さん？」

静信は頷いた。見慣れない少女だった。外場にはない匂《にお》いがした。それが誰なのかは、すぐに了解できた。

少女は物怖《お》じした様子もなく、石段を身軽に上がってくる。坐ったままの静信と視線が合うところまで登ってきて足を止めた。

「室井静信さんでしょ？」

少女は言う。滅多に陽を浴びることがないせいだろう、蠟のように白い肌をしていた。

「そうだけど」

少女は笑って細い腕を背中に組む。

「あなたの作品がわりと好きだわ」

唐突に言われて、静信は目を見開いた。少しの間、言葉に窮した。

少女は人形のような首を傾ける。

「室井さんよね？　『半牛神』の」

「ああ……そう。だけど」静信は困惑し、少女の顔をまじまじと見た。「君が読むのかい？」

「そう、わたしが読むの。変？」

「いや」と静信は苦笑する。「ありがとう。たぶん、君は最年少の読者だと思うな」

彼女は軽く含み笑いをした。

「そうね、少し難しい言葉もあったけど」と、素っ気なく早口に言ってから、「でも、人間なら誰だって、神様に見放されてるって感じは分かると思うわ」

「君は、本が好きなの？」

「そうね。好きよ。たくさん読むわ」言って少女は付け加える。「手当たり次第に。本当はあなたの本も、お父さんの本棚にあったのを借りたの。長編が六つと、短編集がふたつ。それで全部なら、全部読んでるわ」

「それはすごいな」静信は微笑《ほほえ》んでみせたが、内心で狼狽《ろうばい》していた。「それで全部だよ。全部読んでいるという人に会ったのは初めてだ」

「あとはエッセイやなんかを時々、雑誌で見かけることがあるわ。去年、この村のことを書いたことがあったでしょう？」

静信は頷く。

「この村だと分かったかい？」

「読めば著者の住んでいる村だってことぐらい分かるもの。他の本の略歴を見たら、だいたいどのへんに住んでいるかも分かるでしょ。あとは略歴にあったお寺の名前を頼りに丁寧に地図を見ていけばいいのよ」

「まさかとは思うけど。――そうやって捜したんじゃないだろう？」

少女は笑う。

「本当は、たまたまお父さんの知り合いが、話題に出したの。村に作家がいる、って。そうしたら室井さんのことだったの。誓って言うけど、竹村の小父《おじ》さんから教えてもらう前に、わたしは作品を読んでたのよ」

「——そうか。ありがとう」

「雑誌を読み返してて、あのエッセイを見つけたの。祠《ほこら》のような村、っていい感じ。住んでみたい気がした」言って少女は付け加える。「きっとお父さんもそう思ったんだと思うわ。わたしがエッセイを見つけて、お父さんに見せてからだもの、本当に引越す話になったのは」

「それは……光栄だな」

言いながら、実際のところ静信は困惑していた。少女はまじまじと静信を見守る。

「困ってる、って顔に書いてあるわ」

「そんなことはないよ。ただ、——こういうことは、本当に滅多にないことなんだ」

「こういうこと？」

静信は苦笑する。

「読者に突然出会うこと」

「そう？　わたしがその一番目なら、光栄だわ」

「まぎれもなく一番目だね」

くすくすと少女は笑う。

「わたしはとても室井さんに興味があったの。会ってみたかった」

「イメージと違ってがっかりしたろう？」

「そうね」と、少女は微笑んで静信を上から下まで見まわした。「最初は意外に普通の人だと思ったわ、本当はね。だって室井さんって、角《つの》か尻尾《しっぽ》でもありそうな気がしたんだもの」

「なぜ？」

「そういう人間の話ばかりだからよ。神様から見放された人間の物語、でしょ？　ひょっとしたら室井さんにも角があるんじゃないかと思ったわ、ミノタウロスみたいに。だから、角がないのでガッカリしたけど」

静信は、その少女らしい言葉に笑い、そして続く言葉で凍りついた。

「――でも、角はないけど傷があるのね。それで納得したわ」

静信は少女の顔を見つめる。

「……君は」

「沙子《すなこ》よ。覚えておいて」

「沙子ちゃん、君……」

「ちゃん付けしないで。わたし、そういう呼び方って大嫌い」

静信は口を閉ざした。少女は本当に、人形のような顔を嫌悪《けんお》に歪《ゆが》ませていたし、他の呼びかけようも思いつけず、静信も何を言いたいのか分からなかった。無意識のうちに左の手首を腕時計ごと握る。

「ひとつ教えてあげるわ、室井さん」少女は身を乗り出し、小声で言う。「手首を切ったぐらいじゃ、人は死なないのよ」

静信には返答ができなかった。沙子はふわりと上体を起こし、微笑を浮かべて身を翻《ひるがえ》した。石段を軽々と駆け下り、夜道にワンピースが揺れ、遠ざかっていった。――通り魔のように。

辻斬《つじぎ》りにでも遭ったようだ、と静信は少女の消えた道を見守った。立ち上がる間も、呼び止める間もなかった。

「うん、そうだね」

遅ればせながら、静信は答える。

「……たぶん、知っていたと思うよ」

4

「へえ、弔い上げ？　お婆《ばあ》さんの？」

奈緒《なお》が言ったので、安森淳子《じゅんこ》は頷いた。

丸安製材の材木置き場は広い。フォークリフトやトラックは夜陰の隅に休んでいて、四方に材木の積まれた広場には轍《わだち》の跡ばかりが残る。それに交じる細い轍跡は子供たちの自転車の跡だ。

製材所の材木置き場は子供たちにとって恰好《かっこう》の遊び場だった。この近辺では、夏休みのラジオ体操は丸安製材の材木置き場でやると決まっていて、嫁の淳子はそれを監督しなければならない。早朝のことでもあり、辛《つら》くないと言えば嘘《うそ》になるが、奈緒が付き合ってくれるのでいくぶん、楽だった。

集まった子供たちは、体操が済めば製材所の始業時間まで遊んでいる。なにしろ材木が積んであって、あながち危険でないとは言い切れない場所だから、子供がいる間は付き合わなくてはいけない。そうやってしょっちゅう出入りする場所だから、それだけ子供たちには馴染《なじ》みが深いらしく、休日にも気軽に「貸して」と言ってやって来る。淳子や奈緒にも懐いていて、家の中から引っぱり出されることも再三だったが、そうして懐かれればこちらも情が移るから、さほどの苦でもない。

「なんだかね、大きな法事をするみたいなの」

「あら。それは大変ねえ」奈緒は言って、足許《あしもと》で木屑《きくず》を弄《いじ》って遊んでいる子供を見下ろした。「進《すすむ》ちゃん、それは痛イ痛イよ」

奈緒は息子の手から尖《とが》った木っ端を取り上げる。

淳子は昨年、この丸安製材に村外から嫁入りした。奈緒もまた村外から入った嫁だった。奈緒が嫁いだ安森工業――工務店と通称される――は製材所の分家で、奈緒の夫と淳子の舅《しゅうと》は歳《とし》の離れた従兄弟《いとこ》にあたる。夫同士は同年輩なので、兄弟のようだった。夫同士の仲が良いだけでなく、本家分家の仲だから、何かにつけ往《ゆ》き来があった。盆正月や何事かがあれば、今日のように近辺の親族が丸安に集まる。

奈緒が安全そうな木っ端ばかりを集めて、子供の前に積んでやる。

「弔い上げだったら、うちにも話があるね。手伝いに来ないと」

「ごめんなさい、暑いのに」

「田舎じゃ、お互いさまよ。でも、それは淳ちゃん、大変だわねえ。八月の終わりって言ったら、お盆が終わっていくらもないじゃない。またこれを繰り返すわけね」

そうね、と苦笑して、淳子は明かりの点《つ》いた家のほうを振り返った。座敷のほうからは親戚《しんせき》が集まって大いに飲んでいる喧噪《けんそう》が流れてきていた。

「わたしの家はろくに親戚がなかったから、お盆にこれだけの人が集まるってだけで驚きだわ。法事なんてしてるのだって見たことがないし」

「そう？　ここは、法事とか御神事とか、丁寧にするからね。お義母《かあ》さんなんて、毎朝、お寺の勤行《ごんぎょう》に行くのよ。最初にそれを聞いたときには驚いちゃった」

「わたし、お寺にはお葬式の時にだけ行くものだと思ってたわ」

「でしょう?」奈緒は笑う。「色々しきたりを覚えるのが大変だけど、慣れれば結構、そういうのもいいなあ、って思うな」

「そうね」

淳子は微笑む。近隣から嫁いできたものの、淳子が生まれたのはそこそこに町中で、親戚も遠いし、付き合いもない。家には仏壇すらなかったし、年中行事などもろくにやったことがなかった。かえってだから、こまごまとした行事があるのは興味深くて面白い。親戚が集まって騒ぐのも、疲れる反面、賑《にぎ》やかで良かった。特に夫と奈緒の夫を見ていると、同世代の親族がみんな兄弟のようなのはいいなと思う。

「弔い上げなら、近所の人も手伝ってくれるし、そんなに当日は大変じゃないわ。むしろ当日の前後がね。親戚が集まって大変だけど、まあ、こんなもんよ」

奈緒は言って、笑い声のしている母屋《おもや》のほうに目をやった。淳子は笑う。

「だったらなんとかなるか。お義母さんが、たいそうなことのように言うから構えちゃった」

「大丈夫よ。淳ちゃん、しっかり者だもの」

「とんでもない」

「そう？　良くできた嫁さんだって。お義父《とう》さんが褒めてたぞ」

「ほんと？」

「本当。だって、大変じゃない。淳ちゃんとこ、製材所の世話だってあるし。住み込みの人もいるでしょ。おまけにお爺《じい》ちゃんが」

ああ、と淳子は呟《つぶや》く。夫の祖父はもう六年ほど枕《まくら》が上がらない。家業の手伝いと老人の世話があり、義父母を含め三世代の同居だから気苦労は多い。

「そんなでもないのよ。製材所の人の世話はお義母さん任せだし。お爺ちゃんは寝たきりで、そこは手がかかるけど、別に我が儘《まま》を言うわけでも癇癪《かんしゃく》を起こすわけでもないし」

「そう言えるのが偉いわよね」

「奈緒さんだって似たようなもんでしょ。工務店の若い人だっているわけだし」

「うちは寮があるもの。別に住み込みってわけじゃないから」

「そうお？」

妙に褒め合う按配《あんばい》になって、淳子は奈緒と顔を見合わせ、小声で笑った。

気苦労は多いが、家族とはうまくいっている。近くには奈緒もいて、心強い。そもそも見合いで、同居は納得して嫁入りしたのだし、夫婦の居室は離れで台所は別にあるから、同居自体にはさほどの不満はない。ただ——と、淳子は背後を振り返った。

夜空に黒く、西山の稜線《りょうせん》が横たわっている。今は漆黒より他に何も見えなかったが、そこには兼正の新しい家がある。

（あんな家に）

「ああいう洋館って、一回住んでみたいわよね」

心中を読んだような奈緒の声に淳子が振り返ると、奈緒もまた背後を見上げていた。

「——と言うか、自分の気に入った家って持ってみたいじゃない」

淳子はちょっと力を込めて頷いた。

「別に不満があるわけじゃないんだけど。でも、ここをこうしたいと思っても、勝手に家を弄るわけにはいかないし」

「そうなのよ。……いいよねえ、あの家、屋根裏部屋があるのよ。あたし、屋根裏部屋って憧《あこが》れがあるんだ」

わたしも、と淳子は笑う。奈緒はいたずらっぽく淳子を見た。

「屋根裏部屋のある洋館なんて、映画か何かみたいじゃない。そういうところが嫁ぎ先だったら舞い上がっちゃうわね。絵に描いたような、理想の新婚生活、ってやつ？」

「きっとロッテンマイヤーさんみたいな、お姑《しゅうとめ》さんがいるのよ」

「そんなものね」奈緒は声を上げて笑った。「——越してきたのよね、たしか」

「みたいね。どんな人だか知らないけど」

「ぜんぜん、出てこないんですって。さすがにこんな田舎に引越してくるだけあって、変わってるわ」

そうね、と呟いて淳子は黒い山を見上げる。そうしていると、奈緒が肘《ひじ》をついた。

「――ん？」

「すごい。噂《うわさ》をすれば、ってやつかしら」

奈緒が示しているほうを見ると、ほど近いところ、材木置き場の表に人影が見えた。ちょうど入口の街灯の下、二人の男女が立っている。着ているものを見れば、村の者ではないと一目で分かる。そもそも纏《まと》っている雰囲気がまるで違う。淳子には、身なりもさることながら、二人が軽く腕を組んでいるのが印象に残った。そんなことをする者は、夫婦者だろうと村にはいない。淳子たちに気づいたのか、二人は軽く会釈《えしゃく》をした。

「こんばんは」

これは深みのあるバリトンだった。

「あの……こんばんは」

奈緒が答えて子供を抱いて立ち上がり、淳子もなんとなくそれに続いた。

「兼正の方ですか？」

「兼正？」

男のほうが言うと、女のほうが男を見上げて微笑む。

「竹村さんよ。ここでは兼正と言うんですって」

「そうです」奈緒が微笑んだ。「わたしたち、お宅の地所のことを、兼正って呼ぶのが習い性になってるんで」

ああ、と男は頷く。四十半ばだろうか。対する女は三十前後というあたりに見えた。淳子は少しどぎまぎする思いがした。洗練されている、というのだろうか。なにか作り物めいた——俗っぽさのない立ち居振る舞い。急に背後から聞こえる酔った歓声が気恥ずかしく感じられた。

「桐敷と申しますの。よろしくお願いしますね」女は言って、奈緒の腕の中に目をやる。小首を傾《かし》げて子供の顔を覗《のぞ》き込んだ。「まあ、可愛《かわい》い。息子さんですか？」

「ええ。進って言うんです。わたしはあの、安森といいます。こっちは……いえ、彼女も安森で、この製材所の人なんですけど」

「御姉妹でいらっしゃるの？」

「いえ。うちは淳ちゃん——彼女のところの親戚筋です。安森工業といって近くの」

奈緒が言ったとき、また背後で笑い崩れる声がした。男は母屋のほうに目をやる。

「賑やかですね」

「お盆なので。親族が集まっているんです」

「ああ、そうか。帰省シーズンなんですね」男は言って、妻のほうを見る。「みんな、こういうところに集まっていたわけだね」

「そうね。帰省する先がないと、置いて行かれるばかりで。実を言うと、あの人たちがどこへ消えているのか、不思議だったの」

「わたしもだ」

笑い合う夫婦を、淳子は気を呑《の》まれる思いで見た。まるで若いカップルを見ているようで、気恥ずかしい。こんなに臆面《おくめん》もなく睦《むつ》まじい夫婦も村にはいない。結婚すれば、すみやかに家族として組み込まれ、睦まじさは気安さに取って代わられてしまう。

「桐敷さんは、お子さんは？」

「娘がおりますの。もう十三ですわ」

「そんな大きなお子さんがいるようには見えないわ」

「ありがとうございます」

女は艶《あで》やかに笑う。淳子にはなんだか、別種の生き物を見ているような気がした。娘ではない、中年の女でも、どこかのお嫁さんでもない。男のほうもそうだ。四十を過ぎて、おじさんではなく男であり続ける男というものを、淳子はこれまで想像できなかった。テレビや映画の中を除いては。

「あの……もし、よろしかったら」奈緒がおずおずと言う。「寄っていきませんか。御覧の通り、宴会の最中で、酔っぱらいばっかりなんですけど」

奈緒に肘で軽く小突かれ、淳子は慌《あわ》てて言い添えた。

「そうです、どうぞ。うちの者も喜ぶと思うんで」

男は問いかけるように妻を見る。

「申し訳ないわ。せっかく御親族でお集まりのところなんですもの」

「いえ、あの、ぜんぜん」

男は淳子を振り返った。

「日を改めて伺わせていただきます」

「じゃあ、うちにもいらしてください」奈緒が燥《はしゃ》いだ声を上げる。「工務店って言えば分かります。お嬢さんも一緒に」

男はふっと笑った。淳子は一瞬、どきりとした。その笑みは、どこか恐ろしげに見えた。訳もなく、自分たちが取り返しのつかないことを言ってしまったような気がした。

「ありがとうございます」

男は言って、まるで言質《げんち》を取った、というように淳子と奈緒を見た。

「必ず、御挨拶《あいさつ》に伺わせていただきます。……近いうちに」

5

「――兼正の?」

結城はクレオールのカウンターから、店に入ってきた加藤実《みのる》の顔を振り返った。加藤は一之橋の袂《たもと》で電気店を営んでいる。クレオールの常連の一人だが、今日の宵の口、加藤の母親と息子が兼正の住人を見たという。

「桐敷さんとおっしゃるそうです」

加藤は淡々とした口調で言う。その言動や風貌《ふうぼう》からすると、電気店の主人よりも理系研究者のように見える。

そうか、と結城は呟いた。挨拶まわりというわけではないだろうが、家を出てくることにしたのだな、と思う。

「どんな人だって?」

長谷川は軽く勢い込んだ。

「堂々とした方だったようですよ。役者みたいだった、と母は言ってましたが」

「……へえ。一昨日《おととい》、兼正の若い人——辰巳くんだったか——に会ったけど、彼も感じのいい青年だったな」

「一昨日といえば、清水さんのところが大変だったそうですね」

「そうなんです。辰巳くんも手伝ってくれてね。無事に見つかって良かったですよ」

加藤は頷く。それきりグラスを手に、サックスの音に耳を傾けている。加藤は三十半ば、もともとそういうごくおとなしい、物静かな男だった。

「これで妙な誤解が解けるといいんですけどね」

結城が言うと、広沢は首を傾げた。

「妙な誤解？」

実は、と結城はあの夜、小耳に挟んだ悪意のある噂について話をした。

「せっかく越してきたのだから出ておいでなさい、と勧めたあとだけに身の置き所がなくてね。辰巳くんも池辺くんも笑っていたけれども、内心は愉快ではなかったでしょう」

なるほど、と広沢は溜息《ためいき》をついた。店内には長谷川と加藤、広沢と結城の四人だけ、そもそも静かなところに憂《うれ》うような沈黙が降りた。

「結束というものは、排他性と表裏一体のものですからね」広沢が自嘲《じちよう》するような調子で言う。「……けれども、それは申し訳なかったな」

長谷川も頷く。

「そうですねえ。それで村に下りてきたのかな。顔ぐらい見せておかないと、何を言われるものか分かったものじゃないから」

「だとしたら残念な話だ」

結城は首をひねった。

「けれども、わたしには不思議に思えるんですけどね。たとえばわたしや、兼正の住人が胡乱《うろん》な目で見られるのは分かるんです。悲しいかな余所者《よそもの》というのは、そういうものでしょう。けれども池辺くんや若御院までがそういう目で見られるのはどういう訳なんでしょう。二人は寺を通して、村社会に組み込まれているわけじゃないですか」

広沢は苦笑した。

「普通は寺を悪く言う人はいないんですけどね。その連中は寺の檀家《だんか》ではないんでしょう。下外場の新しい家の人たちかな。戦後に入ってきたような人たちですね」

「関係あるんですか?」

「それこそ、排他性の問題ですよ。旧外場の地縁社会というのがあって、これは結束が固いです。戦後に入ってきた家もありますが、そういう家は余所者としていったん区別されてしまいますから、そういう人たちは自分たちを排斥した村社会に対して敵意を持つ。すべてが、というわけじゃありませんが、やはり大なり小なり引っかかるものはあるでしょう。そういう人にとって、寺というのは敵の首領に見えるんでしょうね。寺と兼正、そして尾崎を三役と言いましてね、村の中心ですから」

「へえ」

「そもそも村は、この三役を頂点にして非常に固く結束しているんです。ですから新住民にすれば、これが敵の首領ということになりますね。このうち、兼正は外場に住む以上、自分たちの利益の代弁者ではあるわけだし、村長をやってた頃には恩恵にも浴していたわけで、敵意は割り引かれます。尾崎はもっとですね。みんな必ず世話になりますから。けれども寺は、檀家でなければ接点がない。敵視するには絶好の対象なんでしょう」

「そんなものですかね」

「特に若御院は、小説も書いてらして、そういう特殊な職業に対する偏見もあるでしょうね。気難しい変わり者に違いない、という。実際、村で総領息子で、三十を過ぎて独身というのは変わっています。特に若御院は一人っ子ですから、若御院に所帯を持ってもらわないと跡継ぎに困るわけで」

「ああ、そうですね」

「檀家も気にしているのだけど、若御院というのは、ひどく繊細なところがあって、無理強いはできない、というのがあるようですね。御院も結婚は遅かったし、本人も自分の立場は分かっているようだから、もう少し静観しておこうというのが檀家の本音でしょう」

長谷川が身を乗り出して声を低めた。

「あの噂は本当なんですか」

「――噂？」

「ええ。若御院が以前、その……自殺未遂をやったという」

広沢は苦笑した。

「らしいですね。わたしも噂でしか知りませんが。それで周囲もあまり強く縁談を勧められないいんでしょう。何かを無理強いして、またナーバスになられては困る、ということなんでしょうね」

なるほど、と結城は思う。寺の若御院は、村の中枢《ちゅうすう》にいながら、副業とその経歴のために結城らとは別の意味で一種の異物なのだ。

「それであいう噂になるわけですか」

「何よりも、寺に対する反感のほうが強いんでしょうけどね。寺——三役は村の中心でありながら、村の一部ではないところがあるので」

「よく分からないな」

「ですからね。恵ちゃんを捜索するときにも、尾崎の人間も寺の人間もいなかったでしょう。寺から池辺くんが来ていたけど、若御院や奥さんが来ていたわけじゃない。祭りなんかでもそうです。三役は村で祭りがあっても参加しないんですよ。伝統的に村から嫁取りもしないし、娘を村に嫁に出すこともしない。室井は村に一軒だけ、尾崎もそうです。そういう意味で、村の中心ではあるのだけど、隔絶されているんです。特別、偉いというか」

「偉い、ですか」

広沢は頷いて、北のほうを示した。

「北山の中腹に寺がありますね。そして西山に兼正、その間に尾崎。室井、兼正、尾崎と敷地の高さに段差があるでしょう。寺がいちばん高い場所にあって、病院がいちばん低い。これがそのまま、村における地位を示しているんです」

へえ、と結城は呟《つぶや》く。

「医者が三番目、というのは不思議な気がしますね。いわば、村の人たちの生命線を握っているわけでしょう」

「そこが長い間の慣習ってものです。ここはもともと寺院の領地でね。そこに木地屋が入って村を拓《ひら》いた。定住した木地屋のために、本山が窓口として置いたのがあの寺です。のちに寺院所領の解体があって、このあたりの土地は全部、本山から独立して寺のものになった。いわば村の者は寺から土地を借りている状態ですし、寺請制度のせいで全部が寺の檀家として組み込まれている。寺の坊さんに引導を渡してもらわないことには、死ぬこともできないわけです。昔は寺が役所の戸籍係も兼ねていたようなもんですから、寺は人の生死と土地——生活そのものを握っていたんですよ」

「ああ、なるほど」

「生まれてから死ぬまで、ずっと寺の掌《てのひら》の上です。だから最近はそう煩《うるさ》くも言いませんが、昔はそりゃあ、寺の威光は凄《すご》かったらしい。その土地は、兼正が一括して寺から借りて村人に分けていた。どこの家に田圃《たんぼ》が何反、山が何町、と分与していくのは兼正の仕事で、兼正が土地に応じて賃借料も分割し、取り立ても行なうわけです」

「なるほど、それで寺が一番、兼正が二番なんですね。寺と兼正の機嫌を損ねたら生きていけないわけだ」

広沢は微笑《ほほえ》む。

「そういうことになりますね。——まあ、それだけでもないんですが。外場には、ずいぶん近年まで、外場講と言う制度があったんです」

「外場講——日本史で習う、あの講ですか」

「そうです。兼正は講の代表者なんですね。土地は寺から講が借りる。それを講の代表者である兼正が村人に分配するわけです。賃借料も分配、講を代表して年ごとに賃借料の交渉をするのも兼正の仕事です」

「ひょっとして、値切るわけですか」

「そうですね。兼正は体制側ではなく、あくまでも村人の側、講の代表なんです。そうやって取り決めた賃借料を、兼正は取りまとめて寺に納める。寺は納められた一部を、御支度金として備蓄する」

「御支度金」

「ええ。これは村に災害や飢饉《ききん》が起こったり、村を挙げての普請《ふしん》——土木工事なんかを行なう際に、施徳金《しとく》として無利子で講に貸し出されていたんです。村人はこれに対して、報恩金と言うものを納めて、頭割りで長期返済を行なった。国道の下に堰《せき》がありますよね。水口堰と言って農業用水を取り込むための施設なんですが、あれも江戸時代に御支度金で作られたものらしいですね」

「へえ……」

「ですからね、単に畏《おそ》れられていただけではないんですよ。恩義と言うんでしょうか。寺と兼正はずっと二人三脚で村を支えてきた。御支度金で病院を建てて医師——尾崎を招いたのも寺と兼正です。溝辺町にもまだ病院なんかなかった時代の話です。寺が直接、村の者に土地を貸していてはこうはいかない。寺と村人の間に兼正という家があって、ずっと寺と相対して良好な関係を築いてきた、だからこそできたことだし、村はその良好な関係を基盤にして成立してきたんです。村の者はだから、寺や兼正に対しては未《いま》だに尊崇を捨てられないんですね」

「なるほど……」

「今ではもう、そういうこともないわけですけど、未だに公民館は三役の寄付でまかなわれていたり、外場校区の意思決定を区長会と三役で行なっていたり、中心であることは変わりない。この場合の三役は、兼正でなく田茂の本家なんですけどね」

「はあ」

「昔は、室井、兼正、尾崎だったんです。村長である兼正が村議会の議決を取りまとめる、という方式ですね。兼正は議会の決定に対して賛成一票を持って三役の談合に臨むわけです。村長が一票、室井と尾崎も一票。室井と尾崎のどちらかが反対しても二対一で可決ですね。けれども室井と尾崎の両方がノーと言うと、二対一で否決されて議会に差し戻される。——まあ、実状はもっと話し合いというか寄り合いに近いことなんですが、そういうシステムではあったんです。今だと村議会ではなく区長会ですね。名称は変わってもシステムは同じです。やはり三役で最終的な意思決定を行なう。兼正は今は村にいませんから、区長会の会長が兼正の代わりに三役に入ります。もともと兼正は村の代表者ですから、それで構わないわけですね」

「あくまでも講の体質を引きずってるんですね」

「そういうことですね。今でも三役会議というのが非公式にあります。多分に儀礼的なもので、実際に区長会の決定に対して、室井と尾崎がノーと言うことは、まずないんですけど、やっぱりお伺いは立ててるわけです。村人を代表者が取りまとめて、寺と尾崎が上からこれに関与する。未だにそういう体制ではあって、そういう意味で、寺と尾崎は別格、兼正も単なる村の者とは一線を画す。だから村の中心なんだけれども、村の一部ではない、と言えるわけなんです」

「へえ」

「我々はね——旧外場の住民は、これを理屈じゃなく皮膚感覚のようなもので分かってるわけです。村のそもそもの成り立ち、歴史から培《つちか》われてきた無条件の刷り込みがあるんですね。三役と言えば別格で偉いんだ、という。ところがあとから村に入ってきた人にはそういう感覚がない。歴史を知らなければなおさら、なんだって三役があんなに威張っているのか分からないということでしょう。特に新住民は檀家ではないから寺と接点がない。だから余計に寺が威張っているのが理不尽に思える。村は結束が強固で、ことあるごとに自分たちが区別されている感覚がある。排他性の頂点に寺がいるから、寺に対して、そこはかとなく反感が生まれる」

「なるほどな……」

長谷川が苦笑した。

「けれども不思議なものでね。そういう新住民というか、新しい人のほうが余所者に対する当たりがきついんですよ。もちろんどちらの陣営にも例外はあるんですが、概して古い家のほうが余所者に対して鷹揚《おうよう》ですね。区別はするけど露骨な差別はしない。新しい人のほうが露骨なんですよ」

へえ、と結城は瞬く。加藤が静かに口を挟んだ。

「有機体のようでしょう」

一言だったが、それは結城の村に対する思いを、うまく表現しているように感じた。

「そうですね。……本当にそうです」

村はそれ自体が、ひとつの有機体のように存在している。複雑な成り立ちがあり、その内部では様々なシステムが蠢《うごめ》いている。変化を繰り返しながら増殖し分裂し貪蝕し代謝し、総体としての存在を維持する。——生命活動のように。

結城はふと、これで良かったのだろうか、と思った。一年以上、外場にいて、自分たちが余所者として区分されていることに歯痒《はがゆ》い思いもした。それでも外場に越してきたことを後悔したことはなかったが、やっと村に馴染《なじ》み始めた今になって、初めて村社会の得体の知れなさに触れたような気がした。

6

新しい原稿用紙を机の上に広げて、静信は軽く上体を反らした。祖父の代から使っている椅子《いす》は夜の静寂に溜息のような軋《きし》みを落とす。ぼんやりと古びた木目の天井を見上げていると、茫洋《ぼうよう》と視線は過去に向かってさまよい、一つの言葉に突き当たった。

——一体、何があったんだ？

(何も……)

——理由を訊《き》いてもいいか？

（理由なんか、何も）

思いながら、鉛筆を手の中で弄《もてあそ》ぶ。硬い芯《しん》の先は切っ先のように尖《とが》っている。

小説を書き始めた当初、なんとなくペンで書くものだという思い込みがあって慣れない万年筆を使っていた。その夏にはインクの滲《にじ》みに辟易《へきえき》して鉛筆に変えた。寮の部屋は、原稿用紙の上に置いた左手の熱気で紙が波打つほど暑かった。屈《かが》み込んでいるだけで際限なく汗が落ちて、黒いインクを茶と青の暈《ぼ》かしに変えた。

短編をひとつ書くごとに鉛筆の芯を薄く硬くしていったのは、鉛筆の粉でどうしても原稿用紙が汚れるからだ。芯の硬さを変え、鉛筆のメーカーを変えて、今のものに辿《たど》り着いた頃、卒業した先輩が寮に遊びにきた。出版社に入っていた津原《つはら》は、静信の原稿を持ち帰り、改めてやって来て書き直しを命じた。言われるまま、何度直しただろうか。何度目かに津原は原稿を持ち帰り、その夜、電話がかかってきた。出すから、と言われて、何のことだか分からなかったのを覚えている。

——お前、プロになりたくて書いてたわけじゃなかったのか？

あの時の会話を思い出すと、今も苦笑が漏れる。別に作家になろうなどと思っていたわけではなかった。

——だったら、なんでいちいち、こっちの言う通りに直すんだよ。

直したほうがいいと言われたからだし、次に訪ねてきたときに津原が「直したか」と訊くので手を入れた原稿をそのたび見せていたにすぎなかった。

——呆《あき》れた奴《やつ》だな。

津原の声は、寮監の村松の声に重なる。

——自分のことなんだから、分からないはずがないだろう?

(今もよく分からない)

静信は引かれるように原稿用紙の上に置いた左手を見た。安物の無骨な形の腕時計。それをそもそも身につけるようになったのは、もちろん、そこにある傷痕《きずあと》を隠すためだった。今はもう白い線のようにしか見えない損傷、それでも時計を外せば、自分でも時折、ぎょっとするほどの傷ではあった。

——酔ってたわけじゃないだろう。ほとんど飲んでなかったと聞いているぞ。

(酔っていた覚えは、たしかにない)

——口にしにくいなら、手紙でも何でもいいから。

自分の心情を探るつもりで書き始めた文章は、いつの間にか横滑りを繰り返して混沌《こんとん》としたものになった。村松に渡すと、村松は心底、呆れたようだった。

——何が言いたいのかさっぱり分からない。これは小説じゃないのか?

言われて読み直してみると、それはたしかに小説に似ていた。それで次には、最初から小説を書くつもりで書いてみた。それはあまり趣味というものに縁のなかった静信の、唯一《ゆいいつ》の趣味らしい趣味になった。

なぜだ。なぜ、こんなことを。

何故《なにゆえ》に自らこのような罪を
なぜだ、と様々な人に問われたが、静信には答えられなかった。実を言うと、自分でも理由を知らなかったからだ。無理にも言うなら、そうしてみたかった、それしかない。大学の二年生、年末のコンパの席上だったと思う。突然、そういう気分になった。漠然と、それだけでは死なないと分かっていたが、死ぬ死なないはあまり重大ではなかったと思う。早々に飲み会を辞去し、寮に戻って風呂《ふろ》場に行った。忘年会のシーズンであり、帰省のシーズンでもあったので、共同の風呂場は無人だった。そこで淡々と自分を切り裂いた。

実際のところ、どう考えてみても静信には、自分に死に焦《こ》がれるほどの何かがあったとは思えなかった。特に不満はなく、自己嫌悪《けんお》があったわけでもない。手首を切ったぐらいのことでは人は死なないことを理解していたのだから、本当に死にたいわけではなかったのだろう。その時の静信にとって意味を持っていたのは行為の結果ではなく、その行為自体だったのだという気がしている。死にたかったのではなく、死のうとしてみたかったのだとしか思えないのだが、その衝動の由来は未だによく分からなかった。

腕時計の下、覆《おお》ってもその傷痕は明らかだ。村の者はみんな知っている。だから、これを見て見ぬふりをし、静信もそれにいつしか慣れていた。いつの間にか、それが人には見えないもののように感じていたのだと思う。

（……嫉妬《しっと》ではない）

静信は鉛筆を握る。

彼もまた何かに憑《つ》かれたのだ。突然、殺意は降って湧《わ》いた。

（いや）と、静信は呟《つぶや》く。彼はそうしてみたかっただけだ。殺意すらないまま、弟を殺した。（……そのほうがいい）

灰色の石に封じ込められた広間は、端々に黄昏《たそがれ》と薄暮が立ち込めるほどに広く、空虚だった。飾りひとつなく鈍色《にびいろ》が堆積《たいせき》するだけの空洞の一郭、よほど高いところに色硝子《ガラス》の窓があって、そこから斜めに光が射《さ》し込んでいた。

陰鬱《いんうつ》な色を帯びた光は白い麻布を輝かせていた。冷えた石畳の上に広げられた麻布がゆるやかに起伏を描くのは、その下に弟の亡骸《なきがら》が横たわっているからだった。

賢者と彼は、弟の骸《むくろ》を挟んで対峙《たいじ》していた。しかしながら、彼は麻布の幽光から目を逸《そ》らすことができず、そこに光が射しているからこそいっそう濃い薄闇《うすやみ》に、独り取り残されたような孤絶を感じていた。

――なぜ、このような罪を。

薄暮の中から賢者は訊いた。しかしながら、彼はそれに答えられなかった。なぜなら、彼自身、自分が弟を殺した理由を知らなかったからだ。

なぜ、と問いたいのは彼のほうだった。

ただ一人の肉親、穏和で慈愛深く、さながら光輝の具現であったかのような彼の同胞。彼は真実、弟を愛していたし、弟との暮らしを好ましく思っていた。彼は弟を屠《ほふ》らねばならない、いかなる理由も持たなかった。にもかかわらず、彼は弟に向かって凶器を振り上げたのだった。

それは衝動のように彼を襲った。誓ってそれは弟に対する殺意ではなかった。けれども彼の振り上げた凶器は、結果としてたしかに弟を死に至らしめたのだ。

その弟は屍鬼となって荒野に彼を追う。空疎《くうそ》な視線は、常になぜ、と問いかけているようだった。彼は殺意の由来を明らかにし、自己を正当化して弟を責めるなり、あるいは自己を弁護して許しを乞《こ》うなりしなくてはならなかったが、そのどれをも、彼はできなかった。ただひたすら一瞬の衝動を憎み、弟の死という結果を嘆くしかなかった。

――そんなつもりではなかった。

決してお前が憎かったわけではない。

お前に死んでほしかったわけではなかった。思い知らせてやりたい何かがあったわけでもなかった。

赦《ゆる》してくれ、と彼は呻《うめ》いて曙光《しょこう》の中、凍えた荒野に膝《ひざ》をついた。弟の返答は、もちろん、ない。

風音の合間に幻聴を探しながら、彼はようやく眠りについた。

八章

I

敏夫は十五日、月曜の早朝に一本の電話で叩《たた》き起こされた。眠い目をこすり、不承不承取った受話器の向こうで、狼狽《うろた》えきった女の声がした。何かを喚《わめ》いているが、何と言っているのか、よく分からない。

「誰だか知らないが、落ち着いてくれないかな」敏夫は欠伸《あくび》を嚙《か》み殺す。やれやれ、という気がした。せっかく盆休みで、早朝の診療から解放されているというのに。「――落ち着いて。こっちの訊《き》くことに答えてくれ。あんたは誰だ?」

清水です、という切羽詰まった声が聞こえた。半ば泣きながら悲鳴を上げるようにして訴える声。

「清水――」敏夫は急速に覚醒《かくせい》するのを自分でも感じた。「清水さんの奥さん? 恵ちゃんに何か」

女は電話の向こうで泣き崩れた。悲痛な声で、途切れ途切れに言葉だけが聞き取れる。

恵、息、死、揺すっても。

「今から行きます、十五分以内。いいですね？」

強く言って、返事を待たずに敏夫は受話器を置いた。要領を得ないが、恵の容態が急変したことだけは間違いがない。

取るものも取りあえず自室を出ると、不審そうな顔をして孝江と恭子が顔を出していた。

「何事なの？」

「容態が急変したらしい。清水さんとこの恵ちゃん」

まあ、と孝江は絶句した。恭子は面白くもなさそうな顔で欠伸をひとつした。

「行ってくる」

夜着を脱ぎながら廊下を洗面所に向かって小走りに行く敏夫を、孝江は眉《まゆ》を顰《ひそ》めて見守った。

洗面所からは慌《あわ》ただしい物音がしていた。恭子はもう一度欠伸をし、階段を登っていく。その背に、孝江は声をかけた。

「着るものくらい、揃《そろ》えてやってちょうだいね」

恭子はキャミソールからむきだしの足を止める。階段の途中から孝江を見下ろした。

「御心配なく」

揶揄《やゆ》する響きを感じ取って、孝江は険を込めて恭子を見上げる。こんなふうに言って、一度だってちゃんと送り出してやったことがないのだ、この女は。

「急患が来ることだってあるんだから、飛び起きた時にも人様にお見せできる恰好《かっこう》をしていてもらわないと困りますよ。暑いかもしれないけれど――」

孝江の言葉はぴしゃりと叩き落とされる。

「わたしは別に困りませんから」

言って、片手を腰に当て、もう一方の手を手摺《てすり》に突く。すらりと白い足が演技的な仕草で組まれた。孝江は顔に血が昇るのを感じる。

「冗談じゃありませんよ、そんな」

「駆け込んできたほうだって、こっちの寝込みを襲ったことぐらい分かってるんだから、大目に見てくれるわ」

「恭子さん――」

言いかけた孝江を、敏夫が押し除《の》けた。

「母さん、どいてくれ」

恭子がくすりと笑みを漏らし、孝江は頬が紅潮するのを感じた。その場の二人の様子には気づかない様子で、敏夫は階段を駆け登っていった。恭子はそれに声をかける。

「ねえ、わたし、すごく眠いの」

敏夫の声は明瞭《めいりょう》だった。

「構わなくていい。寝てろ」

恭子は勝ち誇ったように孝江を見下ろし、これ見よがしに伸びをして階段を登っていく。孝江は少しの間、感情を持て余してその場に立ち竦《すく》んでいた。

髭《ひげ》を当たる間も惜しんで敏夫が清水家に駆けつけたのは、受話器を置いてから十分と少しが過ぎてからのことだった。診察鞄《かばん》を提げて車を降り、玄関に駆けつけると、それを待っていたように玄関のドアが内側から開いた。寝間着姿のままの寛子が泳ぐようにして敏夫に縋《すが》りついてきた。

「恵が——恵」

「落ち着いて。恵ちゃんは二階ですか?」

泣きながら頷《うなず》く寛子の肩を叩き、勝手に上がり込んで二階へと駆け上がる。ぬいぐるみの下がったドアは開いており、中に呆然《ぼうぜん》と立ちつくす清水の姿が見えた。

「清水さん」

敏夫が声をかけると、清水は敏夫を振り返る。さっと顔色が変わるのが見えた。一瞬、清水は忿怒《ふんぬ》の表情を露《あら》わにし、それを恥じるように顔を背けた。敏夫が部屋の中に入ると、ちょうどドアの陰のあたりに、清水の実父、徳郎《とくろう》が坐《すわ》り込んで顔を覆《おお》っていた。敏夫は静かに深呼吸をする。——おそらくは、最悪の事態だ。

実際のところ、部屋に踏み込んでベッドのほうに目をやるや、その予想が外れてはいなかったことを悟った。ベッドに横たわった少女は、顔の筋肉が弛緩《しかん》して相好が変わって見える。これは、死んでいる。それも、ついさっきというわけではあるまい。

寛子が恵を呼びながら階段を登ってくるのを耳で捕らえつつ、敏夫はベッドの脇《わき》に鞄を下ろした。とりあえず、タオルケットの上に投げ出された手を取ってみる。それはいかにもひんやりとして、生物の温かさ、柔らかみを失っていた。

黙って脈を探る。まったく脈は触れない。頸部《けいぶ》を探ってみても、拍動なし。薄く閉じた瞼《まぶた》の下、瞳孔《どうこう》も散大している。鞄を開け、聴診器を取り出し、ゆるい襟ぐりの下に忍ばせてみたが、まったくの無音。呼吸も心拍も、完全に停止している。敏夫は息を吐いて聴診器を外した。

「──やっぱり、死んでいるんですか」

背後からかけられた清水の声は、何かを噛み砕こうとするようにくぐもって聞こえた。

「死亡してます」

そんな、と寛子の声がした。

「だって先生が、恵は貧血だって言ったじゃないですか。単なる貧血だって、心配はいらないって、そう──」

「やめないか」清水が低く怒鳴った。「若先生を責めるんじゃない。お前はお祖父《じい》ちゃんを連れて行って面倒を見てやれ」

「でも」

「行くんだ」

敏夫が振り返ると、寛子が嗚咽《おえつ》しながら徳郎の腕に手をかけるところだった。顔を覆った徳郎を引き立たせ部屋の外に促す。抱きかかえるようにして部屋を出ながら、寛子は敏夫に恨みを込めた視線を投げて寄越した。

敏夫は深い息を吐いた。

「おれがこれを言うのもどうかと思うが、お悔やみを言います」

「恵はなぜ死んだんですか」

「それは調べてみないと分からない」

言いながら、敏夫は恵と寝床の周辺に目を向ける。着衣の乱れもなく、夜具にも乱れがない。四肢は穏やかに投げ出されたまま、少なくとも恵は苦しまなかったのに違いない。

「単なる貧血で、人が死ぬものなんですか」

清水の声は、精一杯、恨みがましい声音を押さえ込もうとしていたが、あまり成功はしていなかった。

「貧血が、何らかの不具合から来たものであった場合、そういうこともあり得ます」

「何らかの不具合――」

敏夫は坐ったまま振り返り、仁王立った清水を見上げた。

「貧血というのは症状の名前であって、病気の名前ではないんです。単に貧血だけが起こることもあるが、身体《からだ》のどこかに不具合があって、そのせいで貧血が起こることもある。普通、そういう場合はそれなりのサインがあるものですけどね」

「恵はそれだったというんですか」

「分かりません。こればっかりは検査してみないことには何とも言えない。せめて先日採取した末梢《まつしょう》血を調べれば、何か分かるかもしれませんが、あいにく検査結果がまだ出ていないんです。ちょうど盆休みにかかっていたもので」

「盆休み……」

清水の呻《うめ》くような声音に、敏夫は息を吐く。

「おれは言葉を飾るのが嫌いです。まして清水さんとは知り合いだから、余計に言葉を飾りたくない。先日、伺ったときに恵ちゃんの血液を採取しました。それは検査に出してある。結果はまだ来ていません。ちょうど検査所が盆休みだったもので。もちろん、急いでもらう手がなかったわけじゃないし、最低限の検査だけでも自分でやる方法がなかったわけでもない。しかしながら、急ぐ必要があるとは、少なくともあの時点では思えなかったんです」

いて？」

「身体の不具合から貧血が起こることがあるんでしょう。その可能性があると分かっていて？」

「可能性があることは承知してましたが、恵ちゃんの場合はそうとは思えなかった。——単なる貧血だとしか思えなかったんです。そうでない可能性があることは分かっていたから末梢血を検査に出した。しかし、検査を急ぐ必要があるとは思わなかった。急ごうと思うほど恵ちゃんの状態は悪くなかったからです。急死するほど重大な不具合があれば、必ずそれなりの症状が出ます、貧血以外にもね。他にも重篤《じゅうとく》な症状があれば、検査を急がせるまでもなく、救急車を呼んで国立病院なりに運ぶよう言いましたよ。だが、そんなふうではなかったんです。単なる貧血のように見えたし、もしもそれが単なる貧血ではなかったとしても、検査結果を見て再検査をして、そうやって原因を突き止めるぐらいの余裕は充分以上にあるように見えた」

「では、なぜ恵は死んだんですか」

「おれにとっても不測の死なんです。ここで簡単に死因の予測がつくようなら、そもそも単なる貧血だろう、なんてことは言いませんよ。——実際のところ、おれがいちばん驚いている」

先日診察したときには、たしかに貧血以外の症状は、これと言って見られなかった。格別の既往症もない。恵は些細《ささい》な不調でも大騒ぎするタイプの少女で、しかも詐病《さびょう》する傾向があった。あちこちの調子が悪いと言っては何度も診察を受けに来たけれども、実際に病因が見つかったことはない。――それとも、これが予断になったのだろうか。敏夫は恵の身体を検《あらた》めながら自問自答する。自分に予断があって、そのせいで重大な兆候を見落とした、という可能性は？

（ないとは言えない……）

不本意ながら、それは認めないわけにはいかなかった。実際のところ、敏夫は往診に来て、本当に恵が貧血を起こしているのを見て驚いたぐらいだ。件《くだん》の失踪《しっそう》騒ぎ以来、恵の調子がおかしいと聞いて、敏夫は真っ先に詐病を考えた。これまでの例から考えても、騒ぎを起こした恵は、清水らに叱責《しっせき》されるのを恐れて具合が悪いふりをしているのだろうと思ったのはたしかだ。

恵の外見のどこにも、外傷や不審点はない。体温の下降が始まっており、死後硬直も始まっている。死斑《しはん》は軽微、角膜の混濁も軽微。だが、死亡しているのは間違いなく、しかも死後数時間が経《た》っている。

「昨夜遅く――と言うよりも、今朝だと思います。午前一時から三時ぐらい」

敏夫は呟《つぶや》いて清水を振り返った。

「どうしますか」

清水は険しい顔で首を傾けた。

「どう——とは」

「おれには確実な死因が分からない。前回の診察から二十四時間以上、経過してもいる。できたら病理解剖を勧めたいところです。せめて末梢血の採取と骨髄液の採取をさせてもらいたいが、清水さんの同意が必要です」

「冗談じゃない！」清水は顔面を紅潮させて怒鳴り、そして自分でも自分の怒声に狼狽《ろうばい》したように顔を伏せた。「——いや、済みません」

「おれを殴りたい清水さんの気持ちは分かりますよ」

「いや……申し訳ない。そんなつもりはありません。だが、解剖は駄目です。この子は若い女の子なんです。いまさら死因が分かっても、恵は帰ってこない。……もう勘弁してやってください」

　なんとか自分を抑えようとする清水の態度は立派だ、と敏夫は思った。本当ならば敏夫の襟首を摑《つか》んで怒鳴りたいところだろう。清水の性格から言って、理を解いて説明すれば、資料の採取には同意してもらえるかもしれない。だが、これ以上、醜態を見せまいとする清水の感情を刺激するのも躊躇《ためら》われた。

（それとも、おれは逃げたいんだろうか）

　単なる貧血だ、と言った。それが過《あやま》ちであったことはたしかだ。それも不可避の過ちではなく、予断によるものである可能性がある。恵の死体は否応《いやおう》なくそれを敏夫に突きつける。

「死亡時間は早朝二時、死因は急性心不全ということでいいですか」

敏夫の問いに、清水は頷いた。

2

「清水、恵ちゃん？」

静信は受話器を置いた光男の顔をまじまじと見た。続く言葉は呑《の》み込んだが、代わりに鶴見がそれを口にした。

「娘のほうなのかい。——爺《じい》さんのほうじゃなく？」

光男はどこかきょとんとした様子で頷いた。

「娘のほうだとさ。高校生の」言って、光男はどういう意味でか、溜息《ためいき》をついた。「ほら、盆前に山狩りをしたでしょう。清水さんとこの娘さんが帰ってこないって言って。あれで見つかって以来、寝込んでたらしいんですよ。それが今朝、呆気《あっけ》なく死んだんですか、と確認するように声を上げたのは池辺だった。

「また？」

池辺の言葉は、寺務所に集まった人間の気分を代弁していた。後藤田秀司が死に、山入でも三人が死んだばかり、しかも今度は少女だ。ある意味で山入の三人は高齢でもあり、いずれ来るものが思いもよらない状況で来た、としか思えなかった。秀司も若かったが、秀司くらいの年代の男が急死することは多くないとは言え、珍しいことでもない。

――だが、恵はあまりにも若い。まだ大人にさえなっていない。

「やれやれ……」鶴見は息を吐いて椅子《いす》に腰を下ろした。「清水さんとこの家族はショックだろう。顔を合わすのが辛《つら》いな。高校生じゃあなあ」

「本人も可哀想《かわいそう》ですよ。これからいちばん、いい時期なのにねえ」

池辺はそう、妙に老成したことを言った。

「まったくだ。今年の夏はどうなってるんだかな」

鶴見の弁に静信は頷いた。窓に目を向けると、すでに熱気を伴った陽射《ひざ》しが降り注いでいる。本当に、今年の夏はどうかしている。――酷暑の夏。

恵が死んだ、とかおりは呟いた。声に出してみても、少しも現実感がなかった。

恵は死んだ。今、連絡があった。でも、ラブを連れて散歩に行けば、また坂の下で会えるだろう。どのみち新学期になれば、毎朝、会うのだ。

（もう、会えない）

理性はそれを知っていたが、かおりには恵の欠落が信じられなかった。二度と会うこともなく会話を交わすこともない。そんなことが、どうして起こるはずがあるだろう？　かおりくらいの年代の女の子が不幸にして死ぬことがある。でもそれは、ニュースや噂《うわさ》話の中のことで、新聞の中から出てきて、かおりの側《そば》に居据わったりするはずのないことだ。そう、漫画やドラマの登場人物が、決してかおりを訪ねてきたりしないように。

母親に促されて出かける準備をする間も、どこか呆然としたままだった。何か大変なことが起こったことは分かる。それが恵に関係することだ、ということも。具体的に言うなら、それは「恵の死」で、けれども、かおりにはやはりそれが腑《ふ》に落ちなかった。

急いで行かなきゃ、という妙に浮ついた気分。まるで何かのイベントに参加するかのような。それでいて、母親がエプロンを引き出して手提げの中に入れているのを見ると、胸のあたりがモヤモヤした。エプロンなんて、――それもあんな、花柄の入ったエプロンを引っぱり出すなんてどうかしてる。

しかしながら、どうかしているのは、かおり自身のほうだった。もちろん母親は、弔いの手伝いに恵の家に行くのだ。恵の母親とは親しかったのだから。これから弔組の女衆と一緒に働かなくてはならない。それで当然のようにエプロンが必要なのだった。

母親に言われるまま、普段着に突っ掛け履きで通い慣れた道を歩いた。アスファルトの上には、もう陽炎《かげろう》が立っていた。二日前にも、同じようにして歩いた。今、数珠《じゅず》を下げていることだけが、二日前と違っている。

恵の家の玄関は開いたままになっていた。何人も人が出入りしていた。かおりと同じく普段着のまま、使い古した手提げをさげた母親は、玄関の三和土《たたき》で恵の母親に頭を下げた。

コノタビハ、キュウノコトデ。マコトニゴシュウショウサマデス。

かおりはボンヤリと、その不思議な呪文《じゅもん》を聞き、母親に促されて、いつものように頭を下げた。清水寛子は、恵に会ってやってください、と言った。もちろん、かおりだってそのつもりだ。いつもの習慣で二階へ向かおうとすると、母親に呼び止められた。寛子と母親が向かったのは一階の座敷で、どうしてだか、恵はそこに横たわっていた。すぐ近くに仏壇があって、縁起が悪いな、とかおりは感じた。

（あたし、変だ……）

かおりは恵が横たわった布団《ふとん》の側に膝《ひざ》をついた。

（恵も変……）

どうしてこの暑いのに、しっかり布団を着ているんだろう。第一、ここは恵の部屋じゃない。部屋に戻ればベッドがあるのに。しかもこの恵は、まるで恵の抜け殻のようだ。

（恵はどこに行ったんだろう）

かおりはそう思いながら、母親と寛子が何やら泣きながら話をする間、恵の抜け殻を見つめた。手の中に握った数珠の感触が奇妙だ。

思っているうちに、母親に促された。あんたは先に帰っていいから、と言われ、かおりは首を傾《かし》げた。自分が何のために、ここに来たのか分からなかった。それで一人、玄関に向かい、ふと思いついて二階へ向かった。恵の部屋には、誰もいなかった。部屋はきちんと掃除されている。ベッドも整えられていた。かおりは部屋の中を見まわす。棚の上も、机の上もきちんと整理されていた。教科書、ノート、封を切っていない文房具。かおりはそれらをそっと見渡し、恵がこの部屋でなく座敷にいたことの意味を考えた。

（……恵）

何かが喉許《のどもと》まで出てこようとしている。なのに、どうしてもそれが喉を越さない。呑み下すこともできなくて、苦しい。

かおりはなんとなくデスクマットの下を探った。透明なデスクマットの下に入れたカレンダーの仔猫《こねこ》の写真。その下。そこは恵の秘密の場所だ。親には見せたくないメモや手紙の類《たぐい》を、そこにしまっておく。

カレンダーの下に葉書を見つけた。可愛《かわい》らしいペンギンの絵が入った葉書だった。

残暑お見舞い申し上げます

丁寧に書かれた文字には、一文字ずつ細く青い縁取りがしてある。ところどころにツヤが入っていて、氷の中に閉じ籠《こ》められた文字、という感じだった。下に続く私信も丁寧な文字で書かれていた。何度も書き直したのだろうと想像がつく。

暑くて嫌になっちゃいますねー
おまけに今年はすごく暑い！
学校が始まったらヤレヤレって感じ……
とにかく夏バテしないでね

表を向けて、かおりは微笑《ほほえ》んだ。同時に涙があふれてきた。

結城　夏野　様

(恵ったら……)

清水　恵

(ホントは暑中見舞いのつもりだったのに
何度も書き直してるうち
残暑見舞いの季節になってしまった
あたしってバカ?)

「恵ったら……本当に、馬鹿《ばか》だなぁ……」

かおりは葉書をもう一度裏返す。丁寧に書かれた文字と、色とりどりのマーカーで描いた小さなイラスト。

「こんな頑張って書いて……出せなかったら意味、ないのに……」

何度も何度も書き直して。いちばん綺麗《きれい》に見えるように。涙が零《こぼ》れて葉書の上に落ちた。かおりは慌《あわ》ててそれをTシャツの裾《すそ》で拭《ぬぐ》う。ほんの少し、マーカーが滲《にじ》んだ。

「――恵」

夏休みになってから、ずっと葉書のことを考えていたのに違いない。あちこちの文具店をハシゴして、いちばん気に入った葉書を探して、それをいくつも無駄にして。何を書こうか、悩んでいるうちに日は過ぎていく。やっと書いても投函《とうかん》する勇気が出ないうちに残暑見舞いの季節になって、また書き直して。――結局、投函できないまま。

――。

「言ってくれたら、ポストに入れたのに」

迷っているうちに、具合を悪くして投函できなかったのだろう。そして、とうとう

かおりはその葉書をそっと隠し場所に戻した。デスクマットを押さえ、そして泣き崩れた。ようやく、喉の奥から熱く硬い塊が出てきた。

「こんなの、ないよぉ」

広沢が結城とクレオールのドアを開けると、カウンターの向こうから長谷川が咳《せ》き込んだように呼んで手招きをした。昼下がり、盆のことでもあり、店内には客の姿がない。カウンターに田代だけが坐《すわ》っていた。

「こんにちは、閑古鳥ですね」

広沢の言葉が耳に入った様子もなく、長谷川は身を乗り出す。

「広沢さん、亡《な》くなったんですよ、清水さんのとこ」

え、と虚を突かれて広沢は竦《すく》んだ。

「亡くなったって、誰が」

「恵ちゃん。夜中に。あれ以来、ずっと寝込んでたらしいんですけどね。それが、容態が急変して朝にはもう」

「そんな」

広沢は呟いた。「あれ以来」とは、恵の捜索劇のことを言っているのだろう。実際、見つかった恵は様子がおかしかった。

「一体、なんで」

答えたのは田代だった。

「それが、若先生にもよく分からないらしいんだよ。ただ、すごく急だったから、白血病とか、そういう関係の病気なんじゃないかって話だったたな。――いや、さっき病院の若奥さんが来てたね、そう言ってたんだよ。お盆で戻っててさ。若先生がそう言ってたって」

そうか、と呟いて広沢はカウンターに坐った。

「そりゃあ、清水さんも気落ちしてるだろうな。……参ったな」

長谷川は、まったくですよ、と頭を振ってサイフォンに火を入れた。

「そう言えば、結城さんとこの息子さんは、恵ちゃんと同じ高校でしょう」

ええ、と結城は頷いた。

「どうやら同じクラスみたいですね」

高校一年生。夏野はまだ十六になっていないが、恵はどうだったのだろう。いずれにしても、あまりにも若い。

「なんともなあ」長谷川はまた首を振った。「嫌なことが続く」

本当に、と広沢と田代が同意した。

「今年はどうしたことだろうな。雨も少ないし、いやに暑い日が続くし」

広沢が頷いて結城を見た。

「結城さん、お弔いはどうします」

「ああ――そうですね。清水さんとは会って間がないとはいえ、面識がないわけじゃないし」

「無理をなさることもないと思いますけどね。わたしは、清水さんの縁もあるし、中学校のときは恵ちゃんの担任もしてたんで、行きますけど」

「いや、わたしも行きます。息子のクラスメイトでもありますしね。この間のいきさつもありますから。——しかし、慰める言葉がないですね」

なに、と長谷川はコーヒーを点《た》てながら言う。

「こういう時はね、自分のことを気にかけてくれる人間がいる、ってだけで嬉《うれ》しいもんですよ」

タケムラの前には、昼下がりの気怠《けだる》い空気の中、例によって老人たちがたむろしていた。

「死んだって？　誰が」

笈太郎と武子が訊《き》くと、大塚弥栄子が、答える。

「清水の娘よ。徳郎さんとこの恵ちゃん」

ああ、と広沢武子が頷いた。

「ちゃらちゃらした、あの？」

「そうよ」と弥栄子は声を低めた。「あの子が盆前に行方不明になったじゃない」

笈太郎が何度も首を振る。

「そうそう。十一日だ。夜に西山に光がうんと見えたんでな、何事だろうと思って次の日に訊いたら山狩りをしたって言ってた」

「そう」と、大川酒店の浪江《なみえ》が声を上げる。「夜になっても帰ってこなかったのよ。それで大騒ぎになってさ。うちの富雄も消防団だからさ、駆り出されて山狩りをしたのよ。そしたら西山で気を失ってるのが見つかったのよね」

弥栄子は大仰に頷く。

「以来、具合が悪かったらしいのよ。それがゆうべ、親が寝てる間に死んだんだって」

「あらまあ」

タツは聞くともなく聞きながら、またか、という気がしていた。

夜に死んだ少女。この間の山狩りだって夜のことで、タツが知ったのは全部が終わってからだった。迎え火の日には転居者が村のあちこちに現れて挨拶《あいさつ》をしたというが、それだってタツは見ていない。

(夜にばっかり何事か起こるね)

タツの日の届かない時間帯にだけ。

「だから言ったじゃない」

床几《しょうぎ》の奥から伊藤郁美が含み笑う。

「今年の夏はろくなことにならないわよ、って。やっぱりまた死人が出たわ。言わんこっちゃない」

「死んだ、って誰が?」

矢野加奈美は驚いて手を止め、店に駆け込んできた母親の顔を見返した。

「だから、徳郎さんとこのお孫さん。清水さんとこ」

「清水……」加奈美は首を傾げ、声を上げた。「まさか、寛子さんのとこの恵ちゃん？」

思わず大声を出してから、加奈美は慌てて隣で洗い物をしている元子を見た。元子の顔色が変わるのが、はっきりと分かった。

「そうそう、恵ちゃん」

頷いてみせる妙に、加奈美は「なんでまた」と訊いた。お願いですから交通事故ではありませんように、と傍らの元子の気配を意識しながら祈った。

「さあ。盆前に姿が見えなくて山狩りしたらしいから、怪我《けが》じゃないかしら。ああ……違う、そう言えば具合が悪かったって聞いたような気もするわ」

「どっちなの？」

「具合が悪かったのよ、そう。弥栄子さんが、寝込んでたって言ってたわ」

「そう……可哀想《かわいそう》に」

言いながら、加奈美はわずかにほっとした。元子も同じように小さく息を吐くのを聞いた。

「あんた、どうする？」

妙に聞かれて、加奈美は頷いた。

「お悔やみに行くわ。困ったわ、寛子さんに何て言って慰めようかしら」

3

日没が近づくと、またぞろ悪霊《あくりょう》たちは喧《かまびす》しい。荒野を彷徨《さまよ》い歩き続ける彼の側に寄ってきては罵《ののし》り、石礫《いしくれ》を投げた。

ここ流離の地においても、やはり彼は罪人であり、破戒者だった。

――追放者。

亡霊たちは嘲笑《ちょうしょう》しながら石を投げる。

たしかに、彼は故郷の丘を追放された。だが、こうして荒野を漂泊《さすら》う悪霊たちもまた、彼と同じく呪《のろ》われた存在であり、神の作った秩序の中から追い払われた者どものはずだ。

お前たちもまた、追放者ではないか。

彼の怒声に、悪霊たちは嗤《わら》う。

我らは追放者にあらず。

我らは殺人者にあらず。

此《こ》の地に至れるは、罪ならず、裁きならず。

ただ心の内の未練が、妄執が、憎悪《ぞうお》が、悔恨が、この身を荒穢《こうわい》に繋《つな》ぎ留めしも。

彼は黙した。

彼は故郷を失い、神の加護を失い、そして弟を失った。三重の喪失は、間違いなく彼自身が犯した罪に対する報いだった。

——呪われてあれ。

悪霊たちの呪詛《じゅそ》を受けるまでもなく、彼はすでに呪われていた。夜が来れば、その呪いは弟の姿に形を取って彼を訪《おとな》う。ただ傍らにあるだけ、彼を責めることもせず、ましてや危害を加えることもない異形の者は、懲罰ではなく報いでもなく、呪いとしか呼びようのない存在だった。

弟が荒野に彼を訪うのは、弟自身の意思によるものだろうか、それとも神の意志によるものだろうか。もしも弟自身の意思によるものなら、その真意はどこにあるのか。報復、弾劾《だんがい》、怨詛《えんそ》、彼の憶測するあらゆる行為を、この屍鬼は行なわなかった。空洞の目でただ彼を見守り、無言で彼に付き従う。はたして屍鬼の意図を問うことに意味があるのか、彼にはそもそも分からなかったが、もしも意図があるのだとすればそれが何なのか、彼にはおよそ想像ができなかった。

静信は鉛筆を投げ出した。

原稿用紙の升目は着々と埋められていきはしたが、少しも書くべきことを書いたという気がしなかった。無意味な積み木を積み重ねている、という感触。個々の升目は「空」という文字で埋めつくされているようだった。

いや、と静信は思う。埋められているのは「嘘《うそ》」という文字かもしれない。

それは慈愛であって呪いではない。

――だが、いかに「彼」の弟が慈愛の権化《ごんげ》であったとしても、果たして己を屠《ほふ》った犯人を憎まずにいられるだろうか。

彼は衝動によって弟を殺した。弟にとって、兄の凶行は予測不可能だったはずだ。裏切りは唐突に、理不尽に訪れた。それでもなお弟が彼を憐《あわ》れむとすれば、この弟は慈愛という名の狂信に冒されていたのに違いない。

(いや、そうじゃない)

もちろん、彼の弟は特定の意味を付与されたひとつの表象でしかないのだ。もとより静信には、現実における人間を仮構の物語の中で再現しようという意思などない。現実と引き比べてみることに意味があるはずがなかった。

それを承知しているにもかかわらず、現実から乖離《かいり》した姿に違和感を覚えるのは、清水恵のあまりにも早い死が静信を動揺させているからに他ならなかった。

一体、誰が恵の死を予見できただろう。敏夫でさえ恵が急死するなどとは思っていなかった。

――もちろん、人は死ぬ。それは避けられない。生まれたばかりの乳児が死ぬこともあれば、少女が死ぬこともある。そもそも人の生などというものは、持続するはずだという希望的観測のもとに成り立った幻想でしかない。生死は表裏一体のものだ。生きている、ということは、死ぬかもしれない、ということとまぎれもなく同義だ。

にもかかわらず、恵の死は痛ましく思われた。彼女には年齢に応じただけの「人生」という名の取り分があったのに、それを何者かによって不当に剝奪《はくだつ》されたのだ、という印象から逃れることができなかった。彼女が持っていたはずの可能性、彼女が思い描いていた未来と、実際に訪れたであろう悲喜こもごも。それは彼女の権利であり、それを奪い去った死は不当だという気分から抜け出せない。

死は不当な現象だ。――ならば、「彼」が弟に突きつけた死もまた、不当なものだったはずだ。ましてやそれは殺害という行為であり、厳然たる死以上に理不尽で無慈悲な暴力そのものだった。恵は死へと傾斜していく瞬間、それを自覚しただろうか。弟はそれを自覚しただろうか。自覚したとしたら、何を思ったのだろう。

唐突に、自分はそれを知っているはずだ、という気がした。

恐る恐る振り返ってみたが、赤い渦が見えただけだった。風呂《ふろ》を閉めに寮監がやって来るまで、静信は水を見ていた。白いタイルの表面を流れる透明な水と、そこに漂う赤い靄《もや》。幾許《いくばく》かの粘度を持った赤い液体が、透明な粘度を持たない水に乗って細い紐《ひも》状に流れていた。それが解《ほぐ》れるようにして、端々からさらに微細な糸となって溶け入っていく様子をぼんやりと見ていた。そのとき静信が何も考えないでいられたのは、自らそれを選んだからなのかもしれなかったし、あるいは、こんなことでは死なないだろうということを了解していたからなのかもしれなかった。——そう、少なくともあれは不当ではなかった。とりあえず、自分自身にとっては。

もちろん、静信の周囲の人間にとっては、それは回避されたとはいえ不当な現象だった。タクシーに乗せられ、一夜を過ごした病院から寮に戻ってみると、ちょうど父母が到着したところだった。そのまま家に連れ戻され、光男や鶴見や——あるいは安森徳次郎のような、寺と縁の深い人々に対面した。誰もがなぜ、と訊いた。彼らは何より、あまりにも不当で理不尽なことが、自分たちに突きつけられたことに衝撃を受けているように見えた。

なぜ、と賢者は訊いた。

静信は答えられなかった。それは答えを持たなかったからなのだが、彼らは彼らなりに静信の心情を斟酌《しんしゃく》し、それを消化し、黙って胸の中に折り畳んだ。隣人たちはもはやなぜとは訊かなかった。代わりに不当にも自分たちから愛すべき同朋《どうぼう》を奪った殺戮《さつりく》者に対して、憐れみと悲嘆を込めた視線を静信は我に返り、自嘲めいて息を吐いた。窓からは夜気と虫の音が流れ込んできている。静信は原稿用紙を重ねて折り畳み、屑籠《くずかご》の中に放り込んでから寺務所を出た。

境内から見下ろす村は暗かった。さすがにもう盆踊りの明かりが残る時刻でもない。束《つか》の間《ま》、戻ってきた死者も、そしてそれを迎えた生者も眠りについている。――いや、眠れない家が少なくとも一軒、あるはずだった。まばらに見える明かりの中には、その不幸な家の窓の明かりが含まれており、その窓の中では少女の遺体を取り囲んで、娘と過ごす最後の夜が持たれているはずだった。彼女のために灯明と線香を絶やすまいとする家族たちの最後の庇護《ひご》。

清水や寛子、あるいは祖父である徳郎の悲嘆を思うと気分が沈んだ。自分が置いて逝くはずだった者に、置いて逝かれてしまう理不尽。鬱々《うつうつ》とそれを思いながら墓地に入った。

墓地は静信にとって、異常な場所ではない。それは死者の眠る場所だが、不思議に客人が眠るべき座敷と同じように感じられる。今は誰もいない。――いつも、誰もいない。そういう種類の場所だった。

懐中電灯を点《つ》け、墓地の参道を通り抜けて寺の北西の林に出る。削《そ》げたような急斜面が丸安製材の材木置き場へと向かって落ち込んでいたが、すでに月が落ちた状態では、ただ暗い穴に向かって滑落する斜面のようにしか見えなかった。斜面の縁には踏み分け道のようにして杣道《そまみち》が続いている。材木置き場を見下ろしながら迂回《うかい》して西山へと向かう道だ。

足許《あしもと》を照らしながら歩いた。「彼」の弟の死について考えながら、それでいて常に思考は恵の死に横滑りした。恵が失ったものについて、考えないでいることができなかった。割り切ることができないのは、死因がはっきりしないせいかもしれなかった。恵は失踪《しっそう》の翌日、敏夫の診察を受けた。敏夫は単なる貧血だと診断したが、その三日後に恵は死んだ。それを語った清水寛子は、言外に敏夫を責めるふうで、通夜《つや》に弔問に来た敏夫に対しても意図的な冷淡さが漂っていた。

もちろん、人は過《あやま》つ。敏夫が全能ではないこと、過ちを犯すことは分かっている。重大な医療過誤こそなくても、些細《ささい》なミスを数え上げればキリがないだろう。それを分かっていても胸のどこかに何かがわだかまる気がした。敏夫に対して思うところがあるわけではない。静信は少なくとも、敏夫が可能な限り自分の責務に対して誠実であろうとしていることをよく知っていたし、その点に関しては信頼している。――ただ、誰かが何かを過たなければ恵は死を回避できたのではないか、恵の死は修正可能だったのではないか、それほど恵の死は理不尽なもので、起こるべきではないことだったのではないか、という疑念から逃れられないのだった。

しばらく歩くと、ふいに前方の空が明るくなった。樅《もみ》が切れて、星空が覗《のぞ》いたのだ。時間の感覚は喪失していたが、寺から十五分ほど歩いたことになる。樅の林の中に、唐突に建物が現れた。荒れ果てた廃屋だった。

このあたりの山は寺の一部だ。一帯に植えられた樅はかつての墓標で、切り出されることはない。手入れされることもないので周囲の純林とは趣を異にしている。静信が歩いてきた小道はずっと先で西山の林道と交わるはずだが、この道を辿《たど》る者は、今では静信ぐらいしかいないだろう。寺の一部であるこのあたりは、村人にとっては入らずの山だ。昔、それに目をつけた者がいた。兼正の一族であった彼は、寺からここを賃借し、そこに離れと称して建物を建てた。それがこうして残っている。

夜露の降りた夏草を踏み分け、ポーチまで歩いた。コンクリート製のポーチはひび割れ、亀裂《きれつ》から夏草が伸びている。ポーチにかかる廂《ひさし》は二本の柱に支えられていたが、一方の柱が傾いているせいで不安定なカーブを描いて歪《ゆが》んでいた。

静信はポーチに近づき、懐中電灯の明かりの先に（**やがて前方に、**）白いものが浮かび上がって（**白く淡く人影が**）足を止めた。

「――君」

懐中電灯の明かりを向けると、眩《まぶ》しそうに片手を上げて、少女が振り向いた。

「室井さん？」

静信は沙子、と呼びかけようとして、その名前のあとに何をつけたらいいのか分からずに言葉を呑《の》み込んだ。

「こんばんは」少女は微笑《ほほえ》んだ。「室井さんも散歩？」

「ああ——そうだけど、君」

静信の困惑には気づかなかったのか、沙子は建物を見上げた。

「これは廃屋？　わたし、どこに出ちゃったのかしら」

静信は少女が立ったポーチまで歩み寄った。

「ここは寺の地所だよ」

「あら、じゃあ、ひょっとしたら、わたしが入ってきちゃいけなかったの？」

「いや。そういうわけじゃないけどね」静信は呟《つぶや》き、なんとなく左手に視線を向けた。無骨な腕時計の文字盤が光った。「こんな時間に山歩きかい？」

「御覧の通りよ。——ねえ、この変な建物は何？」沙子は、半分開いたまま朽ちようとしているドアの中を示した。「まるで教会のように見えるんだけど、違うみたい」

静信はそれには答えなかった。ひどく困惑していた。

「懐中電灯は？」

「持って出なかったの。田舎の夜って暗いのね」

「どいて」静信はポーチに立った少女を促して建物の中に入った。「予備があるから貸してあげよう」

あら、と沙子は入口から中を覗き込んだ。

「ひょっとしたら、室井さんの隠れ家？　お邪魔だったかしら、わたし」

「いや」静信は短く言って、入口に近いベンチの上に置いた予備の懐中電灯を取り上げた。スイッチを入れ点灯することを確かめて沙子に差し出す。「——これ」

「ありがとう」

沙子は言いながら、おずおずとしたふうに建物の中に入ってきた。懐中電灯を受け取り、それで建物の内部を照らす。埃《ほこり》にまみれ整然と並んだベンチと、それを取り巻く壁に設けられた細長い窓、正面の祭壇めいたものが浮かび上がっていった。

「教会——じゃないの？」

「教会だよ。個人的な」

静信はベンチに腰を下ろした。ベンチのいくつかは、静信自身が何度も埃を払ったせいで、とりあえず木目が現れている。正面の祭壇の右上には夜空が見えた。一郭の屋根が落ちているのだ。下には夏草の茂った瓦礫《がれき》が小山を作り、建物の内部にも夜露の匂《にお》いと虫の音が満ちていた。

「嘘でしょ？　教会じゃないわ、ここ」

沙子はあちこちを照らしながら、静信の隣に坐《すわ》った。

「汚れるよ」

「平気。——でも、ステンドグラスがある」

細長い窓にはたしかにステンドグラスが入っている。しかしながら、そこに描かれているのは、聖書のどんな一場面でもなかった。

「気味の悪い絵」

もともとが粗末な細工であり、しかもあちこちが割れているものの、沙子の照らしたステンドグラスが何を描き出しているのかは分かった。三人の男だ。中の一人は刀を振り上げた侍とおぼしき姿をしていて、その前には合掌し仰向いた農民ふうの男が膝《ひざ》をついている。その脇《わき》には首を落とされて倒れた骸《むくろ》が、かろうじて首の断面を見せて納まっている。落とされた首は見当たらない。

静信は腕時計を握るようにして息を吐いた。

「教会なんだ、正式なものじゃないけどね。昔、この村に変わり者がいたんだよ。彼は離れと称して自分のための教会を建てた」

「へえ?」沙子は呟き、別のステンドグラスに光を当てる。「火だるまの人——違うわ、あれ、簑《みの》踊りって言うのよね?」

静信は頷《うなず》いた。

「そう。彼は一時、村を出ていて、そこで頻繁に教会に通っていたけれども、正式に洗礼を受けた信者じゃなかった。彼は神に興味がなかった。たぶん――」

沙子が言葉を引き継いだ。獅子《しし》に襲われる犠牲者の絵を照らしながら振り返る。

「殉教者に興味があったのね。でしょ？」

静信は微笑む。

「うん、そうなんだと思う。だからここは教会と言うより、殉教者を祀《まつ》る祠《ほこら》だと言ったほうがいいんじゃないかな。彼にとっては聖堂だったけど、いわゆる教会とは違うんだ」

「変わった人がいたのねえ」

うん、と頷いて静信は祭壇に光を向けた。祭壇と言っても真鍮《しんちゆう》製の燭台《しよくだい》がいくつか置かれただけのものだ。静信が向けた明かりは、半ば崩落しかけた祭壇奥の壁を照らし、埃にまみれた燭台を照らし、祭壇の左手――内陣に位置するものを照らした。それは燭台と同じく真鍮製のフレームの寝台だった。

「ここに住んでたの？」

「うん、本当に離れだったんだよ」

「ここで信者を集めていたわけじゃなく？　ええと、新興宗教みたいなことをやっていたわけじゃないの？」

「違うんだと思うよ。――そう思われて彼はここから引き出されてしまったんだけどね。

たぶんそんなつもりはなかったんだと思う。まるで信者を待つみたいにこうしてベンチがあったりするけど、彼はこれを単なる棚だと思っていたみたいだね。ぼくが初めてここを見つけたとき、衣類や生活道具や本なんかが並べてあったから」

「頭のおかしな人だったの？」

「そういうことになるかな。彼は兼正の——君の家のあるあそこに住んでいたんだ。兼正、と言うんだけどね。竹村が本当の名字。兼正というのは屋号で」

「竹村の小父《おじ》さんの先祖だったの？」

「先祖というほど昔の話じゃない。さっきも言った通り、ここは寺の地所なんだ。それを竹村が借りたいと言ってきた。戦前の話だそうだよ。竹村の息子は一風変わった人物で、ここに離れを建てて暮らしたいと言っている、という話だった。もともと奇行の多い人物だったので、きっと家族が離れに押し込めようとしたんだと、ぼくの祖父は思ったらしい」

「ああ」沙子は軽蔑《けいべつ》したように顔を蹙《しか》めた。「体《てい》のいい座敷牢《ろう》ね」

「そうだね。——ところが、そういうことでもなかったんだ。実際に彼が望んだことだったんだね。そしてこれを建てた。村の者は建物を見て驚いた。どこからどう見ても教会だったからだ。もちろん、教会であっていけないという法はないけれども——」

「この村は寺を頂点として存在していた」沙子は微笑む。「なんでしょう？」

静信もまた微笑んだ。

「そう。村人のほとんどが檀家《だんか》だしね。これはてっきりキリスト教系の新興宗教の一種だろう、ここでそれを始める気だ、と思ったらしいね。だから祖父も、当時の村の人間も血相を変えた。戻れ戻らないの押し問答の末、兼正が引きずるようにして連れ帰った。それでも彼は三年くらい、ここで生活していたらしいんだけどね。そうしてここは、そのまま廃墟《はいきょ》になった。それがもう戦中の話だ」

「へえ……」

興味深気《げ》に周囲に光を向ける沙子を、静信は見守った。十三かそこらの少女が出歩く時間ではない。

「君は、いつもこんな時間に出歩くのかい?」

沙子は振り返った。細い肩を軽く竦《すく》めると、長い髪が肩から胸へと零《こぼ》れ落ちる。

「いつもというわけじゃないわ。少なくとも前の家にいる時は、外に出してもらえなかったもの。夜に女の子が出歩くものじゃないのよ、そうでしょ?」

「そうだろうね」

「でも、——こんな言い方をすると失礼かしら。こういう田舎だったら、あまり心配をする必要もないと思うの。特に、山の中を散歩するぶんにはね」

「暗いから危険だよ。野犬もいるしね」

「家の中ばかりじゃ窒息しちゃうわ」

静信は辰巳の言を思い出した。

「君は……まったく昼間には出歩かないのかい?」

「そうね、お天気の日にはまったく。陽射しは駄目なの。紫外線をたくさん浴びると、どっと悪くなっちゃう。だから学校にも行かずにおとなしくしてるのに、このうえ夜にも閉じ籠《こ》められたら、わたし、ヒスを起こしちゃうわ。ヒスを起こしたわたしのほうが野犬より危険よ」

静信には、その言に対し、笑いを返せばいいのか、それとも同情を示せばいいのか分からなかった。

「君は元気そうに見えるよ」

「元気なときはね。――そりゃあ、お医者さまがつきっきりで診てくれているんだもの。家にお医者がいるの。でも、寝てることも多いわ。半々というところかしら」

「そうか……」

昼間に出歩くことのできない少女にとっては、夜は眠る時間ではなく、外の空気を吸える時間帯なのかもしれなかった。沙子が異常に早熟なように見えるのも分かる。きっと家の中で、本当に書物に耽溺《たんでき》するようにして過ごしているのだろう。

沙子はベンチに坐ったまま、スカートの裾《すそ》から出た左右の足を交互にぶらぶらさせている。それがいかにも幼いふうで、にもかかわらず難病と呼ばれる病に冒されているのだと思うと不憫《ふびん》な気がした。それは恵に対して感じる憐愍《れんびん》と同種のものだ。

「けれども、とりあえず半分とは言え元気そうでよかった。大変だろうけど」

「室井さんが落ち込むことはないわ」

沙子に言われて、静信は苦笑する。

「別にそういうことじゃないよ。——今日、村で若い女の子が死んで」

「……まあ」

「君より年上だけどね。本当に突然に、呆気《あつけ》なく。そうだね、これはとても無責任な言い方かもしれないけれども、彼女も年の半分、寝込んでいてもいい、生きていたかっただろうと思うんだよ」

「室井さん、その人と親しかったの？」

「特に親しかったというわけじゃないけど、檀家だからね」

「変なの」

静信は沙子を見返した。沙子は小首を傾《かし》げて静信を見上げる。

「すごく親しかったのなら、室井さんが落ち込むのも分かるけど。それとも室井さんは檀家の人の全部に対してそんなふうなの？」

「いや……どうかな。ただ、彼女はとても若かったから。高校一年だったんだ、まだ」

「ロマンティストなのね。――おセンチというか」沙子は言って立ち上がり、スカートの埃を払った。「まるで、若い人が死ぬことは、特別、酷《ひど》いことだと思ってるみたい」

静信は軽く口を開けた。

「酷いことだと、思わないのかい？」

沙子は振り返る。勝ち気そうに静信を見た。

「死は誰にとっても酷いことなのよ。――知らなかったの？」

静信は言葉に窮した。

「若くて死のうと歳《とし》を取ってから死のうと関係ないわ。善人だろうと悪人だろうと同じよ。死は等価なの。特別に酷い死も、酷くない死もないわ。だからこそ死は恐ろしいの」

死は等価、と静信は呟いた。

「若いとか年老いているとか、日頃の行ないがどうだとか、そういうことはその人が生きている間だけしか意味を持たないのよ。年齢も個人のパーソナリティーも関係がない、来るときは来るんだし、そうやってその人が拠《よ》って立つところを全部、無意味なものにしてしまうから、どんな死も酷いことなの。違う？」

静信は頷いた。

「わたし、もう帰らないと。――またここに来ても構わないかしら？」

「それは君の自由だと思うよ。夜の山道は危険だから、ぼくは勧めないけどね」

「人の半分しか自由でないんだもの、多少の危険ぐらいじゃ諦《あきら》める気になれないわ。室井さんはここに頻繁に来るの？」

「頻繁というほどでもないけどね」

「そう？　じゃあ、今度からは本を持ってくるわ。もしも会えたらサインをしてもらえるかしら」

静信は微笑んだ。

「構わないよ」

4

「ああ、先生」

敏夫が物療室から出て受付の前を通りがかると、カウンターの中から武藤が声をかけてきた。

「清水さんとこのお葬式ですけど、どうしますか」

敏夫はわずかに渋面を作る。

「ああ……何時からだっけ」

十一時ですよ、と答えた武藤もまた敏夫同様、クレオールで何度も顔を合わせているから清水とは知らない仲ではない。

「武藤さんも行くのかい」

「そうさせてもらうつもりですけどね。まんざら知らない仲でもないんで。お通夜《つや》は失礼しましたけど、お葬式ぐらいはねえ」

そうだな、と敏夫はひとりごちる。敏夫も行くつもりではいる。ただ、通夜の時のことを思うと、いかにも気が重かった。徳郎の責めるような目、寛子の言外に非難を含ませたもの言い、そして清水武雄《たけお》の自制の透けて見える態度。清水家の人々が敏夫を責めたいのは分かる。無理もないだろうとは思うが、なまじ知らない仲ではないだけに、いたたまれなかった。

敏夫はひとつ息を吐いて、じゃあ、もう少ししたら出るか、と武藤に声をかける。武藤が頷いたとき電話が鳴った。事務の十和田が受話器を取り、応対をしてから敏夫を見る。

「丸安製材です」と、十和田は受話器を押さえた。「安森の義一《ぎいち》さんの様子がおかしいって」

「おかしい？」

敏夫は受付に入って受話器を受け取る。丸安の厚子《あつこ》の声がした。

「義一さんですか？　どうしました？」

丸安製材の安森義一は、重症のパーキンソン病で長く寝たきりが続いている。高齢でもあり、いつ何が起こってもおかしくない状態だった。

「意識がはっきりしないようなんです。呼んでも返事をしませんし、呼吸も浅くて速いです。顔色も少しずつ赤黒くなっているように思うんですけど」

厚子は長年の看護のせいか、もの慣れた口調で状況を説明した。ここ二日ほど微熱があったこと、今朝からひどく血圧が下がっていること、胸に耳を当てるとラ音がすること、数日前に誤嚥《ごえん》を起こして処置をしたこと。

「すぐに行きます」

酸素マスクを付けさせるよう指示して敏夫は受話器を置いた。敏夫を見守っていた武藤に軽く苦笑してみせる。正直に言って、少し救われた気分がした。

「悪い。義一さんの容態がおかしい。済まないが、おれのぶんも香典を持っていってくれるかい」

「ええ、それはもちろん」

「清水さんによろしく伝えておいてくれ」

敏夫が鞄《かばん》を抱えて道路を渡り、斜め向かいにある丸安製材の自宅に駆け込むと、厚子と嫁の淳子が待っていた。

「容態はどうです」

「指示通りに酸素を入れてますけど、変わりません」

厚子は言う。義一の患《わずら》いは長い。丸安の家族はよく勉強もし、こまめに面倒を見て、自宅介護のために理想的な環境を作り上げていたが、義一の状態はじりじりと悪化していた。

「ラ音がする？」

「湿ったラ音がしてます。失禁もしてるみたいで、前に肺炎を起こしたときとよく似てるんですけど」

敏夫は廊下を奥座敷に向かいながら頷く。そもそも義一にはパーキンソン病から来る嚥下障害があった。誤嚥を起こしやすく、家族もそれを理解していて誤嚥の処置も心得ていたが、数日前に誤嚥があったのなら、嚥下性肺炎の疑いがある。

病室になっている奥座敷に入り、義一の姿を見て敏夫は頷いた。チアノーゼの傾向が出ている。酸素吸入に効果がない。肺炎から来る急性呼吸不全だろう。

敏夫は義一をざっと診察し、厚子に救急車を呼ぶように指示した。嫁の淳子が病室の電話に駆け寄る。敏夫は厚子を廊下に手招いた。

「厚子さんの言う通り、肺炎だろうな。病院に運んでレントゲンを撮ればはっきりするが、それよりも早く人工呼吸の処置をしてもらったほうがいい。ひょっとしたら気管切開が必要になるかもしれないよ」

厚子は硬い表情で頷く。何かを問いかけるような表情を汲《く》んで、敏夫は頷いた。

「このところ、病状も下り坂だったし、体力も落ちてる。今回はちょっと覚悟をしておいたほうがいいかもしれないな」

はい、と厚子は頷いた。

5

「かおり、お数珠《じゆず》はあるね？」

「……うん」

かおりは頷きながら、恵のお葬式、と何度も頭の中で考えた。信じられない。お葬式というのは、必ず年寄りのものじゃなかったのだろうか。かおりには関係のないことだ。母親と父親だけが行って、かおりは留守番、それが葬式というものだ。なのに、かおりが行かないといけない。母親は一通り世話を焼いて、家を出ていった。弔いの手伝いがあるのだ。

かおりはそれを見送って、弟の昭と一緒にテレビを観《み》た。昭に付き合って居間に坐《すわ》ってはいたけれど、少しも番組の内容は頭に入ってこなかった。普通の番組をやっている、とひどく奇妙な気がした。なんだかとても、そぐわない気がする。絵も音も、所在なく意識の表面を滑って捉《とら》えどころがなかった。

「なあ、かおり」

昭の声に、うん、とかおりは生返事をした。

「なんか、変だよな」

「何が」

「山入で三人もいっぺんに死んだじゃないか。それ、ついこの間のことだろ。そんでもって、今度は恵。——恵、こないだまで元気だったじゃないか。それが、こんな急に」

「そうね」

「事故でもないのにさあ、いっぺんに死ぬかなあ、三人も。恵だってそうだろ。事故だとか、ずっと入院してたとかなら分かるけど」

かおりは昭の真面目《まじめ》くさった横顔に視線を向けた。

「……でも、実際に起こったことじゃない」

「そうなんだけど」と、昭はテレビの画面を見やったまま言う。「なんか、変だよ」

かおりは返事をしなかった。そういうこともあるんじゃないの、と受け流すことができなかった。かおりにはずっと、これは、あってはいけないことだ、という気がしている。こんなふうに簡単に誰かがいなくなってしまうなんて。ましてや、それにもかかわらず、いつも通りのプログラムが放送されて、こんなふうに自分と弟が茶の間に坐り込んでいて、どこかの誰かと同じようにお通夜があってお葬式があって——まるで何もなかったように、特別なことでも重大なことでもないかのように扱われるなんて、絶対に間違っている。

けれども、かおりにはそれをうまく表現できなかったので、黙って頷くにとどめた。

何かが、おかしい。

思いながら、番組が終わったので立ち上がった。

かおりは制服の裾を伸ばして、小さなポーチを持って家を出る。きっと自分は、九月に制服を着ると嫌な気分がすると思う。

「……行ってくるから」

外に出ると、今日も上天気だった。ぽかんと青い空と、白い光。アスファルトは照り返しで眩《まぶ》しい。それで目を細めて、とぼとぼと歩いた。毎朝、通い慣れた道。恵を誘うために何度も何度も歩いた道のり。なのに、当の家に着くと、知らない家のように見慣れない。花輪と白黒の幕。門柱脇《わき》のテント、道に集まった、たくさんの人。その人々もみんな白と黒だ。

なので、少し前にいるグレイがかったズボンはひどく目立った。白と黒の中に立った、白いシャツとグレイのズボンの制服の、ひょろりとした姿。すぐ隣に白と薄青の制服を着た女の子がいたので、いっそう目立った。

(お葬式に来てくれたんだ……)

ほんの少し、嬉《うれ》しかった。糊《のり》の効いた真っ白なシャツと、折り目のすっきりと通ったズボン。同じような制服を着ていても、彼の場合、なんとなく違う。都会の男の子はみんなあんなふうなのかしら、と思う。彼のすぐ側に、白と黒の制服を着た男の子が立っていた。彼とその男の子と、似たような髪型なのに、どことなく違って見える。かおりには、どこがどう違うのか、分からない。

(良かったね、恵)

心の中で呟《つぶや》いて、近所の主婦に入るよう促されるまで、かおりはその姿を見つめていた。

かおりが残暑見舞いのことを思い出したのは、焼香が済んでからのことだった。読経《どきょう》は続いているが、座敷に詰めかけた弔問客は大半が焼香を済ませると外へと出ていく。夏野もまた、その列に続いて外へと出ていくのが見えた。

あれを、彼に渡してあげよう。きっと恵も喜ぶに違いない。かおりは座敷を出る人の波をかいくぐって玄関に向かったが、玄関を入ってすぐの階段は、白と黒の幕で塞《ふさ》がれている。その前には机があって会葬御礼が積み上げてあり、とても上に行けるような状態ではない。

（どうしよう）

慌《あわ》てて玄関を出ると、家の前は出棺を待つ人たちが淀《よど》みを作っている。そのはずれに見つけた夏野は、隣の少女と話をしていた。朝に時折、見かける顔だ。夏野と話をしているのも何度か見たことがある。たしか、彼の近所の少女じゃなかっただろうか。武藤葵《あおい》、と言ったと思う。恵が安心したように、夏野の二級上だ、と言っていたのを覚えている。

（どうしよう……）

もう一度、かおりは玄関のほうを振り返った。白と黒の幕、そこに列を作る白と黒の人。日を改めて届けようにも、かおりは夏野の家を、朧《おぼろ》にしか知らない。

かおりは軽く息を吸って、人波を掻《か》き分け、夏野のほうに向かった。

「あの……結城さん、ですよね」

おずおずと声をかけると、夏野は軽く眉《まゆ》を顰《ひそ》めた。だけど、と答えた声は素っ気なかった。

「あたし、田中かおりって言います。恵の幼馴染《おさななじ》みなんです」

「ふうん」

声が上擦るのを、かおりは自分で意識していた。

「あの、済みません。どうしても渡したいものがあるんです。明日、どこかに来てもらえませんか」

側の青年が夏野をつついた。

「夏野、もてるじゃないか」

「なんだよ」青年を睨《にら》んで、彼はかおりを見る。「渡したいものって何」

「あの、……それは。あたしじゃないんです、恵が……恵から」

「なんだよ、それ」夏野は険のある表情を作った。「単に親同士が知り合いだから連れてこられただけで、おれ、別に清水と親しかったってわけじゃねえし。何かもらう謂《い》われ、ないから」

「でも……」

かおりが言いさすのを無視するように、夏野は傍らの青年を振り返った。

「行こうぜ、徹ちゃん。ここ、暑いよ」

「でも——出棺が」

青年は夏野とかおりを見比べるようにしたが、夏野のほうはお構いなしだった。

「別にいいんだろ、無理に見送らなくても。埋葬に立ち会うほどの義理もねえし、日陰もないのにいられねえよ、こんなとこ」

投げ遣《や》りに言って、夏野は青年をつつく。かおりのことなど忘れたように笑った。

「氷、奢《おご》ってくれるんだろ？」


「分かった。結城小出、――あれ、誰」

背後を振り返りながら保が訊《き》くと、夏野は保を睨む。保は両手を挙げた。

「夏野、いいのか？」

「知るかよ」

「いいのか、あんなすげなくして。渡したいって、それ遺品の話じゃねえの」

「もらう謂われ、ねえもん」

「お前になくても、向こうにはあるんだろ。だからわざわざ呼び止めたんだろうに」

「おれ、清水、嫌いなんだよ」

葵が呆《あき》れたように夏野を見た。

「ナツって、最低」

「ほっとけ。すっげえ絡《から》んで、鬱陶《うっとう》しかったんだよ」

「死んだ子にそこまで言う？」

「そんなこと言ったって、おれ、本当に付き合い、ないんだってば」夏野はふてくされたように葵を見た。「別に葬式だって、来る謂われもねえのに、親父《おやじ》が行け行けって煩《うるさ》いし、お前らも一緒に行こうってやかましく言うから、ついてきただけじゃないか。その程度の付き合いなんだよ、最初から」

「でも、遺品を渡したいって、いわば形見分けでしょ。ありがたくもらっとくのが礼儀ってもんよ」

「お断り。よく知りもしないのに、遺品なんかもらったって、気味悪いだけだろ」

保が大仰に肩を竦《すく》めた。

「お前って本当に好き勝手に生きてるな」

「んじゃ、保っちゃんなら、受け取るのかよ」

「受け取るぐらいは受け取るぜ。あとで捨てるかもしんないけど」

「どっちが最低なんだか」

徹は溜息《ためいき》をついた。

「お前らって、本当に餓鬼だな」

なんだよ、と凄《すご》む二人に、徹は苦笑する。

「まあ、いいから。氷食いに行こう。たしかに暑くてたまんねえ」

6

かおりは唇を嚙《か》みながら、山道を登った。

目を上げると、行列の先のほう、白い布をかけられた棺《ひつぎ》が粛々と山道を登っていく。樅の梢《こずえ》が落とす陰鬱なほど碧《あお》い影、真夏の熱波からは遮られているかわりに、荒く下生えが刈り払われた間に合わせの山道には、土と草の匂《にお》いが濃厚に立ち込めていた。

――恵が樅の中に吸い込まれていく。

(恵……)

かおりは数珠を握りしめた。あまりに早い死。思い残すこともあっただろう、どんなに無念だっただろうかと思う。それを思うと、冷淡に背を向けて去っていった夏野が恨めしい。思いを込めたものだから、渡してやりたかった。きっとどんなにか投函《とうかん》したかっただろう。なのに。

(……酷《ひど》い)

恵は死んだのに。もう、いないのに。とてもとても可哀想《かわいそう》なのに、夏野は少しも恵を哀れだと思っていない。――夏野ばかりではない。

かおりは周囲を登っていく大人たちの小声に耳を澄ました。突然の死、あまりに若い、清水さんも可哀想に、そもそもなんだってこんな急に、あんなに元気そうだったのに。

それから横滑りしていく会話。どこそこの誰かも子供を亡《な》くして、自分の知っている誰かの家では。恵とは無関係な誰かの噂話《うわさ》、そして山入の話、死とは関係のない単なるゴシップ。そこから唐突に、恵のうえに話題は引き戻される。そもそも盆前に行方知れずになって、あの時、何があったのか。そこからもう、聞くに堪えない囁《ささや》き。何かあったに違いない。もともと浮ついたところのある娘だった、いつかはこんなことが。

(酷いよね……恵)

誰も恵の死を悼《いた》んでいない。恵は死んでしまったのに、こんな扱いを受けるなんて。

行列の先頭が止まった。俯《うつむ》いて唇を噛んでいたので、かおりはそれに気づかず、もう少しで前を行く女の背中にぶつかるところだった。

樅の間に、細長く草の刈り取られている場所があって、そこには土の表面に黒々とした穴が口を開いていた。

かおりは、ぞくりとした。恵を吸い込む穴だ。恵はあそこに入れられて、埋められて、この世から掻き消されてしまう。樅の林の中には無数の墓穴があって、これまで死者を呑《の》み込んできたのだし、これからも呑み込んでいくのだろう。そしてやがて、かおり自身の番が巡ってくる。

(……やがて?)

恵だって、「やがて」と思っていたに違いない。けれども、もう恵の番だったのだ。誰もそれを知らなかった。だとしたら、かおりの番だっていつ来るか分からない。どうして明日でないと断言できるだろう？

いつか――ひょっとしたら明日かもしれない、明後日かもしれない、確実に来るいつか、かおりもあの穴の中に吸い込まれて、この世からいなくなってしまう。

（怖いよ……）

それは想像するだに恐ろしく、そして、恵もそれを通って行ってしまったのだと思うと、絶望的な気分になった。それは避けることができない、絶対に。

震えるかおりの目の前で、棺が穴の脇に据えた脚立《きゃたつ》のような台の上に下ろされた。弔組の世話役が小さな鐘を衝《つ》いて、寺の若御院が読経を始めた。

刻一刻と、恵とこの世界が切断される瞬間が迫っていた。

（可哀想な恵。……まだ十五だったのに）

そう、まだ十五。八月生まれの恵は、六月生まれのかおりと束《つか》の間《ま》、同い年になる。そうか、と思った。恵はかおりと同い年だったのだ。恵が死んでしまうものなら、かおりだって死んでしまっておかしくない。

あと少しで十六だった、思ってかおりは、本当にあと少しだったことを思い出した。恵の誕生日は八月の二十六日だ。村にはお洒落《しゃれ》な小物などないし、かおりは滅多に溝辺町には出ていかない。この間、たまたま母親に連れられて買い物に出たとき、だから恵へのプレゼントを買っておいたことを思い出した。ちゃんとラッピングしてしまってある。あれを渡すはずだったのに。

かおりは背後を振り返った。清水家の墓所は、末の山の端、あまり深くないところにある。ここからかおりの家までは遠くない。走れば十五分もかからない。

（どうしよう……）

今から駆け戻って、プレゼントを取ってきて、それで埋葬に間に合うだろうか。せっかく恵のために用意したのだから、せめて墓の中に入れてあげたい。どうしてもっと早く思い出さなかったのだろう。そうすれば棺の中に入れてあげられたのに。

かおりは読経の声を時計の針の音のような気分で聞きながら、何度も墓所と背後を見比べた。戻る踏ん切りがつかないうちに読経が終わり、棺に縄が掛けられる。あれを使って穴の中に降ろすのだ。

かおりは思わず、恵の両親の側に駆け寄った。

「あの……小母《おば》さん」

寛子は泣き腫《は》らした目で、かおりを振り返る。

「あたし、恵ちゃんにプレゼント、用意してあったんです。取りに戻ったらいけませんか。お墓の中に入れてあげたいんです」

寛子は目を見開き、困ったように周囲の人々を見た。縄に手を掛けていた男衆が、同じく困ったように目を見交わす。

「そう言われてもなあ」

これ、と小声で言ったのは、かおりの母親だった。

「そんなことを急に。迷惑でしょ」

男衆の一人が、取りなすように言った。

「いや、お嬢ちゃんのその気持ちだけで、仏さんは嬉しいだろう。なにも、本当に入れるかどうかに拘《こだわ》ることはないよ」

そうだ、と頷《うなず》く人があって、寛子も哀《かな》しげに微笑《ほほえ》んだ。

「ありがとうね、かおりちゃん。でも、その気持ちだけで充分よ」

「……はい」

かおりは俯いた。誰も、かおりの気持ちなど分かってくれない。恵は死んでしまったのに。かおりは恵を失ってしまったのに。

「あの……」と、静かな声を上げたのは、若御院だった。「取りに行ってもらったら、いかがでしょう」

かおりは顔を上げる。やんわりとした笑みに出会った。

「土を盛るのにも時間がかかるわけですし、仏さんの枕許《まくらもと》だけ残して盛っていけばどうでしょう。お友達なのじゃないですか？　だとしたら、恵ちゃんもそうしてほしいだろうし、お嬢さんもせっかくのプレゼントが手許に残されては、いつまでも心残りでたまらないでしょう」

はあ、と男衆が言う。

「若御院がそうおっしゃるんでしたら……」

かおりは、頭を下げた。自分の気持ちを分かってもらえたような気がして、本当に嬉しかった。若い僧侶《そうりょ》は穏やかに頷く。

「足許に気をつけて」

7

夏野は部屋に戻るなり、制服を脱いで乱暴に放り出した。部屋の中に籠《こ》もった熱気に辟易《へきえき》して窓を開ける。一瞬、いつもの習慣でカーテンを引きそうになったが、すぐにそんな必要はないのだと思い出した。

──そう、もうそんなことをしなくていい。

夏野は窓から裏庭のすぐ際《きわ》にまで迫った樅の林を見やった。裏庭との境には、かろうじて低い石垣が残っている。いかにも古色蒼然《そうぜん》として苔《こけ》むしたその石垣は、高さにして夏野のふくらはぎのあたりまでしかなかったが、それでもいちおう境界線としての用をなしていた。石垣の上下には下生えが濃い茂みを作っていた。ちょうど夏野の部屋の窓から見て、正面にあるあたり。夏野の背丈の半分ほどの大きな茂みは、母親によると木《き》苺《いちご》のものらしい。

(清水は死んだんだ)

あの木苺の陰。樅の幹に寄り添うようにして、恵が何度も立ちつくしていたことを夏野は知っていた。気候が緩んだ頃からそれは始まり、春休みには頻繁になり、それから徐々に間遠になっていたものの、結局、最近まで続いていた。木陰からじっと窓を見ている。——それが何を意味するのか、もちろん夏野には分かっていた。

恵はいつもそうだった、と夏野は思う。片思いの相手の家を訪ね、こっそりと隠れて窓を窺《うかが》う。それはひょっとしたら恵の中では、健気《けなげ》でいじらしい行為だったのかもしれない。おそらくはそうやって恋する乙女とやらを演じることで、恵はせつない片思いを満喫していたのだ、と思う。ひょっとしたら期待だってあったのかもしれない。そうやって立ちつくす自分を見つけてくれた相手が、恵の恋心に感じ入って、恵を受け入れてくれるかもしれない、という。

だが、断固として夏野はそういう役まわりは御免だった。恵は分かってない。自分一人の世界に耽溺《たんでき》して、相手のことなどもはや念頭にない。そうでなければ、そうやって頻繁に家の中を覗《のぞ》き込まれ、プライヴァシーを侵されることを、夏野が不快に思って当然だという真実に思い至らないはずがない。

勘弁してくれ、と思う。恵は、夏野に好意を期待していたのだろう。今日のあの少女だって、死者を悼み、ありがたく遺品を受け取ることを期待していた。恵の思いに感じ入って、涙の一滴でも落とせばお気に召したのかもしれない。

（……学芸会だ）

恵が夏野に期待していたのは、学園物の恋愛ドラマの相手役だ。あの少女が夏野に期待していたのは、不幸にして若くして死んだヒロインの片思いの相手、という役まわりだったのかもしれない。そうやって誰もが勝手に夏野に役柄を割り振る。都会から純朴な村に越してきた斜に構えた少年、あるいは、都会の荒廃を空洞として胸の中に抱え込み、それに気づかずにいる息子。そうやって勝手に役を振っておきながら、台本通りに動かないと言って夏野を責める。誰一人——本当に、誰一人、それが自分の中だけにある手前勝手なシナリオだということに気づいていない。

「お笑いだ」

夏野は木苺の茂みに向かって吐き捨てる。

夏野は恵が嫌いだった。恵の期待は分かる。そんなものは恵の勝手だ。だが、恵はそれが自分の独りよがりな期待にすぎないことに無自覚だった。こう言ってほしい、こう動いてほしい、それを正面から要求することはせず、夏野が期待通りの台詞《せりふ》を吐くよう、期待通りに動くよう、執拗《しつよう》に絡んで水を向けてきた。

——わたしなんて、都会の女の子に比べたら、野暮ったいでしょ？

——結城くんは、わたしのことなんて嫌いなのよね。

——そのうち、二度と顔を見せるな、とか言われそう。

差し出すつもりもないものを、無理矢理にもぎ取るのは搾取《さくしゅ》だ。夏野は断じて、勝手に振られた役まわりを演じる気などなかったが、この村ではそれが当然のこととしてまかり通っているばかりでなく、誰も演じさせられている自分に気づかず、むしろそうやって相手の期待を演じることが美徳だと思われているのだった。

(村ぐるみの猿芝居だ)

恵は勝手に恋愛物語の相手役を夏野に振った。けれどもそうしていながら、恵自身、恋愛物語のヒロインを演じていただけで、そこには上滑りな夢想しかありはしないのだった。それは切実な希求ではない。単に恋する少女を演じて、自己満足に浸っていたかっただけだ。恵は、一事が万事そうだった。

だが——と夏野は思う。そんな恵も、たったひとつ、都会の話をねだるときだけは本当の顔をしていた。村は嫌いだと言い、都会に出たい、と言った。それに関してだけは恵の本音に見えたし、これだけは夏野にも共感可能だった。

恵は常に、都会の大学に行くんだ、と言っていた。実を言えば、夏野はそれを信じていなかった。必ず行く、と騒ぐわりに、恵はそのための準備をしている様子がなかった。どこそこの大学に行きたい、と挙げるのは、やたら名前の通りが良い大学ばかりで、そのくせ恵は自分の成績には無頓着だった。夏野も村を出たい。そのために、大学は是非でも都会の大学に行くのだと思っている。だから、そのための準備もしている。とにかく都会に戻れさえすれば、大学も学部も問わない、とさえ思う。そういう夏野から見ると、恵の脱出計画にはおよそ実現性があるとは思えなかったし、何のかんのと言いながら、結局のところ恵は、高校入試の時そうだったように、土壇場《どたんば》になれば親が許してくれないだの理由を探して変節したのだろう。いつか必ず、と言いながら村に留まり、村に根づいてしまったのに違いない。

恵はそういう人間だったと思っているが、それでも夏野は、外を希求する恵の心情だけは真実だったような気がしている。そして、恵は——死んだ。

恵は本当に外場を抜け出したのだ、自らが死亡することによって。死によってやっと外場を出た、と言うべきなのだろうか、それとも死をもってしか抜け出すことができなかった、と言うべきなのだろうか。

——あるいは、自分もそうなのだろうか。

8

埋葬を終えると、一行は清水家に戻り、精進落としのために座敷に集まった。静信は、単に儀式を執り行なったにすぎない自分が上座にいることに、いつものように気後れのようなものを感じながら、一座を見守っていた。

恵の祖父である清水徳郎は、もともと村会議員をやっていた気骨のある人物だった。若い頃は血気も盛んだったらしく、逸話には事欠かない。その息子である清水武雄もまた、非常に気骨のある人物だった。熱血漢で激昂《げきこう》しやすい徳郎と、冷静で理論家の清水と、表れ方は違っていても芯《しん》に共通するものがある、と静信は長らく思っていた。だが、その二人が、打ちのめされた様子で坐《すわ》っている。徳郎が感情を表す余裕もないほど虚脱しているのも稀《まれ》なら、清水が人目も憚《はば》からず感情を露《あら》わにしているのも稀だった。

寛子はそのどちらでもあり、どちらでもなかった。堰《せき》を切ったように泣き叫ぶかと思うと、人形のような無表情で坐っている。周囲の慰めの言葉を、放心したような顔で受け止めているかと思うと、自らの悲嘆について語り始め、そうなるともう感情の箍《たが》が外れたように声を嗄《か》らして泣き出す。ひとしきり泣くと、曇ったガラス玉のような目を上げて、ネジが切れたように虚脱する。

三人は、未《いま》だに自分を取り戻していないようだった。おそらくは山の中に自分の一部を置き去りにしてきた気がしていることだろう。静信もまた、かける言葉が出てこない。(お力落としなく……) この様子を見れば、そんな言葉には意味がないことなど分かり切っている。恵はあまりに若い。力を落とすなというほうが無理だろう。

いつもは歳《とし》よりも十は若く見える徳郎が、今日ばかりは歳よりも老《ふ》け込んで見えたし、それは寛子も同様だった。前屈《かが》みに俯いた背の悄然《しょうぜん》とした丸みが、不思議に後藤田ふきのそれに重なった。

(……覚悟をしたほうがいい)

唐突に言葉が念頭に浮かんだ。――そう、覚悟をしたほうがいい。恵の死を引き受け、一刻も早くそこから立ち直るための覚悟。力を落としていてはいけない。この悲嘆に呑まれないように。

(だが、そんなことを、どうして今この人々に言えるだろう?)

静信は嗚咽《おえつ》を漏らしている清水に目をやる。時折、思い出したように徳郎の背中をさする清水の手は、老いた父親を庇護《ひご》しているようでもあり、父親に縋《すが》って懸命に自分を支えようとしているようでもあった。それが痛ましく、同時にどこか危うげに見えた。

恵を失った衝撃を、懸命に耐え忍び、やり過ごそうとしている人々。今はそれが精一杯、それ以上のことを求めるのは酷だろう。にもかかわらず、静信は全員の背を叩《たた》いて力を落としてはいけない、と言いたくてたまらなかった。だが、静信自身にも、どうして自分がこんな焦燥感を感じるのかが分からない。けれども。

(そんなふうにしていては駄目だ)

泣きやまなくては、早く。

——**泣く子のところには鬼が来るぞ。**

九章

I

安森義一の訃報《ふほう》が寺にもたらされたのは、清水恵の葬儀の翌日、盆が明けた日のことだった。静信は連絡を受けながら、やはり駄目だったかと思った。昨夜、敏夫と丸安製材の双方から、危篤《きとく》だという連絡は受けていた。それ以前に、そもそも義一は長患《ながわずら》いで、誰の目にもそう長くはないことが明らかだった。

そのせいもあってか、訃報を知らせてきた丸安製材の一成《かずなり》の声も、至極、落ち着いていた。この盆には一族の全員が集まって義一とともに過ごした、それができて良かった、と一成は言う。これを受け取った静信も、義一は満足して旅立てただろう、と慰めるだけの余裕を持ち得た。

「一成さんも立派に製材所を切りまわしておいでだし、和也《かずや》くんにも良いお嫁さんが来られた。こういう言い方をしては失礼ですが、義一さんも思い残すことがないでしょう」

「そうですね」と一成が電話の向こうで微笑《ほほえ》んだ気配がする。「曾孫《ひまご》の顔を見せてやれなかったのだけが、不足と言えば不足でしょうか。けれども嫁が良くやってくれるので、親父《おやじ》もそれで満足だったようですから」

「そうでしょうね」

「家内も息子夫婦も良くやってくれました。親父も最後まで我が儘《まま》ひとつ言わず、頑張ってくれましたし」

本当に、と静信は拘《こだわ》りなく頷《うなず》くことができた。一進一退——と言うより一進二退を続ける病人を抱えているのは、静信も同じだ。丸安の人々の心情はよく分かった。

「本当にお疲れさまでした。一成さんも、義一さんも」

ありがとうございます、と一成はそれでも声を詰まらせた。

「亡《な》くなったんですか、義一さん」

静信が受話器を置くと、光男が言う。

「ええ。ついさっき、国立病院で。門前の世話役の徳次郎さんは縁続きになりますので、たぶん田茂の定市《さだいち》さんが世話役代表になります」

そうですか、と光男は息を吐いた。

「義一さんが亡くなったということになると、角くんとこの親父さんとお兄さんにも手伝ってもらわないといけないですね」

静信は頷いた。安森義一は、弟の徳次郎に譲るまで檀家《だんか》総代を務めていた。世話方の代表も務めたことがある、寺にとっては重鎮の一人だ。その葬儀ともなれば、静信と役僧だけということはあり得ない。脇《わき》導師として住職、副住職格の僧侶《そうりょ》を複数、付けることになるだろう。戒名も、本山に諮《はか》って院号を出すことになる。

「こりゃ、大変だ」と、池辺が息を吐いた。「とは言え、恵ちゃんと違って気楽だな」

鶴見が顔を蹙《しか》める。

「お前はまた、そういう不謹慎なことを」

そうだねえ、と光男は黒板に向かいながら頭を振った。

「こう言っちゃあなんだけど、気が楽だと言えばたしかに楽だね。秀司さんやら恵ちゃんやら、ああいう逆縁の葬式はこっちも気が張るからねえ」

光男の言に、静信はもちろん、誰もが安堵《あんど》したような息を吐いた。

穏やかな死だ、と静信は思う。もちろん死そのものの意味は変わらないのだが、死とはこうあるべきだという気がした。

順当な死。老人は山に還《かえ》ったのだ。人として生まれ、村で青年として過ごし、仕事を得て家庭を持ち、その営みを終えた。泰然自若とした足取りで山に分け入っていく背中が見えるような気がした。ようやく病床を離れ、苦痛からも家族への気遣いからも解放された。義一にとっては、おそらく幸いなことだろう。この先の悲劇を知らずに済む。

静信は心の中で手を合わせ、ふと自分の思考を訝《いぶか》しんだ。「この先の悲劇」とは何だろう。義一にこの先、どんな悲劇が待っていたというのだろう。義一は病を得た。家族の看護も虚《むな》しく、徐々に悪化の一途を辿《たど》り、最近では枕《まくら》も上がらなかったと聞いている。本人の苦痛も大きかっただろう、周囲に対する気兼ねもあっただろう、もちろん、自分の生に対する不安も大きかったに違いない。このまま無為に病床に縛りつけられ、増してゆくだけの苦痛に満ちた残る人生を短く終えた、それは考えようによっては幸福だったのかもしれないと、そういう気がしていたのだが、「この先の悲劇を知らずに済む」は、それとは微妙にずれてはいないか。

静信は自己の思考を見つめ、そして自分の中に不安を見つけた。

秀司の死は悲劇だった。恵の死もまた悲劇だった。そして、この一連の悲劇は始まったばかりなのだ。

死は村に蔓延《まんえん》し、この先、幾重にも悲劇をもたらすだろう。その——予感。

2

「先生、田島予研さんが来てるんですけど、何かありますか?」

十和田の声に、敏夫は読んでいた書類から顔を上げた。国立病院の知り合いの医師から送られてきた義一の経過報告書だ。やはり義一は肺炎だった。原因菌はグラム陽性球菌、心不全を合併し不整脈で死亡。

「来たか。済まないが、結果の中から恵ちゃんのぶんだけ抜いてきてくれ」

「恵——清水恵ちゃんですか？」

「そう」

敏夫が言うと、十和田は心得たふうに頷いて踵《きびす》を返した。すぐに小走りの足音がして、十和田ではなく武藤が一枚の紙を持って戻ってきた。

「悪いな、武藤さん」

敏夫は検査結果表を受け取り、主な項目に目を走らせる。全血液中の赤血球数、白血球数、血小板数はともに減少傾向にあり、ヘモグロビン量、ヘマトクリット値も減少している。これに対して網赤血球数は増加、血清鉄、総鉄結合能、血清フェリチン、正常。

敏夫は眉《まゆ》を顰《ひそ》めた。——これはあまり嬉《うれ》しくない結果だ。

「いかがです？」

声をかけられて、敏夫は武藤が未《いま》だにデスクの前にいて、自分の手許《てもと》を覗《のぞ》き込んでいることにやっと気づいた。放っておいてくれ、と言いたい気がしたが、武藤は清水と親しい。敏夫が貧血だと言ったにもかかわらず、恵は急死した。程度はともあれ、清水に対してなにがしかの罪悪感を感じてしまうのは、武藤もまた同様なのかもしれなかった。

「ああ——うん」

「やっぱり貧血ですか」

敏夫は息を吐く。

「貧血は出てるな。だが、いわゆる貧血——鉄欠乏性貧血じゃない。おれの誤診だ」

そんな、と武藤は悲愴《ひそう》な顔をした。

「血清鉄、総鉄結合能、血清フェリチン、どれを取っても正常値の範囲内だ。鉄欠乏性貧血なら値が変わっていないとおかしい」

「でも、結果はやっと今日、出たわけで」武藤は狼狽《ろうばい》したように言う。「そうですよ、そんな、結果も出ないうちから正確な診断なんてつくはずがないです、易者じゃないんですから。検査結果が遅れたのは、盆休みが入ったせいで——」

「あんたがそんな、狼狽《うろた》えることはないさ」敏夫は苦笑した。「貧血のほとんどは鉄欠乏性貧血だ。特に若い女の子なら、どんな医者でも、まずそれを疑う。たしかに清水さんに対して、だから心配はいらないと安請け合いをしたのはおれの落ち度だが」

口の中が苦かったが、言葉に出して認めてしまえば気は楽になった。

「検査を急がせれば良かったのかもしれん。そうすれば少なくとも、最悪の事態は回避できたかも。——そう思っていたんだが、どうやらそういうことでもなさそうだな」

「は？」

敏夫はデスクの抽斗《ひきだし》から電卓を引っぱり出した。

「平均赤血球容積、平均赤血球へモグロビン濃度」赤血球数、へモグロビン濃度、へマトクリット値からざっと計算をしてみる。「網赤血球数も増えてる。やっぱり正球性正色素性貧血だな」

武藤はぽかんとした。

「そりゃあ、一体」

「貧血には大別して三タイプあるんだよ。鉄欠乏性貧血なら、小球性低色素性貧血だ。これに大球性正色素性貧血ってのがあって、三つ。正球性正色素性貧血ってのは、急性の出血、あるいは溶血、そうでなければ再生不良性貧血や二次性貧血によって起こる。だが、恵ちゃんの場合、特に外傷もなかったし大きな内出血が起こっているような形跡もなかった。総ビリルビン、直接ビリルビン、LDH、ハプトグロビン——いずれも正常値の範囲内だ。となると、溶血の可能性は低い。網赤血球数が増えているから、再生不良性貧血の可能性も少ない。その他の生化学試験も問題なし」

「はあ」と武藤は瞬き、首を傾《かし》げた。「……それで、どういうことになるんですか」

「分からないんだ」敏夫は検査結果票を手の中で弄《もてあそ》ぶ。「原因はよく分からない。少なくとも確実なのは、あれはおそらく二次性貧血だった、ということだ。急死した以上、身体《からだ》のどこかに問題があったんだ。それも、一見して分からないようなところに重大な問題が。そのせいで貧血が現れていただけなんだ」

「その……たとえば？」

「知るもんか。たとえこの結果が往診した当日に出たとしても、おれに打てる手は再検査だけだ。どこにどういう不具合があるのか、徹底的に洗ってみるしかなかったわけだが、それをやって結果が出るほどの時間の猶予《ゆうよ》はもうなかった。——そういうことだ」

ああ、と武藤はわずかに安堵したふうを見せた。

「そうだったんですか」

「これがおれじゃなく、まっすぐに大学病院なり、しかるべき設備のある大病院に連れて行ってそれなりの名医に診せたところで、結果は変わらなかっただろう。なにしろ、決着がつくまでに三日しかなかったんだからな。それこそ、易者のところにでも行かないことには。もっとも、易者じゃあ、原因を当てられても治療できんだろうが」

「そりゃあ」武藤は複雑そうだった。「運がなかったんですねえ」

敏夫はさらに苦笑した。

「ひょっとしたら、貧血以外にも症状があったのかもしれないが。あったとしたら昨日今日の話じゃないだろう。しかしながらあのお嬢さんは、ほんのちょっと具合が悪くても大騒ぎする癖があったからな。それで周囲も、またいつものやつが始まったと軽く考えて忘れていたんじゃないのかな。——何を言っても、もう想像でしかないが」

恵はすでに死亡している。遺体は土の中だ。連日のこの暑さだ、腐敗もかなり進行しているだろう。清水がいまさら病理解剖に同意するとも思えないし、埋葬された死者を文字通り掘り返しても意味がない。

「それこそ寿命ってやつだったんですねえ」武藤は感慨深気《げ》に呟《つぶや》いて頭を振った。「どうにも短すぎて、やるせない話ですけど」

敏夫は頷いた。

「――まったくだ」

3

残照の中を、矢野妙は急ぐ。上外場に出て、後藤田家を訪ねた。

縁側から家の中を覗き込むと、屋内には線香の匂《にお》いがうっすらと立ち込めていた。息子を亡くしたばかりの後藤田ふきは、白々と明かりが点《つ》いた茶の間に寝ころんでいる。テレビが点いて、虚しいばかりに上滑りな歓声を流していた。その図式はいかにも寂しい。ふきの孤立を強調しているだけのことのように思えた。

「ふきさん」

縁側から声をかける。二度、三度と声をかけると、ふきがようやく身を起こした。どうやらうたた寝をしていたらしい。

「……妙ちゃん」

妙は、ふきの気を引き立てようと、ことさらに明るい声を出した。

「また夕飯を作りすぎちゃったのよ。お弁当にしてきたんだけど、一緒にどう？」

ふきは笑ってぺこりと頷いた。その動作がいかにも老女めいていて、妙は胸を衝《つ》かれる気がした。ふきは小さくなった。こんなにも歳《とし》を取っていたのか、と改めて思うことが近頃、再三ある。

「いつも悪いわねえ」

ふきに、妙は笑った。

「いいのよ、作りすぎただけなんだから」

妙は茶の間に上がり込み、卓袱台《ちゃぶだい》の上で風呂敷《ふろしき》包みを開いた。ふきがお茶を淹《い》れに立ったが、ふきが向かった台所はきっちりと片付いたまま、夕飯の用意をしていた形跡がない。

「……熱いお茶でもいいかしらね」

「構わないわよ。麦茶でも持ってくれば良かったわね」

ふきが茶の間に戻ってくるのを待つ。ふきは疲れてでもいるように、どこか足取りが頼りなかった。

「夕飯の用意をしてなきゃいいと思ったんだけど、大丈夫だったみたいねえ。ちゃんと食べてる?」

ふきは苦笑するように微笑《ほほえ》んだ。

「夏負けかしらね。……億劫《おっくう》で」

「駄目よ、そんなことじゃ」

「そうねえ」と、ふきは呟く。弁当の蓋《ふた》を開け、「美味《おい》しそう」とは言ったが、あまり食欲がある様子でもなかった。ぼそぼそと、妙に相伴する程度に箸《はし》を使う。

「……ふきさんは、子供と同居したりしないの」

妙は訊《き》いた。秀司は死んだが、他にも二人子供が残っている。

「息子は来いって言うんだけど」

ふきは気乗りがしないようだった。

「そのほうがいいんじゃない。良くないわよ、年寄りが一人なんて」

「……踏ん切りがねえ」

「踏ん切りがつく頃には、足腰が立たなくなってるわよ。同居するんなら、身体がしゃんとしてて、少しでも役に立てる間でなきゃ。世話してもらわないといけないようになったら、誰も同居してくれないわよ」

そうね、とこれまた、いかにも気乗りがしないようだった。

「ふきさん、あんた、顔色が悪いんじゃない?」

「そう？」と、ふきは首を傾げた。

「具合でも悪いんじゃないの。なんか、そんなふうよ」

さっきも寝ていたし、食欲もないようだ。妙は幼馴染《おさななじ》みの顔を覗き込む。

「疲れてるのかしらね。……葬式がふたつもあると、やっぱりねえ」

妙は頷いた。年寄りに葬式は堪《こた》える。特に身近な人間や同年輩の者が死ぬと、しばらくは虚脱したように力が抜けてしまう。単に煩雑《はんざつ》な雑用で疲れるというよりも、自分ももういつ死んでもおかしくない歳なのだということを確認して、気落ちしてしまうのだ。

「大丈夫？」

ふきは頷いた。肩をすぼめ、背を丸め、力無くコトリと首を振る。生気が抜けてしまっている——妙にはそんなふうに思えた。

「やっぱり同居したほうがいいんじゃない。張りが戻るわよ」

ふきはしばらく答えなかった。じっと湯呑《ゆの》みを覗き込み、やがて小さく零《こぼ》す。

「……秀司の夢を見てね」

瞬く妙に、ふきは笑った。

「秀司が戻ってくる夢を見たのよ。秀司が迎えに来てくれたのかしらね」

「ふきさん、駄目よ、そんな」

「……夢なんだけど……でも、村は離れたくないのよ。遠くに行っちゃうと、そんな夢も見られなくなるような気がしてねえ」

ふきは微笑んだ。妙は俯《うつむ》く。死んだとは言え、息子を置いて遠方に行ってしまいたくはない、という気持ちは痛いほど分かった。

「だったら、元気を出さなきゃ」

妙の言葉に、そうね、とふきは呟いた。

4

夏休みも、盆を過ぎるとさすがに暇を持て余す。村迫正雄は、ぶらぶらと店を出た。老齢の父親は、たまには店番ぐらいしろ、と今にも言い出しそうな目をしたが、口を開く契機を与えず、店を出ることに成功した。

とは言え、特に行くあてがあるわけではなかった。この暑い中、わざわざバスに乗って遊びに行くのは億劫だ。正雄は特に習い事もしてないし、塾にも通っていない。何かあって村を出れば、それなりに遊び相手も遊び場も見つかるのだが、村の中で間に合わせるとなると武藤ぐらいしか行き場がなかった。村ではそもそも同年輩の者が少ないのだ。そのうちの半数は女の子だし、男の半数もクラブだ塾だと飛びまわっている。そいつらはそいつらで別のグループを作っていて、村に閉じ籠《こ》もって無駄話をするしか能のない正雄たちとはあまり接点がない。

　仕方なく武藤に足を向けた。別に武藤保や保の家族が嫌なわけではないが、そこに行くと嫌な奴《やつ》に会うことになるので気が重い。かといって他に行くところもなく、家にいるのはさらに面白くなかったので致し方ない。

　武藤の家に行くと、保の母親が気安げに迎えてくれた。上よ、という声に階段を上ると、保の部屋には金曜だというのに徹の姿があって、夏野の姿もあった。

　正雄は内心で舌打ちをし、視線を徹に向ける。

「徹ちゃん、休みか？」

「そう。後期盆休み」

「後期ってなんだよ」

「まとめて盆休みが取れなかったんだよ。他の連中が先に長期の休みを取ったから。んで、盆と盆のあとに休みが分かれたってわけだ」

「要領、悪いなあ」

　なんの、と徹は笑う。

「あえて取らなかったんだよ。これが気配りってもんだ。こっちは別に、旅行に行くわけじゃなし、無理に続けて休みを取らなくてもいいからさ。そこは譲って恩を売る。これが大人の処世術ってもんだな」

なんだかなあ、と笑いながら夏野の様子を窺《うかが》うと、夏野は興味もなさそうに保のベッドに転がって雑誌を眺めている。

「おい夏野」声をかけると、夏野は正雄をねめつけた。名前を呼ばれたのが気に入らないのだろう。ささやかに溜飲《りゅういん》を下げながら、「お前、清水の遺品を断ったんだって?」

「それが?」

「冷たいよな。お前ってさ、どっか情緒に欠陥でもあるんじゃねえの? 普通、若くて死んだ子の遺品をさ、汚いもののように言うかよ。相手の気持ちに対する思いやりってもんがぜんぜんないんだよな」

「若くて死んだから何だって言うんだよ。おれたちだって明日にも死ぬかもしんないんだぜ」

「だからって、高校一年やそこらで死んだんじゃ可哀想《かわいそう》だろ」

「馬鹿《ばか》みてえ。人間なんて、なんで死ぬか分かったもんじゃないんだしさ、いわば確率のもんだろ。確率ってのは私情や個人的な事情には頓着してくれないもんなの」

「そう分かってても、まさか高一で死ぬとは思わないのが人間じゃないか。無念だと思うぜ、清水にしたらさ」

「そこで狼狽すんのは、自分だけは、って傲《おご》ってた証拠だろ。他人事の死なんてないの。無念を残すような生き方してるほうがどうかしてるよ」

「だからって思いを残すものを無下に扱っていいのかよ。お前、自分がそういう扱いを受けても平気なのか」

「平気もなにも、死んだら分かりゃしないだろ。あとは野となれ山となれ、ってとこだよな」

「清水、今頃は墓の下で泣いてんぞ」

「死人が泣くかよ」

「お前を恨んで出てくるかもな」

「悪い子のところには鬼が出るってか？　いい歳して、初心《うぶ》だね、こりゃ」

徹は笑った。

「これが純朴な田舎気質ってもんさ。帰って報告してみろ。お前んちの父ちゃん、涙流して喜ぶぞ」

「……まったくだ」

夏野は溜息《ためいき》をついて雑誌を閉じた。

「ほんじゃ、親父《おやじ》を喜ばせに帰るか」

「おう。じゃあな」

手を振る徹と保に手を挙げて応《こた》え、夏野は部屋を出ていく。階段を下りていく軽い足音が聞こえた。

「……生意気な奴」

正雄は呟いたが、徹も保も反応がなかった。聞こえなかったはずはないのに、面白くもなさそうにテレビの画面を見守っている。

「あいつってさ、本当に冷たいよ。なあ、保、そう思わないか？」

保は軽く肩を竦《すく》める。

「ま、クールに見えるのはたしかだよな」

「見えるだけじゃなくて、あれが本性だろ。信じられないよ、なんだってあんな奴、保も徹ちゃんも我慢できるんだよ」

「夏野が言ってるのは、一面の真理ではあるからなあ」

「保も仲間か」

「そういう問題じゃなく。おれだって清水は可哀想だと思うぜ。あの歳で死んだら、たまんないよなとは思うけど、実を言うと他人事なんだよな。そりゃ、親父同士が付き合いあったし、小さい頃は一緒に遊んだりしたけどさ。もう一緒に遊ぶような歳でもないし、このところ学校の行き帰りでもなけりゃ会うこともなかったし。驚いたし、可哀想だとは思ったけど、新聞見て可哀想にと思うのと一緒で、おれが辛《つら》いわけじゃないんだよな。ああ、これは可哀想なことなんだなって思ってるだけのことで。お前だってそうだろ？　お前なんて、清水とはぜんぜん無関係だったわけだし」

「それは、そうだけど」

「それでもさ、家族や友達にしたら辛いことでさ、それに付き合って、辛そうなフリぐらいしてやるのが協調性ってもんだよな。夏野にそれを求めるだけ無駄だけど」

「そこが問題なんだろ」

「別にいいじゃん。夏野の場合、徹底してるもんな。自分の親や友達が死んでさ、同じようなことを他人にされても、気にしないいんだろ。それはそれで辻褄《つじつま》が合ってる」

「それってもっと問題じゃないか？　自分の親が死んでさ、形見分けしようってのに相手がそれ拒んで、それで腹が立たなかったら人間じゃねえよ」

　徹が苦笑した。

「夏野は冷淡に見えるけど、そのぶん冷静で公平だよ。たとえばさ、お前があやって突っかかっても、おれたちを味方に付けようとはしない。一緒に怒ってくれとは言わないだろうな」

　徹に言われ、正雄はむっと口許《くちもと》を歪《ゆが》めた。それが自分に対する批判だと感じたからだ。

「ここで仮に、おれたちが夏野を庇《かば》って、お前の態度のほうを責めても、あいつは嵩《かさ》にかかったりしないだろ。放っとけって言うのが関の山じゃねえかな。これは自分とお前の問題だから外野は外野で別口でやってくれって言うぜ。そのへん、夏野は徹底してるよ」

「そういう話をしてるわけな」

「たとえばの話だよ。――まあ、そういう奴だから、あれはあれでいいんだろ。お前もさ、夏野のそういう態度に苛立《いらだ》つなら、いちいち構うなよ。気に入らないんなら放っておきゃいいだろうが」

「あんたらが構うから顔合わす破目になるんだろ。おれのせいにするなよな」

正雄は言って立ち上がった。

「――正雄？」

「帰る」

短く言って階段を下りる。これではまるで自分が責められているようだ。正雄は別に夏野に興味などない。付き合いたいとも思ってないが、徹たちが構うから始終顔を合わす破目になるのだ。そもそも間に割り込んできたのは夏野のほうだ。普通、グループの誰かと折り合いが悪かったら、グループに入るのを敬遠しないか、と夏野の図々しさに腹が立つし、折り合いが悪いのを分かっていて夏野の侵入を黙認している徹たちの態度にも腹が立った。

(余所者《よそもの》のくせに……)

5

バイクの荷台からビールの缶を下ろし、篤は呼び鈴を押す。

現れた主婦に無言で缶ビールのパックを渡し、篤はさっさと踵《きびす》を返した。夏場はどうしても配達が多い。始終駆り出されて嫌になる。無料奉仕だと思えば、なおさらだった。

「あら、どうもお疲れさま」

メモにチェックを入れ、次の配達先を確認する。残りは二軒、どっちも醬油《しょうゆ》が一本とか日本酒が二本とかの小口の配達だった。たかだか一升瓶の一本や二本、自分で持って帰れよな、という気がしてならない。メモを荷台のケースに放り込んで、篤はバイクを出す。門前の御旅所の前を通って、村道へと出た。ろくに周囲を見ずに村道に飛び出し、あやうく上外場に向かう車と接触しそうになる。急ブレーキをかけた篤を、運転手が振り返った。何か言ったようだが、車の窓は閉まっているから聞こえなかった。

篤は舌打ちをする。恨みがましく車を見送った。あとを追いかけて車に蹴《け》りでも入れてやりたい。一時停止の標識を無視したのは自分のほうだという事実は、意識の隅っこに追いやった。むしゃくしゃしながらバイクを出そうとすると、エンストした。それがさらに篤を苛立たせる。

（やってられねえ）

世の中の若い連中は、夏を謳歌《おうか》しているというのに。篤はこんな田舎の村の中でくすぶっている。面白いこともない、胸のすくようなこともない。父親に怒鳴られ、使い走りをさせられている。

篤はエンジンをかけながら、村道の上のほうに目をやった。本当に追いかけていって運転手を引きずり出し、一発くらわせてやろうか。思いながら、自分がそんなことをしないだろうことを、分かっていた。

車の影はもう見えない。上外場の集落のどこかへ曲がっていったのだろう。人気《ひとけ》のない道が夕陽を浴びて北へと延びていた。この先には山入がある、と篤は思う。

老人が死んだ。しかも三人もいっぺんに。一人は篤の縁者だ。野犬に襲われて死体はさんざんな有様だったらしい。それを見てみたかった、と思う。無茶苦茶になった人間の死体というのは、どういう有様なのだろう。死んだ大川義五郎は、篤にとって、いけ好かない縁者だった。篤に小言を言うしか能のなかった老いぼれ。小遣いのひとつもくれたことはなく、繰り言めいた愚痴ばかり言っていた。そうでなければ、何度も同じ小言を言う。うんざりしてそっぽを向けば怒鳴りちらす。父親も義五郎が訪ねてくるたび嫌な顔をしていたが、篤も義五郎は嫌いだった。

その義五郎が、バラバラになって死んだ。死体を見たら、さぞかし溜飲が下がっただろうと思う。この道の先、夕映えに朱を帯びた道の向こう、あの黒々として見える樅《もみ》の間を辿《たど》った先。死んだ義五郎と、死んだ山入。

不思議にその道から目を離せなかった。近頃、篤にはこういうことがよくある。このあたりまで来ると、必ずこうして山入に続く道に見入ってしまう。

（配達に行かねえと）

たらたらしていると、また油を売ったと父親にどやされる。そう思って、にわかに篤は嫌気が差した。なんだってこんなことをさせられなければならない、という思い。そう思いながらも父親を気にして、おとなしく扱《こ》き使われている自分。このまま配達に行くのは業腹《ごうはら》で、篤は衝動的にバイクを村道の上に向けた。――山入のあるほう。

思い切りアクセルを開けると、上外場の終わりまではすぐだった。飛ばした、という実感が湧《わ》く暇もない。目の前には、両側を樅に挟まれて、たそがれた道が続いている。篤はスピードを落とした。

義五郎は死んだ、バラバラになって。いい気味だ、と思いながら、どこか背筋が寒い。店先の自販機でジュースを買っていた子供たちが、馬鹿な噂《うわさ》話をしていた。この道を辿っていくと、血塗《ちまみ》れの年寄りに出くわす、という。そいつは全身つぎはぎで、身体の一部が欠けている。通りがかった者に、どこにあるか知らないか、と問う。

（馬鹿馬鹿しい）

義五郎に、化けて出るほどの根性があるものか。出るとしても、そのへんに佇《たたず》んで愚痴を言うのがせいぜいだ。——だが、そんな噂話を聞いたせいか、山入に続くゆるい坂道は、どこか陰惨な雰囲気を帯びているように感じられた。荒《すさ》んだ感じがするのだ。樅のさしかける影《かげ》で翳った道は、なまじ西陽が中途半端《はんぱ》に射《さ》しているだけに、いかにも暗く感じられた。

(山入……)

死。死体。終わった集落。無人。

義五郎たちの血の痕《あと》はそのままだろうか。死体の痕跡《こんせき》が今も残っているだろうか。背筋がぞくりとする。自分が怯《おび》えているような気がする。そんなはずはない。それを自分に証明したい。山入に行ってみたい。

(早く配達に行かねえと)

思いながら、篤はのろのろと道を遡《さかのぼ》った。樅の影に飲まれ、周囲が急速に翳る。道はやはりどこか荒んで見えた。カーブをひとつ曲がると前方も樅、後方も樅、人の気配はなく通りがかる車もいない。

突然、間近から何かが飛び出してきたのはその時だった。篤の左手、北山の斜面に面する草叢《くさむら》から、何かがぶつかるように飛び出してきて、篤はバイクごと横転した。派手な音がして瓶が割れ、醬油と酒の匂《にお》いがする。

「何だよ！」

篤は大声を上げて身を起こした。スピードが出てなかったのが幸いだ。周囲を見渡す間もなく、間近で身を低くしている痩《や》せこけた犬の姿が目に入った。牙《きば》を剥《む》き、唸《うな》り声を上げている。

「何だよ、こらァ！」

篤は手を振った。野犬はさらに身を低くする。篤は立ち上がり、バイクに駆け寄って引き起こしたが、その足に犬が飛びかかってきた。ジーンズの裾《すそ》を啣《くわ》えて首を振る。足を蹴ってそれを振り解《ほど》き、なんとかバイクの態勢を立て直してエンジンをかけたところでふくらはぎに激痛が来た。野犬が喰いついている。

野郎、と大声を上げ、遮二無二足を蹴り出す。灼《や》かれたような痛みとともに野犬が離れた。犬はさらに身を低くする。周囲の林の中から、下生えを掻《か》き分ける音と、犬の唸り声が聞こえた。篤は委細構わずバイクを出した。飛びかかってこようとする犬に突っ込むようにしてUターンさせる。すぐ近くの草叢から別の犬が飛び出してきたが、これはかろうじて避けることができた。

篤は息を弾ませながらスピードを上げる。口の中で、畜生、と呟《つぶや》きながら、なんとか村に出、村道を急いで店へと戻った。

脂汗《あぶらあせ》を浮かべて店に戻った篤を迎えたのは、父親の罵声《ばせい》だった。遅い、どこで油を売っていた、と怒鳴られ、足の傷を示した。どうした、と問われたので深く考えずに野犬に襲われた経緯を話したら平手が飛んできた。配達をさぼってふらふらしたあげく、商品を駄目にするとは何事だ、と父親は怒鳴る。

「おまけに犬ころに咬《か》まれて尻尾《しっぽ》を巻いて逃げ帰ってきやがったのか！　まったく、お前みたいな情けねえ奴《やつ》は見たことがねえ」

父親は吐き捨てるように言って、床に坐《すわ》り込んだ篤を蹴った。

「さっさと病院に行ってこい。バイクが壊れてたら承知しねえぞ。商品の代金はお前の小遣いから差っ引くからな」

6

八月二十一日、朝、敏夫は一本の電話に叩《たた》き起こされた。眠りを揺するベルの音、それに対する不快感と、起き出して受話器を取るまでの間に浮上する、休みなのに、という感覚。受話器を取り上げながら、敏夫は既視感を覚えた。

――いつか、これと同じことがあった。きっとこの電話は良くない知らせだ。

「はい、尾崎です」電話の向こうでは女の声がしている。その切迫した声音にも、やはり覚えがあった。「どちらさん？」

「田茂です。上外場の田茂ですけど」

女の声は明瞭《めいりょう》だった。

「ああ——どうしました」

敏夫は身を起こし、枕許《まくらもと》の煙草《たばこ》に手を伸ばした。村に田茂は多く、上外場の田茂も一軒ではないが、「上外場の田茂」を名乗るのは一軒しかない。上外場のスーパー「たも」だ。声からすると、電話の相手は田茂聡美《さとみ》ではなく、娘の悠子《ゆうこ》だろう。

「後藤田の、ふきさんが亡《な》くなりました。亡くなっていると思うんです」

敏夫は煙草に火を点《つ》けようとしていた動きを止めた。

「——ふきさん？」

「朝早く『ちぐさ』の妙さんが来て、ふきさんの様子がおかしいって。それで行ってみたら、冷たいんです。息もしてないみたいだし、胸に耳を当ててみても心臓の音が聞こえないんです。ちょっと来てもらえませんか」

「すぐに行きます」敏夫は火を点けないままの煙草を灰皿に放り出した。「ふきさんの家で待っててください。あまりそのへんのものを弄《いじ》らないように。——いいですね？」

はい、と言う悠子の声を聞いて、敏夫は受話器を置く。まただ、と思った。自分は前にも同じことを経験している、という思い。

そう、たしかに前にも経験している。後藤田秀司の時が、まったくこれと同様だった。

敏夫が上外場の後藤田家に駆けつけると、家の表に面した縁側で田茂悠子と、悠子の父親の田茂定次《さだじ》、ドライブイン「ちぐさ」の矢野妙が待っていた。縁側は一枚を残して雨戸が引かれており、妙がわずかに開いた縁側に腰を下ろし、その両脇《わき》を悠子と田茂定次が挟むようにして立っていた。

「先生」敏夫が地所に入れた車から降り立つと、定次が駆け寄ってくる。「――済みませんね」

いや、と敏夫は目頭を押さえた妙を見た。

「妙さんが見つけたんですか？　ふきさんはどこです」

妙は縁側の中を示した。

「中です。……寝間で」

敏夫は頷《うなず》き、妙を立たせる。

「案内してください。この雨戸は？　妙さんが開けたんですか」

「いえ、開いてたんですけど。呼んでも返事がないんで、上がってみたら」

敏夫は妙の肩を叩き、さらに頷いてみせる。――夏のことだ、風を通すために雨戸を一枚、開けたままにしておいたのだろう。村では当たり前のように行なわれていることだった。

妙はおろおろと先に立ち、茶の間を通り抜けて玄関に向かう。玄関を通り過ぎたところが表座敷で、そこには仏壇が置かれていた。仏壇の周囲には供物《くもつ》が積み上げられている。つい先《せん》だって亡くなった秀司への供物だ。廊下を隔てたその奥がふきの寝間だった。寝間には布団《ふとん》が一組敷かれていて、ふきの身体はそこに横たわっていた。

布団の周囲には特に異常がなく、木綿地の寝間着は裾がわずかにめくれ上がっているものの、特に乱れた様子もなかった。薄い夏布団が折り畳まれるようにしてきちんと腹の上に乗っている。あまりにも寝乱れた様子がなかったので、一瞬、敏夫はこれは覚悟の自殺ではないかと思った。実際のところ、後藤田家に来る道々、それを予想していたのだが、布団の周囲を探しても特にコップや薬品のようなものは見当たらない。

枕許に坐り、診察鞄《かばん》を開きながら、敏夫は矢野妙に坐るよう促した。

「妙さんは、何時頃、来たんですか」

「あのう、一時間くらい前です。家を出たとき、九時半でしたから、そのくらい」

「縁側から声をかけて、まっすぐここに来たんですね？　――それから？」

「具合が悪いのかと思って……あの、木曜から具合が悪そうだったんですよ。怠《だる》そうにしてて。それで気になって昨日にも様子を見に来たんですけど、そうしたら寝てて」

「木曜――十八日？」聴診器を出しながら、敏夫は問い返した。「具合が悪いって、どんなふうでした」

妙は困ったように首を振る。

「だから怠そうだったんです。食欲もないみたいでしたし。いかにも気落ちした感じっていうんですか」

「昨日は？」

「寝てました。来て、声をかけても返事がなくて、上がり込んだら寝てたんですよ。ちょうど今日と同じ感じで、あんなふうに雨戸が閉まってて……」

敏夫は頷いて先を促す。ふきの体内からは、あらゆる音が消失していた。

「枕許に行って、何度か声をかけたら目を開けたんです。木曜日よりうんと具合が悪そうだったんで、先生に来てもらおうか、って言ったんですけど。ふきさんが、いい、って言うもんだから。今から思うと譫言《うわごと》みたいなふうでねえ、布団がどうとか、泥がどうとか言うんですけど要領を得なくて。でも、はっきり先生は呼ばないでくれ、って言ったんですよ。そこだけ、本当にはっきり」

「そう」

「土曜の午後だったでしょう。病院も閉まってる時間だし、ふきさんもいい、って言うものを、無理に先生に来てもらうのも申し訳ないと思って、とにかく夜まで様子を見てたんです。熱があって、水は何度も飲んでたんですけどね、おかゆを作っても口もつけないし、寝てばかりいるんで、また今日来るから、って言い置いて帰ったんです。それで今朝来たら、こんな有様で……」

「熱はどれくらいありました」敏夫は微《かす》かに苛立《いらだ》ちながら妙に訊《き》いた。

「八度五分くらいでしたかねえ」

「今朝、この周囲のものを何か弄りましたか」

いいえ、と妙は首を振る。

「呼んでも返事がないし、なんだか冷たいし。息もしてないふうなんで、大変なことになったんじゃないかと思って。どうしたらいいか分からなくて。茶の間に行って、救急車を呼ぼうかと思ったんですよ。でも、救急車は死んだ人は乗せないって言うじゃないですか。もしも死んでるんだったら電話しても仕方ないし、先生に電話しようかとも思ったんですけど、死んだ気がするだけで、死んでないのかもしれないと思って。誰かに見てほしかったんですけど、隣の家はまだ寝てるふうだし、わざわざ起こして来てもらうのもねえ。それで娘に相談しようと思いながら、『たも』の前まで行ったら悠子さんがいたんで」

敏夫は息を吐いた。なぜ昨日のうちに診てくれと言ってこなかったのか、なぜ即座に救急車を呼ばなかったのか、あるいは自分に連絡をしなかったのか。言いたいことはいくつもあるが、そのどれもがいまさら言っても意味のないことだった。

「あのう……ふきさんは」

「亡くなってるね」

やや冷たい物言いになった。――秀司のときもそうだった。どうしてこの年代の年寄りは、勝手な素人《しろうと》判断をするのか、という苛立ちを抑えることができなかった。具合が悪いのなら、どうして医者に診せない。経験則から勝手な憶測をして、医者に申し訳ないだの、周囲に悪いだのと見当はずれな気の遣い方をして、そうして事態をみすみす悪化させるのだ。そう――村迫三重子もそうだった。

「昨日、咳《せき》はありましたか」

「いえ……気がつかなかったですねえ」

「トイレに行きましたか？」

「わたしがいる間は、寝たきりでした」

「特に痛みを訴えたり、苦しいと言ったりは」

とんでもない、と妙は首を横に振る。

「そんなことを言ったら、先生を呼びますよ。熱はありましたけど、寝てるだけっていうふうだったんです。譫言みたいなことは言ってましたけど、熱に浮かされてってほどの熱でもありませんでしたねえ。だから、よほど眠いのねえ、と思って」

そう、と敏夫は呟く。呼吸停止、心停止、血圧はゼロ。瞳孔《どうこう》も散大していて光を入れてみても収縮はない。すでに硬直も全身に及び、非常に強い。

「昨夜のうちに亡くなってるね。それもあまり遅い時間じゃない」

死後十二時間は経《た》っている。昨夜の十時前後というところか。

「まあ……そんな」

敏夫は、ふきの口許に顔を寄せてみた。特に異臭はしない。検分した限り、露出した顔面と手足には、外傷や痣《あざ》などは見られなかった。あちこちに老人特有の染《し》みと、虫さされの痕がいくつか目につく程度、中のいくつかは膿《う》んでいるようだった。ただし若干の浮腫《ふしゅ》がある。念のために髪の中に手を差し入れて頭部を探ってみたが、外傷や瘤《こぶ》のようなものは感じられなかった。

角膜の混濁はまだ顕著ではない。胴に巻きつくようにした腕は完全に硬直していて解けない。肌布団を剝《は》ぎ、寝間着の裾をめくりあげた。ふきは下に夏用の肌着をつけていたが、これもめくりあげる。肌着の下の陽に灼けてない皮膚は蒼《あお》いほど白く、死斑《しはん》は薄いが指圧によって消退しない。やはり死後十二時間程度か。夜具にも下着にも失禁の形跡はない。

特に異常や不審な点は見られなかった。少なくとも外因死でないことは確実で、ふきを死に至らしめた原因は彼女の内部にある。今となっては推測するしかないが、昨日、妙がいる間にトイレに行っておらず、失禁の跡がないことは意味が大きいと思われた。妙が最後に会ったとき聞いたような状態で、しかも失禁の跡がないとなると、極度の乏尿《ぼうにょう》、あるいは無尿だったのだろう。浮腫があることを考え合わせても、おそらくは腎《じん》不全。意識が混濁していたことから察するに、尿毒症――それも高カリウム血症の疑いが強い。

あのう、と田茂悠子が口を挟んだ。

「ふきさんは、どうしたんですか」

「急性腎不全だろうな。……解剖すりゃ、はっきりするんだが」

「そうですか」

悠子は複雑な様子だった。笑えばいいのか渋面を作ればいいのか分からない、というふうに見えた。定次も同様の様子だ。おそらくは誰もが同じことを考えていたのだろう。ふきは息子と実兄を失ったばかりだ。本人も高齢で、立て続けの不幸のあと、かなり参っているふうでもあった。あるいは自殺ではないか、と疑わずにはいられない状況だったし、実際、縊死《いし》していたほうがよほど違和感がなかっただろう。

「ふきさんも歳《とし》だしなあ。とにかく連日、暑かったし。……がっくり来たんだなあ」

定次は自分に言い聞かすように言った。歳も暑さも気落ちも関係ない、急性腎不全ならすぐに医者に診せていれば死なずに済んだかもしれないんだ、と敏夫は思ったが、あえて口にはしなかった。

「弔組の世話役は小池さんだったか。たしか中外場だったな。連絡を取ったほうがいい。

寺にはおれから電話しとくから」

後藤田家を辞去して、敏夫は陽炎《かげろう》の立つ路面に足を踏み出した。

後藤田秀司、村迫秀正。後藤田ふき。——わずか半月の間に。

敏夫は上外場の集落をあとにしながら、軽く汗を拭《ぬぐ》った。

(村は死によって包囲されている……)

センチメンタルな幼馴染《おさななじ》みの言い分のように、敏夫は何者かによって村が包囲されている、という感覚に捕らわれた。

(何かが起こっている)

「……馬鹿《ばか》な」

何が起こるというのだろう？　日本のあちこちに無数にあって、徐々に衰え死んでいこうとしている山村と、この村は何ひとつ変わったところなどない。変化の最先端である都会ではない。ここにあるものはすべて、無害で無益なものばかりだ。ここで——他ならぬここで、何かが起こらなければならない必然性など、どこにもない。

だが、と敏夫はひとりごちた。

「……連中は、まったく同じものにやられてる」